연마수학 탄탄한 기본기 체계적 연마

참 쉬운 3점

시험에 잘 나오는 기출 유형 체계적 공략
[2+**3점짜리**] 고등 **수학 I**

참 쉬운 3점 수학

특징

이 책은 쉬운 유형의 문제로 기본기를 탄탄하게 다지고 문제 해결 능력을 강화하여 수능 및 학교 시험의 쉬운 문제를 완벽하게 해결할 수 있습니다.

쉬운 기출 유형과 개념 이해로 탄탄한 기본기 강화

- 교과서 핵심 개념 및 기본 공식, 이전에 배운 내용, 핵심 첨삭 등의 부가 설명으로 기초가 부족해도 쉽게 유형을 정복할 수 있습니다.
- 쉬운 기출 유형과 맞춤 해법으로 개념을 확실하게 익힐 수 있습니다.

단계별 Action 전략으로 문제 해결의 원리와 스킬 터득

- 기출 유형 체계적 정복을 위한 단계적 Action 전략 제시로 2, 3점짜리 문제를 완벽하게 공략합니다.
- 문제 해결의 원리 터득으로 기본기를 강화합니다.

최신 출제 경향에 딱 맞춘 적중 예상 문제로 실전 능력 강화

- 최신 출제 경향에 따른 빈출 문제, 신유형 문제에 대한 실전 능력을 키울 수 있습니다.
- 문제 해결의 원리 터득으로 기본기를 강화합니다.

참 쉬운 3점 수학 구성

01 기본 학습

개념 정리 문제 해결에 필요한 필수 개념, 이전에 배운 내용, 개념 이해를 돕는 첨삭을 통해 보다 쉽게 개념을 이해할 수 있도록 하였습니다.

기본 문제 개념과 공식을 곧바로 적용해 볼 수 있는 2점짜리 기출문제를 다루어 개념을 확실하게 익힐 수 있도록 하였습니다.

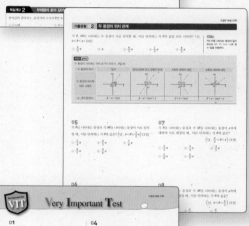

02 유형 따라잡기

수능 및 학력평가에 출제되었던 3점짜리 문제의 핵심 유형을 선정하고, 해당 유형 해결책을 알려 주는 '해결의 실마리'를 제시하였습니다. 또한, 문제 해결 과정에서 적용해야 할 Action 전략을 제시하여, 문제 풀이의 맥락을 쉽게 알 수 있도록 하였습니다.

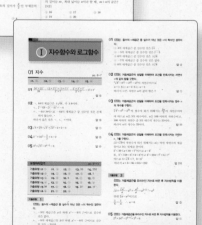

03 Very Important Test

유형 따라잡기에서 다루었던 기출문제를 토대로, 최신 출제 경향에 맞추어 출제가 예상되는 문제를 중심으로 출제하였습니다. 또한, 약간 다른 형태의 문제도 제시함으로써 실전 적응력을 기를 수 있도록 하였습니다.

04 정답과 해설

풀이를 보고도 이해를 하지 못하는 경우가 없도록 자세히 풀이하였습니다. 알찬 해설이 되도록 문제 해결 과정에서 풀이의 맥락을 알려주는 Action 전략, 특별히 보충해야 할 공식과 설명, 수식 계산의 팁 등으로 구성하였습니다.

참 쉬운 3점 수학

이 책은 쉬운 유형의 문제로 기본기를 탄탄하게 다지고
문제해결 능력을 강화하여 수능 및 학교시험의
쉬운 문제를 완벽하게 해결할 수 있습니다.

학습방법

필수 개념 익히기

필수 개념, 이전에 배운 내용, 첨삭의 내용을 이해하고 2점짜리 기출 기본 문제를 풀어
개념을 확실히 익힙니다.

기출 유형별 Action 전략 마스터하기

기출 유형으로 제시된 3점짜리 기출 문제와 함께 '해결의 실마리'를 보고 어떻게 문제를 풀 것인지
생각한 후, 단계별 Action 전략을 따라서 풉니다. 동일한 유형의 문제를 통해 앞서 익힌 풀이 전략을
집중 연습하여 문제 해결의 원리를 확실하게 마스터합니다.

최신 출제 경향 문제로 실력 다지기

실전과 같이 해답을 보지 말고 앞에서 익힌 문제 해결의 원리를 적용하여 풀어 봅니다.
틀린 부분이 있다면 유형 따라잡기의 '해결의 실마리'부분을 다시 한 번 복습합니다.

c o n t e n t s 차 례

I. 지수함수와 로그함수

01 지수

출제경향 매년 빠지지 않고 출제되는 단원으로 개념만 정확히 알면 풀 수 있는 쉬운 문제가 출제된다. 거듭제곱, 거듭제곱근의 뜻과 성질을 이해하고 실수까지 확장된 지수법칙을 이용하여 식을 간단히 나타낼 수 있어야 한다.

핵심개념 1 ▸ 거듭제곱

(1) 거듭제곱의 뜻

실수 a를 n번 거듭하여 곱한 것을 a의 n제곱이라 하고, a^n으로 나타낸다. 또 a, a^2, a^3, $\cdots$을 통틀어 a의 거듭제곱이라 하고, a^n에서 a를 거듭제곱의 밑, n을 거듭제곱의 지수라 한다.

(2) 지수법칙 (1)

a, b가 실수이고 m, n이 양의 정수일 때

① $a^m a^n = a^{m+n}$ 　　② $(a^m)^n = a^{mn}$ 　　③ $(ab)^n = a^n b^n$

④ $\left(\dfrac{a}{b}\right)^n = \dfrac{a^n}{b^n}$ (단, $b \neq 0$) 　　⑤ $a^m \div a^n = \begin{cases} a^{m-n} & (m > n) \\ 1 & (m = n) \\ \dfrac{1}{a^{n-m}} & (m < n) \end{cases}$

[2006학년도 교육청]

01 $\dfrac{54^2 \times 21^3}{28}$ 의 값은? [2점]

① $3^8 \times 7$ 　　② $3^8 \times 7^2$ 　　③ $3^8 \times 7^3$ 　　④ $3^9 \times 7$ 　　⑤ $3^9 \times 7^2$

핵심개념 2 ▸ 거듭제곱근

(1) 거듭제곱근의 뜻

일반적으로 n이 2 이상인 정수일 때, n제곱하여 실수 a가 되는 수, 즉 $x^n = a$를 만족하는 수 x를 a의 n제곱근이라 한다. 또 a의 제곱근, 세제곱근, 네제곱근, $\cdots$을 통틀어 a의 거듭제곱근이라 한다.

(2) n이 2 이상의 정수일 때, a의 n제곱근 중 실수인 것은 다음과 같다.

	$a > 0$	$a = 0$	$a < 0$
n이 홀수	$\sqrt[n]{a}$	0	$\sqrt[n]{a}$
n이 짝수	$\sqrt[n]{a}$, $-\sqrt[n]{a}$	0	없다.

일반적으로 복소수의 범위에서 실수 a의 n제곱근은 n개이다. 하지만 여기서는 a의 거듭제곱근 중에서 실수인 것만을 생각하기로 한다.

02 거듭제곱근에 대한 [보기]의 설명 중 옳은 것만을 있는 대로 고른 것은? [2점]

|보기|
ㄱ. 64의 제곱근은 ± 8이다.　　　　ㄴ. $\sqrt[3]{-64} = -4$
ㄷ. -64의 네제곱근 중 실수인 것은 존재하지 않는다.

① ㄱ 　　② ㄱ, ㄴ 　　③ ㄱ, ㄷ 　　④ ㄴ, ㄷ 　　⑤ ㄱ, ㄴ, ㄷ

핵심개념 3   거듭제곱근의 성질

$a>0$, $b>0$이고 m, n이 2 이상의 정수일 때

① $\sqrt[n]{a}\,\sqrt[n]{b}=\sqrt[n]{ab}$ ② $\dfrac{\sqrt[n]{a}}{\sqrt[n]{b}}=\sqrt[n]{\dfrac{a}{b}}$

③ $(\sqrt[n]{a})^m=\sqrt[n]{a^m}$ ④ $\sqrt[m]{\sqrt[n]{a}}=\sqrt[mn]{a}$

⑤ $\sqrt[np]{a^{mp}}=\sqrt[n]{a^m}$ (단, p는 양의 정수)

[2018학년도 교육청]

03 $\sqrt{4}\times\sqrt[3]{8}$ 의 값은? [2점]

    ① 4   ② 6   ③ 8   ④ 10   ⑤ 12

핵심개념 4   지수의 확장과 지수법칙

(1) 0 또는 음의 정수인 지수

    $a\neq0$이고 n이 양의 정수일 때

    ① $a^0=1$ ② $a^{-n}=\dfrac{1}{a^n}$

(2) 지수법칙 (2)

    $a\neq0$, $b\neq0$이고 m, n이 정수일 때

    ① $a^m a^n=a^{m+n}$ ② $a^m\div a^n=a^{m-n}$ ③ $(a^m)^n=a^{mn}$ ④ $(ab)^n=a^n b^n$

(3) 유리수인 지수

    $a>0$이고 m, n $(n\geq2)$이 정수일 때

    ① $a^{\frac{m}{n}}=\sqrt[n]{a^m}$ ② $a^{\frac{1}{n}}=\sqrt[n]{a}$

(4) 지수법칙 (3)

    $a>0$, $b>0$이고 r, s가 유리수일 때

    ① $a^r a^s=a^{r+s}$ ② $a^r\div a^s=a^{r-s}$ ③ $(a^r)^s=a^{rs}$ ④ $(ab)^r=a^r b^r$

(5) 지수법칙 (4)

    $a>0$, $b>0$이고 x, y가 실수일 때

    ① $a^x a^y=a^{x+y}$ ② $a^x\div a^y=a^{x-y}$ ③ $(a^x)^y=a^{xy}$ ④ $(ab)^x=a^x b^x$

[2019학년도 교육청]

04 $2^{-1}\times16^{\frac{1}{2}}$ 의 값은? [2점]

    ① 1   ② 2   ③ 3   ④ 4   ⑤ 5

[2013학년도 교육청]

05 $3^{\frac{1}{3}}\times\sqrt[3]{3^2}$ 의 값은? [2점]

    ① $\dfrac{1}{3}$ ② $\dfrac{\sqrt{3}}{3}$ ③ $\sqrt{3}$ ④ 3   ⑤ $3\sqrt{3}$

[보기]의 거듭제곱근 중에서 실수가 존재하지 않는 것을 있는 대로 고른 것은? [3점]

| 보기 |

ㄱ. -9의 제곱근　　　　　　　ㄴ. -8의 세제곱근

ㄷ. 16의 네제곱근　　　　　　　ㄹ. 0의 제곱근

① ㄱ　　　② ㄹ　　　③ ㄱ, ㄹ　　　④ ㄴ, ㄷ　　　⑤ ㄱ, ㄴ, ㄹ

Act ①
음수의 n제곱근 중 실수가 아닌 것은 n이 짝수인 경우이다.

해결의 실마리

(1) n이 2 이상의 정수일 때, a의 n제곱근 중 실수인 것은 다음과 같다.

	$a>0$	$a=0$	$a<0$
n이 홀수	$\sqrt[n]{a}$	0	$\sqrt[n]{a}$
n이 짝수	$\sqrt[n]{a},\ -\sqrt[n]{a}$	0	없다.

(2) $a>0$이고 m, n $(n\geq2)$이 정수일 때
① $a^{\frac{m}{n}}=\sqrt[n]{a^m}$　　　② $a^{\frac{1}{n}}=\sqrt[n]{a}$

01

다음 중 실수가 <u>아닌</u> 것은? [3점]

① $\sqrt[3]{4}$　　　② $\sqrt[3]{-5}$　　　③ $\sqrt[4]{6}$

④ $\sqrt[4]{-7}$　　　⑤ $\sqrt[4]{8}$

02

[2017학년도 교육청]

$\sqrt[3n]{8^4}$이 자연수가 되도록 하는 모든 자연수 n의 값의 합은?

[3점]

① 7　　　② 9　　　③ 11

④ 13　　　⑤ 15

03

[2016학년도 교육청]

100 이하의 자연수 n에 대하여 $\sqrt[3]{4^n}$이 정수가 되도록 하는 n의 개수를 구하시오. [3점]

04

[2015학년도 교육청]

$30\leq a\leq 40$, $150\leq b\leq 294$일 때, $\sqrt{a}+\sqrt[3]{b}$의 값이 자연수가 되도록 하는 두 자연수 a, b에 대하여 $a+b$의 값을 구하시오. [3점]

기출유형 02 **거듭제곱근을 유리수인 지수로 나타내어 식의 값 구하기**

1이 아닌 양수 a에 대하여 등식 $\sqrt{a} \times \dfrac{\sqrt[3]{a^2}}{a} = \sqrt[n]{a}$ 가 성립할 때, 자연수 n의 값은? [3점]

[2012학년도 교육청]

Act ①
거듭제곱근을 유리수인 지수로 바꾼 후 지수법칙을 이용한다.

① 3　　　② 4　　　③ 6　　　④ 8　　　⑤ 9

해결의 실마리

$a > 0$이고 m, n이 2 이상의 정수일 때, 거듭제곱근의 계산은

⇨ $\sqrt[n]{a^m} = a^{\frac{m}{n}}$ 을 이용하여 거듭제곱근을 유리수인 지수로 바꾼 후 지수법칙을 이용한다.

05
[2013학년도 교육청]

$2^{\frac{2}{3}} \times \sqrt[3]{54}$ 의 값은? [2점]

① 6　　　② 7　　　③ 8

④ 9　　　⑤ 10

07
[2012학년도 교육청]

$\sqrt{5} \times \sqrt[3]{5\sqrt{5}}$의 값은? [2점]

① $\dfrac{1}{5}$　　　② $\dfrac{\sqrt{5}}{5}$　　　③ 1

④ $\sqrt{5}$　　　⑤ 5

06
[2016학년도 교육청]

$a = \sqrt{2}$, $b = \sqrt[3]{3}$ 일 때, $(ab)^6$의 값은? [2점]

① 60　　　② 66　　　③ 72

④ 78　　　⑤ 84

08
[2012학년도 교육청]

$a = \sqrt[3]{2}$, $b = \sqrt[4]{3}$일 때, 등식 $6 = a^x b^y$이 성립한다. 두 유리수 x, y의 합 $x + y$의 값을 구하시오. [3점]

[2015학년도 교육청]

$2^{\frac{1}{3}} \times 4^{\frac{1}{3}}$의 값은? [3점]

① $\sqrt{2}$ ② 2   ③ $2\sqrt[3]{2}$ ④ $2\sqrt{2}$ ⑤ 4

Act ❶
밑을 통일시켜 지수법칙을 이용하여 계산한다.

해결의 실마리

밑을 통일시켜 다음의 지수법칙을 이용하여 식을 간단히 한다.

$a>0$, $b>0$이고 x, y가 실수일 때

① $a^x a^y = a^{x+y}$ ② $a^x \div a^y = a^{x-y}$ ③ $(a^x)^y = a^{xy}$ ④ $(ab)^x = a^x b^x$

09

[2017학년도 교육청]

27×3^{-2}의 값은? [2점]

① 1   ② 3   ③ 9
④ 27   ⑤ 81

11

$\sqrt{2\sqrt[3]{4\sqrt[4]{8}}} = 2^n$이 성립할 때, n의 값은? [3점]

① $\dfrac{23}{24}$ ② $\dfrac{7}{8}$ ③ $\dfrac{19}{24}$

④ $\dfrac{17}{24}$ ⑤ $\dfrac{5}{8}$

10

[2017학년도 교육청]

$2^{\frac{1}{2}} \times 4^{\frac{5}{4}}$의 값을 구하시오. [3점]

12

$\sqrt{\dfrac{\sqrt[5]{2}}{\sqrt[4]{4}}} \div \sqrt[3]{\dfrac{\sqrt{2}}{\sqrt[5]{8}}} \times \sqrt{\dfrac{\sqrt[3]{16}}{\sqrt{2}}} = 2^k$이 성립할 때, 유리수 k의 값은? [3점]

① $\dfrac{1}{10}$ ② $\dfrac{1}{5}$ ③ $\dfrac{3}{10}$

④ $\dfrac{1}{3}$ ⑤ $\dfrac{2}{3}$

기출유형 04 $a^x=k$ (k는 상수)의 조건이 주어진 경우 식의 값 구하기

두 실수 a, b에 대하여 $12^a=16$, $3^b=2$일 때, $2^{\frac{4}{a}-\frac{1}{b}}$ 의 값은? [3점]

① 1　　　　② 2　　　　③ 3　　　　④ 4　　　　⑤ 5

[2016학년도 교육청]

Act ①
관계식을 이용하여 12와 3을 2의 거듭제곱으로 나타낸 후 지수법칙을 이용한다.

해결의 실마리

조건식의 밑이 다른 경우 다음을 이용하여 밑을 통일시킨 후 지수법칙을 이용한다.

$a^x=k \longrightarrow a=k^{\frac{1}{x}}$ (단, $a>0$, $k>0$, $x\neq0$)

13
[2012학년도 교육청]

두 실수 a, b가 $2^{2a+b}=27$, $4^{a-3b}=\dfrac{1}{25}$ 을 만족시킬 때, 2^{3a-2b}의 값은? [3점]

① $\dfrac{18}{5}$　　　② $\dfrac{21}{5}$　　　③ $\dfrac{24}{5}$

④ $\dfrac{27}{5}$　　　⑤ 6

15

$2^x=3^y=6$인 실수 x, y에 대하여 $\dfrac{1}{x}+\dfrac{1}{y}$의 값은?

(단, $xy\neq0$) [3점]

① $\dfrac{1}{3}$　　　② $\dfrac{1}{2}$　　　③ 1

④ 2　　　⑤ 3

14
[2013학년도 교육청]

두 실수 x, y에 대하여 $75^x=\dfrac{1}{5}$, $3^y=25$일 때, $\dfrac{1}{x}+\dfrac{2}{y}$의 값은? [3점]

① -2　　　② -1　　　③ 0

④ 1　　　⑤ 2

16

$2^a=100$, $20^b=1000$인 실수 a, b에 대하여 $\dfrac{3}{b}-\dfrac{2}{a}$의 값은? [3점]

① -2　　　② $-\dfrac{1}{2}$　　　③ $\dfrac{1}{2}$

④ 1　　　⑤ 2

$a^{\frac{1}{2}} + a^{-\frac{1}{2}} = 10$을 만족시키는 양수 a에 대하여 $a + a^{-1}$의 값을 구하시오.

[2012학년도 교육청]

Act ❶
$a + a^{-1} = (a^{\frac{1}{2}} + a^{-\frac{1}{2}}) - 2$
임을 이용한다.

해결의 실마리

(1) 곱셈 공식을 이용한 식의 값

 $a > 0$, $b > 0$이고 p, q가 실수일 때

 ① $(a^p + b^q)(a^p - b^q) = a^{2p} - b^{2q}$

 ② $(a^p \pm b^q)^2 = a^{2p} \pm 2a^p b^q + b^{2q}$ (복호동순)

 ③ $(a^p \pm b^q)^3 = a^{3p} \pm 3a^{2p}b^q + 3a^p b^{2q} \pm b^{3q}$ (복호동순)

 임을 이용하여 주어진 식을 변형한다.

(2) $a^x + a^{-x} = k$ (k는 상수) 꼴의 조건이 주어진 경우

 ① $(a^{\frac{1}{2}} + a^{-\frac{1}{2}})^2 = a + 2 + a^{-1}$

 ② $(a^{\frac{1}{3}} + a^{-\frac{1}{3}})^3 = a + 3(a^{\frac{1}{3}} + a^{-\frac{1}{3}}) + a^{-1}$

 임을 이용하여 주어진 식을 변형한다.

17

[2011학년도 교육청]

양수 a가 $2^a + 2^{-a} = 3$을 만족시킬 때, $\dfrac{8^a + 8^{-a}}{2^a + 2^{-a}}$의 값은?

[3점]

① 2   ② 3   ③ 4

④ 6   ⑤ 8

19

[2007학년도 수능 모의평가]

$\sqrt{\dfrac{9^7 + 3^{10}}{9^4 + 3^4}}$의 값을 구하시오. [3점]

18

[2006학년도 교육청]

$x + x^{-1} = 3$일 때, $x^{\frac{3}{2}} + x^{-\frac{3}{2}}$의 값은? [3점]

① $\sqrt{3}$ ② $2\sqrt{3}$ ③ 4

④ $3\sqrt{2}$ ⑤ $2\sqrt{5}$

20

[2018학년도 교육청]

두 실수 a, b에 대하여

$2^a + 2^b = 2$, $2^{-a} + 2^{-b} = \dfrac{9}{4}$일 때, 2^{a+b}의 값은 $\dfrac{q}{p}$이다.

$p + q$의 값을 구하시오. (단, p와 q는 서로소인 자연수이다.) [3점]

기출유형 **06** 지수법칙의 실생활에의 활용

조개류는 현탁물을 여과한다. 수온이 $t\,°C$이고 개체중량이 $w\,(g)$일 때, A조개와 B조개가 1시간 동안 여과하는 양(L)을 각각 Q_A, Q_B라고 하면 다음과 같은 관계식이 성립한다고 한다.

[2011학년도 수능]

$$Q_A = 0.01\,t^{1.25}w^{0.25}, \qquad Q_B = 0.05\,t^{0.75}w^{0.30}$$

수온이 20°C이고 A조개와 B조개의 개체중량이 각각 $8\,g$일 때, $\dfrac{Q_A}{Q_B}$의 값은 $2^a \times 5^b$이다. $a+b$의 값은? (단, a, b는 유리수이다.) [3점]

① 0.15 ② 0.35 ③ 0.55 ④ 0.75 ⑤ 0.95

Act ❶
식이 주어진 경우에는 주어진 식에 알맞은 값을 대입한다.

해결의 실마리

(1) 식이 주어진 경우 ⇨ 주어진 식에 알맞은 값을 대입한다.

(2) 식을 구해야 하는 경우 ⇨ 조건에 맞도록 식을 세운 후 지수법칙을 이용한다.

21

[2013학년도 교육청]

어떤 물질의 부패지수 P와 일평균 습도 $H\,(\%)$, 일평균 기온 $t\,(°C)$ 사이에는 다음과 같은 관계식이 성립한다고 한다.

$$P = \frac{H-65}{14} \times (1.05)^t$$

일평균 습도가 72 %, 일평균 기온이 10 °C인 날에 이 물질의 부패지수를 P_1이라 하자. 일평균 습도가 79 %, 일평균 기온이 $x\,°C$인 날에 이 물질의 부패지수가 $4P_1$일 때, x의 값은? (단, $1.05^{14}=2$로 계산한다.) [3점]

① 22 ② 24 ③ 26
④ 28 ⑤ 30

22

[2006학년도 교육청]

육안으로 본 별의 밝기를 겉보기 등급, 그 별이 10 (pc)의 거리에 있다고 가정했을 때의 밝기를 절대 등급이라 한다. 어떤 별이 지구로부터 $r\,(pc)$만큼 떨어져 있을 때 겉보기 등급 m과 절대 등급 M은

$$\left(\frac{r}{10}\right)^2 = 100^{\frac{1}{5}(m-M)}$$

을 만족한다. '데네브'라는 별은 지구로부터 $10^{2.7}\,(pc)$만큼 떨어져 있고 겉보기 등급은 1.3이다. 이 별의 절대 등급은? (단, pc은 거리를 나타내는 단위이다.) [3점]

① -3.6 ② -4.8 ③ -6.0
④ -7.2 ⑤ -8.4

01

$\sqrt{3} \times 27^{\frac{1}{2}}$ 의 값은? [2점]

① 3   ② $3\sqrt{3}$ ③ 9

④ $9\sqrt{3}$ ⑤ 27

02

실수 a, b에 대하여 a는 3의 세제곱근이고 $\sqrt{3}$은 b의 네제곱근일 때, $\left(\dfrac{b}{a}\right)^3$의 값은? [3점]

① 3   ② 9   ③ 27

④ 81   ⑤ 243

03

[보기]에서 제곱근에 대한 설명으로 옳은 것만을 있는 대로 고른 것은? [3점]

┌─── **보기** ───┐

ㄱ. 3의 세제곱근 중 실수인 것은 $\sqrt[3]{3}$이다.

ㄴ. 실수 a의 네제곱근 중 실수인 것은 $\sqrt[4]{a}$, $-\sqrt[4]{a}$이다.

ㄷ. 실수 a의 다섯제곱근은 집합 $\{x \,|\, x^5 = a,\ x$는 복소수$\}$의 원소이다.

└──────────┘

① ㄱ   ② ㄴ   ③ ㄱ, ㄷ

④ ㄴ, ㄷ   ⑤ ㄱ, ㄴ, ㄷ

04

$\sqrt[3]{4}$의 제곱근 중 양수인 것을 a, 16의 세제곱근 중 실수인 것을 b라 할 때, $b-a$의 값은? [3점]

① $2\sqrt[3]{2}$ ② $\sqrt[3]{2}$ ③ $3\sqrt{2}$

④ $2\sqrt{2}$ ⑤ $\sqrt{2}$

05

자연수 $n(n \geq 2)$에 대하여 실수 a의 n제곱근 중에서 실수인 것의 개수를 $f_n(a)$라 할 때, $f_2(-1) + f_3(-2) + f_4(3)$의 값은? [3점]

① 1   ② 2   ③ 3

④ 4   ⑤ 5

06

$\sqrt{3\sqrt{3\sqrt{3\sqrt{3}}}} = 3^k$을 만족하는 실수 k의 값은? [3점]

① $\dfrac{11}{16}$ ② $\dfrac{3}{4}$ ③ $\dfrac{13}{16}$

④ $\dfrac{7}{8}$ ⑤ $\dfrac{15}{16}$

07

등식 $(5^{\sqrt{2}})^{2\sqrt{3}} \div 5^{3\sqrt{6}} \times (\sqrt[3]{5})^{6\sqrt{6}} = 5^k$을 만족시키는 실수 k의 값은? [3점]

① $\sqrt{2}$ ② $\sqrt{3}$ ③ $\sqrt{6}$

④ $2\sqrt{2}$ ⑤ $2\sqrt{2}$

08

두 실수 a, b에 대하여 $3^a = 2$, $2^b = \sqrt{3}$이 성립할 때, ab의 값은? [3점]

① $\dfrac{1}{6}$ ② $\dfrac{1}{4}$ ③ $\dfrac{1}{3}$

④ $\dfrac{1}{2}$ ⑤ 1

09

두 실수 a, b가 $2^{a-1} = 3$, $6^{2b} = 5$를 만족시킬 때, $5^{\frac{1}{ab}}$의 값을 구하시오. [3점]

10

세 양수 a, b, c에 대하여 $a^6 = 3$, $b^5 = 7$, $c^2 = 11$일 때, $(abc)^n$이 자연수가 되는 최소의 자연수 n의 값은? [3점]

① 21   ② 30   ③ 42

④ 52   ⑤ 60

11

$184^m = 32$, $23^n = 8$을 만족하는 실수 m, n에 대하여 $\dfrac{5}{m} - \dfrac{3}{n}$의 값은? [3점]

① 3   ② 4   ③ 5

④ 6   ⑤ 7

12

현재 세계 인구는 약 65억 명이다. 매년 인구 증가율이 a %로 일정하다면 n년 후의 세계 인구는 $65\left(1 + \dfrac{a}{100}\right)^n$억 명이다. 세계 인구가 지금부터 10년 후에 현재의 1.5배가 된다고 할 때, 몇 년 후에 현재의 2배가 되겠는가?

(단, $1.5^{1.7} = 2$로 계산한다.) [3점]

① 16   ② 17   ③ 18

④ 19   ⑤ 20

02 로그

Young people should strive towards their ideals.

출제경향 로그의 기본 성질과 활용 문제는 매년 빠지지 않고 출제된다. 로그의 뜻과 성질은 지수의 성질과 관련지어 이해하여야 하며, 상용로그와 관련된 실생활 문제를 해결할 수 있어야 한다.

핵심개념 1 로그의 정의

(1) 로그의 뜻

$a>0$, $a\neq1$일 때, 임의의 양수 N에 대하여 등식 $a^x=N$을 만족하는 실수 x는 오직 하나 존재한다. 이때 x는 a를 **밑**으로 하는 N의 **로그**라 하고, 이것을 기호로 $\log_a N$과 같이 나타낸다. 이때 N을 $\log_a N$의 **진수**라 한다.

(2) 로그의 정의

$a>0$, $a\neq1$, $N>0$일 때

$$a^x=N \Leftrightarrow x=\log_a N$$

> $\log_a N$이 정의되기 위한 조건
> ① 밑의 조건 : 밑은 0이 아닌 양수이어야 한다.
> ② 진수의 조건 : 진수는 양수이어야 한다.

[2016학년도 교육청]

01 $\log_4 a=\dfrac{7}{2}$ 일 때, a 의 값을 구하시오. [3점]

핵심개념 2 로그의 성질

$a>0$, $a\neq1$, $M>0$, $N>0$일 때

① $\log_a 1=0$, $\log_a a=1$ ② $\log_a MN=\log_a M+\log_a N$

③ $\log_a \dfrac{M}{N}=\log_a M-\log_a N$ ④ $\log_a M^k=k\log_a M$ (단, k는 실수)

[2017학년도 교육청]

02 $\log_{15} 3+\log_{15} 5$ 의 값은? [2점]

① 1   ② 2   ③ 3   ④ 4   ⑤ 5

[2015학년도 교육청]

03 $\log_2 24-\log_2 3$의 값은? [2점]

① 1   ② 2   ③ 3   ④ 4   ⑤ 5

핵심개념 3 로그의 밑의 변환 공식

$a>0$, $a\neq1$, $b>0$, $c>0$, $c\neq1$일 때

$$\log_a b=\dfrac{\log_c b}{\log_c a}$$

[2015학년도 교육청]

04 $\log_5 27 \times \log_3 5$의 값은? [3점]

① 1   ② 2   ③ 3   ④ 4   ⑤ 5

핵심개념 4 상용로그

(1) 10을 밑으로 하는 로그를 **상용로그**라 하고, 양수 N의 상용로그 $\log_{10} N$은 보통 밑 10을 생략하여 기호로 $\log N$과 같이 나타낸다.

> 예를 들어 2의 상용로그는 $\log 2$이고, $\log 2$는 $\log_{10} 2$를 뜻한다.

(2) 상용로그표를 이용한 상용로그의 값

상용로그표는 0.01의 간격으로 1.00에서 9.99까지의 수에 대한 상용로그의 값을 반올림하여 소수 넷째 자리까지 나타낸 것이다.

> 예를 들어 $\log 3.15$의 값은 상용로그표에서 3.1의 행과 5의 열이 만나는 곳에 있는 수인 0.4983이다. 즉 $\log 3.15 = 0.4983$

수	0	1	2	3	4	5	6	7	8	9
⋮	⋮	⋮	⋮	⋮	⋮	⋮	⋮	⋮	⋮	⋮
3.0	.4771	.4786	.4800	.4814	.4829	.4843	.4857	.4871	.4886	.4900
3.1	.4914	.4928	.4942	.4955	.4969	.4983	.4997	.5011	.5024	.5038
3.2	.5051	.5065	.5079	.5092	.5105	.5119	.5132	.5145	.5159	.5172
⋮	⋮	⋮	⋮	⋮	⋮	⋮	⋮	⋮	⋮	⋮

[2018학년도 교육청]

05 오른쪽은 상용로그표의 일부이다. 표를 이용하여 구한 $\log\sqrt{419}$의 값은? [3점]

① 1.3106　② 1.3111　③ 2.3106
④ 2.3111　⑤ 3.3111

수	⋯	7	8	9
⋯	⋯	⋯	⋯	⋯
4.0	⋯	0.6096	0.6107	0.6117
4.1	⋯	0.6201	0.6212	0.6222
4.2	⋯	0.6304	0.6314	0.6325
⋯	⋯	⋯	⋯	⋯

핵심개념 5 상용로그의 성질

(1) 상용로그의 정수 부분과 소수 부분

임의의 양수 N에 대하여 상용로그는

$$\log N = n + \alpha \ (n\text{은 정수}, \ 0 \le \alpha < 1)$$

　　　　— $\log N$의 정수 부분
　　　　— $\log N$의 소수 부분

와 같이 나타낼 수 있다.

> ⚠ 로그의 값이 음수인 경우의 정수 부분과 소수 부분
> $0 \le (\text{소수 부분}) < 1$이어야 하므로
> ① 정수 부분에서 1을 빼고
> ② 소수 부분에 1을 더하여 양수로 만든다.
> 예 $-6.8 = -6 - 0.8 = (-6-1) + (1-0.8) = -7 + 0.20$이므로 -6.8의 정수 부분은 -7이고 소수 부분은 0.20이다.

(2) 정수 부분의 성질

① 정수 부분이 n자리인 양수의 상용로그의 정수 부분은 $n-1$이다.

② 소수점 아래 n째 자리에서 처음으로 0이 아닌 숫자가 나타나는 양수의 상용로그의 정수 부분은 $-n$이다.

(3) 소수 부분의 성질

숫자의 배열이 같고 소수점의 위치만 다른 수들의 상용로그의 소수 부분은 모두 같다.

06 자연수 n에 대하여 $f(n)$을 $\log n$의 소수 부분이라 할 때, $f(16) = \log a - b$이다. 상수 $a+b$의 합 $a+b$의 값을 구하시오. [3점]

[2016학년도 교육청]

07 양의 실수 A에 대하여 $\log A = 2.1673$일 때, A의 값을 구하시오. (단, $\log 1.47 = 0.1673$으로 계산한다.) [3점]

모든 실수 x에 대하여 $\log_a(x^2+2ax+5a)$가 정의되기 위한 모든 정수 a의 값의 합은? [3점]   [2017학년도 교육청]

① 9 　　　② 11 　　　③ 13 　　　④ 15 　　　⑤ 17

Act ①
로그의 정의에서 밑은 1이 아닌 양수이고, 진수는 양수이어야 한다.

해결의 실마리

$\log_a N$이 정의되기 위해서는

① 밑의 조건 ⇨ $a>0$, $a\neq1$　　② 진수의 조건 ⇨ $N>0$

01
[2015학년도 교육청]

$\log_{x-1}(-x^2+4x+5)$가 정의되도록 하는 모든 정수 x의 값의 합은? [3점]

① 5 　　　② 6 　　　③ 7

④ 8 　　　⑤ 9

02
[2009학년도 교육청]

$\log_{x-3}(-x^2+11x-24)$가 정의되기 위한 모든 정수 x의 합을 구하시오. [3점]

03
[2017학년도 교육청]

$\log_{x-2}(5-x)$가 정의되도록 하는 정수 x의 개수를 구하시오. [3점]

04
[2006학년도 교육청]

실수 a의 값에 관계없이 로그가 정의될 수 있는 것을 [보기]에서 모두 고른 것은? [3점]

보기

ㄱ. $\log_{a^2-a+2}(a^2+1)$

ㄴ. $\log_{2|a|+1}(a^2+1)$

ㄷ. $\log_{a^2+2}(a^2-2a+1)$

① ㄱ 　　　② ㄱ, ㄴ 　　　③ ㄱ, ㄷ

④ ㄴ, ㄷ 　　　⑤ ㄱ, ㄴ, ㄷ

기출유형 **02** 로그의 기본 성질

[2018학년도 수능 모의평가]

$\log_3 \dfrac{9}{2} + \log_3 6$의 값을 구하시오. [3점]

Act ①
밑이 같은 로그의 계산은 로그의 기본 성질을 이용하여 식을 간단히 한다.

해결의 실마리

밑이 같은 로그의 계산은 로그의 기본 성질을 이용하여 식을 간단히 한다.

$a > 0$, $a \neq 1$, $M > 0$, $N > 0$일 때

① $\log_a 1 = 0$, $\log_a a = 1$

② $\log_a MN = \log_a M + \log_a N$

③ $\log_a \dfrac{M}{N} = \log_a M - \log_a N$

④ $\log_a M^k = k\log_a M$ (단, k는 실수)

05

[2017학년도 교육청]

$\log_3 9 + \log_3 \sqrt{3}$의 값은? [3점]

① $\dfrac{1}{2}$ ② 1 ③ $\dfrac{3}{2}$

④ 2 ⑤ $\dfrac{5}{2}$

07

[2019학년도 수능 모의평가]

좌표평면 위의 두 점 $(1,\ \log_2 5)$, $(2,\ \log_2 10)$을 지나는 직선의 기울기는? [3점]

① 1 ② 2 ③ 3

④ 4 ⑤ 5

06

[2016학년도 교육청]

$\log_3 18 - \dfrac{1}{2}\log_3 4$의 값을 구하시오. [3점]

08

[2017학년도 교육청]

이차방정식 $x^2 - 18x + 6 = 0$의 두 근을 α, β라 할 때, $\log_2 (\alpha + \beta) - 2\log_2 \alpha\beta$의 값은? [3점]

① -5 ② -4 ③ -3

④ -2 ⑤ -1

$\dfrac{1}{\log_4 18} + \dfrac{2}{\log_9 18}$ 의 값은? [3점]

[2018학년도 교육청]

① 1   ② 2   ③ 3   ④ 4   ⑤ 5

> **Act ①**
> 로그의 밑이 같지 않을 때에는 로그의 밑의 변환 공식을 이용하여 밑을 같게 한 후 식을 간단히 한다.

해결의 실마리

로그의 밑이 같지 않을 때에는 로그의 밑의 변환 공식을 이용하여 밑을 같게 한 후 식을 간단히 한다.

$a>0$, $a\neq1$, $b>0$일 때

① $\log_a b=\dfrac{\log_c b}{\log_c a}$ (단, $c>0$, $c\neq1$)   ② $\log_a b=\dfrac{1}{\log_b a}$ (단, $b\neq1$)

09
[2016학년도 교육청]

두 양수 a, b에 대하여 $\log_2 a=54$, $\log_2 b=9$일 때, $\log_b a$의 값은? [3점]

① 3   ② 6   ③ 9

④ 12   ⑤ 15

11
[2016학년도 교육청]

1보다 큰 실수 a에 대하여 $\log_a 8=2$일 때, $10\times\log_2 a$의 값을 구하시오. [3점]

10
[2014학년도 교육청]

$\log_a 3\times\log_9 b=10$일 때, $\log_a b$의 값을 구하시오. (단, $a>0$, $a\neq1$, $b>0$) [3점]

12

$\log_{10} a$, $\log_{10} b$가 이차방정식 $x^2-4x+2=0$의 두 근일 때, $\log_a b+\log_b a$의 값을 구하시오. (단, a, b는 1이 아닌 양수) [3점]

기출유형 04   로그의 여러 가지 성질

[2011학년도 교육청]

$\log_4 \sqrt{8} - \log_{\frac{1}{2}} 4$ 의 값은? [2점]

① $\dfrac{3}{4}$　　② $\dfrac{5}{4}$　　③ $\dfrac{7}{4}$　　④ $\dfrac{9}{4}$　　⑤ $\dfrac{11}{4}$

Act ①

$\log_{a^m} b^n = \dfrac{n}{m} \log_a b$ 임을 이용한다.

해결의 실마리

$a > 0$, $a \neq 1$, $b > 0$, $c > 0$, $c \neq 1$일 때

① $\log_{a^m} b^n = \dfrac{n}{m} \log_a b$ (단, $m \neq 0$)

② $a^{\log_c b} = b^{\log_c a}$

③ $a^{\log_a b} = b$

$a^{\log_c b} = k$라 하면

$\log_c k = \log_c a^{\log_c b}$

$\qquad = \log_c a \times \log_c b$

$\qquad = \log_c b^{\log_c a}$

$\therefore a^{\log_c b} = b^{\log_c a}$

13

[2014학년도 교육청]

$3^{\log_2 5} \times \left(\dfrac{4}{5} \right)^{\log_2 3}$의 값은? [3점]

① 3　　② 4　　③ 5
④ 8　　⑤ 9

15

$\left(\log_5 2 + \log_{25} \dfrac{1}{2} \right) \left(\log_2 5 + \log_4 \dfrac{1}{5} \right)$의 값은? [3점]

① $\dfrac{1}{2}$　　② $\dfrac{1}{3}$　　③ $\dfrac{1}{4}$

④ $\dfrac{1}{5}$　　⑤ $\dfrac{1}{6}$

14

[2007학년도 교육청]

$\log_{\sqrt{2}} 9^{\log_3 8}$의 값을 구하시오. [3점]

16

[2005학년도 수능]

[보기]에서 옳은 것을 모두 고른 것은? [3점]

┤ 보기 ├

ㄱ. $2^{\log_2 1 + \log_2 2 + \log_2 3 + \cdots + \log_2 10} = 10!$

ㄴ. $\log_2 (2^1 \times 2^2 \times 2^3 \times \cdots \times 2^{10})^2 = 55^2$

ㄷ. $(\log_2 2^1)(\log_2 2^2)(\log_2 2^3) \cdots (\log_2 2^{10}) = 55$

① ㄱ　　② ㄴ　　③ ㄷ
④ ㄱ, ㄷ　　⑤ ㄱ, ㄴ, ㄷ

$\log_2 5 = a$, $\log_5 7 = b$일 때, $(2^a)^b$의 값은? [3점]   [2017학년도 교육청]

① 7   ② 9   ③ 11   ④ 13   ⑤ 15

Act ①
로그의 정의를 이용하여 관계식을 지수로 나타낸 다음 식에 대입한다.

해결의 실마리

(1) 관계식이 로그 형태로 주어졌을 때, 지수 식의 값 구하기
⇨ 로그의 정의를 이용하여 관계식을 지수로 나타낸 다음 식에 대입한다.

(2) 관계식이 지수 형태로 주어졌을 때, 로그 식의 값 구하기
⇨ 지수의 관계식을 이용하여 로그의 밑과 진수를 같은 문자에 대하여 정리한다.

> $a^x = m$, $b^y = n$의 관계식이 주어지면
> ⇨ $x = \log_a m$, $y = \log_b n$으로 나타낸 다음 식에 대입한다.

17
[2016학년도 교육청]

양수 a에 대하여 $\log_2 \dfrac{a}{4} = b$일 때, $\dfrac{2^b}{a}$의 값은? [3점]

① $\dfrac{1}{16}$ ② $\dfrac{1}{8}$ ③ $\dfrac{1}{4}$

④ $\dfrac{1}{2}$ ⑤ 1

18
[2007학년도 교육청]

1이 아닌 세 양수 a, b, c에 대하여 $a = b^2 = c^3$이 성립할 때, $\log_a b + \log_b c + \log_c a$의 값은? [3점]

① $\dfrac{23}{6}$ ② $\dfrac{25}{6}$ ③ $\dfrac{29}{6}$

④ $\dfrac{31}{6}$ ⑤ $\dfrac{35}{6}$

19
[2009학년도 교육청]

두 양수 a, b에 대하여 $2^a = c$, $2^b = d$일 때, [보기]에서 옳은 것만을 있는 대로 고른 것은?

> **보기**
> ㄱ. $c^b = d^a$
> ㄴ. $a + b = \log_2 cd$
> ㄷ. $\dfrac{a}{b} = \log_c d$

① ㄱ   ② ㄷ   ③ ㄱ, ㄴ

④ ㄴ, ㄷ   ⑤ ㄱ, ㄴ, ㄷ

20
[2007학년도 교육청]

$2^\alpha = 5$를 만족하는 α에 대하여 $\log_2(\log_5 x) + \log_2 \alpha = 2$의 해를 β라 할 때, $\log_2 \beta$의 값은? [3점]

① 0   ② 1   ③ 2

④ 3   ⑤ 4

기출유형 **06** 로그의 정수 부분과 소수 부분

[2007학년도 교육청]

$\log_3 10$의 소수 부분을 α라 할 때, 3^{α}의 값은? [3점]

① $\dfrac{1}{3}$　　② $\dfrac{10}{9}$　　③ $\dfrac{10}{3}$　　④ $\dfrac{100}{9}$　　⑤ $\dfrac{100}{3}$

Act ❶
$n \leq \log_a M < n+1$의 정수 부분은 n, 소수 부분은 $\log_a M - n$ 임을 이용한다.

해결의 실마리

양수 M과 정수 n에 대하여 $a^n \leq M < a^{n+1}$ $(a>0, a \neq 1)$일 때

① $\log_a a^n \leq \log_a M < \log_a a^{n+1} \Rightarrow n \leq \log_a M < n+1$

② $n \leq \log_a M < n+1$의 정수 부분은 n, 소수 부분은 $\log_a M - n$

21

$\log_3 5$의 정수 부분을 a, 소수 부분을 b라 할 때, $a-b$의 값은? [3점]

① $\log_3 \dfrac{3}{5}$　　② $\log_3 \dfrac{5}{3}$　　③ $\log_3 \dfrac{9}{5}$

④ $\log_3 5$　　⑤ $\log_3 10$

22

[2016학년도 교육청]

$\dfrac{1}{4}\log 2^{2n} + \dfrac{1}{2}\log 5^n$이 정수가 되도록 하는 50 이하의 자연수 n의 개수는? [3점]

① 28　　② 25　　③ 22

④ 19　　⑤ 16

23

[2009학년도 교육청]

자연수 k가 다음 조건을 만족시킨다.

> (가) $\log k$의 정수 부분은 5이다.
> (나) $\log \dfrac{\sqrt{k}}{7}$의 소수 부분은 0이다.

$\dfrac{k}{1000}$의 값을 구하시오. [3점]

24

[2005학년도 수능 모의평가]

$\log x$의 정수 부분이 3이고, $\log x$의 소수 부분과 $\log \sqrt{x}$의 소수 부분의 합이 $\dfrac{3}{4}$이다. 이때 $\log \sqrt{x}$의 소수 부분은? [3점]

① $\dfrac{1}{3}$　　② $\dfrac{5}{12}$　　③ $\dfrac{1}{2}$

④ $\dfrac{7}{12}$　　⑤ $\dfrac{2}{3}$

[2011학년도 교육청]

자연수 A에 대하여 A^{100}이 234자리의 수일 때, A^{20}은 몇 자리의 수인가? [3점]

① 45   ② 47   ③ 49   ④ 51   ⑤ 53

Act ①
양수 N에 대하여 $\log N$의 정수 부분이 n이면 N은 $(n+1)$자리의 수임을 이용한다.

해결의 실마리

(1) 몇 자리의 정수인지 구하기

⇨ 양수 N에 대하여 $\log N$의 정수 부분이 n이면 N은 $(n+1)$자리의 수이다.

(2) 소수점 아래 n번째 자리에서 처음으로 0이 아닌 숫자가 나타나는 자리 구하기

⇨ 양수 N에 대하여 $\log N$의 정수 부분이 $-n$이면 N은 소수점 아래 n째 자리에서 처음으로 0이 아닌 숫자가 나타난다.

상용로그의 값이 음수인 경우 0≤(소수 부분)<1이어야 함에 주의한다.

25
[2005학년도 교육청]

2^{2005}은 m자리의 수이고, 5^{2005}은 n자리의 수라 할 때, $m+n$의 값은? (단, $\log_{10} 2=0.3010$) [3점]

① 2002   ② 2003   ③ 2004

④ 2005   ⑤ 2006

27
[2011학년도 교육청]

20^{10}은 m자리의 정수이고, $\left(\dfrac{1}{\sqrt{2}}\right)^{40}$은 소수점 아래 n번째 자리에서 처음으로 0이 아닌 수가 나타난다. $m+n$의 값은? (단, $\log 2=0.3010$) [3점]

① 21   ② 22   ③ 23

④ 24   ⑤ 25

26
[2008학년도 교육청]

$\left(\dfrac{5}{2}\right)^{100}$의 정수 부분은 몇 자리의 수인가?

(단, $\log 2=0.3010$) [3점]

① 38   ② 39   ③ 40

④ 41   ⑤ 42

28
[2008학년도 교육청]

3^{10}은 m자리 정수이고, $\left(\dfrac{3}{10}\right)^{10}$은 소수점 아래 n번째 자리에서 처음으로 0이 아닌 숫자가 나타난다. 이때 $m+n$의 값은? (단, $\log_{10} 3=0.4771$) [3점]

① 11   ② 12   ③ 13

④ 14   ⑤ 15

기출유형 08 상용로그의 실생활에의 활용

[2015학년도 수능 모의평가]

도로 용량이 C인 어느 도로 구간의 교통량을 V, 통행 시간을 t라 할 때, 다음과 같은 관계식이 성립한다고 한다.

$$\log\left(\frac{t}{t_0}-1\right)=k+4\log\frac{V}{C} \ (t>t_0)$$

(단, t_0은 도로 특성 등에 따른 기준 통행 시간이고, k는 상수이다.)

이 도로 구간의 교통량이 도로 용량의 2배일 때, 통행 시간은 기준 통행 시간 t_0의 $\frac{7}{2}$배이다. k의 값은? [3점]

① $-4\log 2$ ② $1-7\log 2$ ③ $-3\log 2$ ④ $1-6\log 2$ ⑤ $1-5\log 2$

Act ❶
식이 주어진 경우 식에 알맞은 문자 또는 값을 대입한 다음 로그의 정의 및 성질을 이용한다.

해결의 실마리

(1) 식이 주어진 경우
⇨ 식에 알맞은 문자 또는 값을 대입한 다음 로그의 정의 및 성질을 이용한다.
(2) 식을 구해야 하는 경우 ⇨ 조건에 맞도록 식을 세운 후 로그의 정의 및 성질을 이용한다.

29

[2012학년도 교육청]

어느 도시의 인구가 P_0명에서 P명이 될 때까지 걸리는 시간 T(년)은 다음 식을 만족시킨다고 한다.

$$T=C\log\frac{P(K-P_0)}{P_0(K-P)}$$

(단, C는 상수, K는 최대 인구 수용 능력이다.)

이 도시의 최대 인구 수용 능력이 30만 명이고, 인구가 6만 명에서 10만 명이 될 때까지 10년이 걸렸다고 한다. 인구가 처음으로 15만 명 이상이 되는 것은 인구가 6만 명일 때부터 몇 년 후인가? [3점]

① 18년 후   ② 20년 후   ③ 22년 후
④ 24년 후   ⑤ 26년 후

30

[2011학년도 수능 모의평가]

소리의 세기가 $I(\text{W/m}^2)$인 음원으로부터 $r(\text{m})$만큼 떨어진 지점에서 측정된 소리의 상대적 세기 P(데시벨)는

$$P=10\left(12+\log\frac{I}{r^2}\right)$$

이다. 어떤 음원으로부터 1 m만큼 떨어진 지점에서 측정된 소리의 상대적 세기가 80(데시벨)일 때, 같은 음원으로부터 10 m만큼 떨어진 지점에서 측정된 소리의 상대적 세기가 a(데시벨)이다. a의 값은? [3점]

① 50   ② 55   ③ 60
④ 65   ⑤ 70

01

$\left(\dfrac{1}{4}\right)^{-2} \times \log_3 27$의 값을 구하시오. [3점]

02

$\log_{x-2}(-x^2+8x-7)$이 정의되도록 하는 정수 x의 개수는? [3점]

① 3   ② 4   ③ 5

④ 6   ⑤ 7

03

$\log_2 125 \times \log_5 49 \times \log_7 8$의 값은? [3점]

① 18   ② 19   ③ 20

④ 21   ⑤ 22

04

$\log_3 (a+b)=2$, $\log_7 a+\log_7 b=1$일 때, a^2+b^2의 값을 구하시오. [3점]

05

$\log_{10} 2=a$, $\log_{10} 3=b$라 할 때, $\log_{10} 144$를 a, b로 나타내면? [3점]

① $2a+2b$ ② $3a+2b$ ③ $4a+2b$

④ $3a+3b$ ⑤ $4a+3b$

06

이차방정식 $x^2-6x+6=0$의 두 근이 $\log_2 a$, $\log_2 b$일 때, $\log_a b+\log_b a$의 값은? [3점]

① 2   ② 3   ③ 4

④ 5   ⑤ 6

07

좌표평면에서 두 점 $A(2, \log_3 a)$, $B(4, \log_3 b)$를 지나는 직선이 직선 $y=-x+5$에 수직일 때, $\dfrac{b}{a}$의 값을 구하시오. [3점]

08

자연수 n에 대하여 $f(n)=2^n-\log_2 n$이라 할 때, [보기]에서 옳은 것을 모두 고른 것은? [3점]

┤보기├
ㄱ. $f(4)=14$　　　　　ㄴ. $f(8)=-f(\log_2 8)$
ㄷ. $f(2^n)+n=\{f(2^{n-1})+n-1\}^2$

① ㄱ　　　　② ㄴ　　　　③ ㄱ, ㄴ
④ ㄱ, ㄷ　　　⑤ ㄴ, ㄷ

09

$4^a \times 8^b=5$일 때, $2a+3b$의 값은? [3점]

① 2　　　　② 5　　　　③ $\log_2 5$
④ $\log_2 10$　　⑤ $\log_2 125$

10

$\log 2.54=0.4048$임을 이용하여 $\log 25400$의 값을 구하면? [3점]

① 2.4048　　② 3.4048　　③ 4.4048
④ 4.048　　⑤ 4048

11

$\log_2 7$의 정수 부분을 x, 소수 부분을 y라 할 때, $2^x+4 \cdot 2^y$의 값은? [3점]

① 9　　　　② 10　　　　③ 11
④ 12　　　⑤ 13

12

어떤 천체 망원경으로 볼 수 있는 가장 어두운 별의 등급을 그 망원경의 한계 등급이라 하고, 망원경의 구경이 D mm인 망원경의 한계 등급 M은 다음과 같다고 한다.

$$M=1.77+5\log D$$

현재의 한계 등급을 1등급 올리려면 망원경의 구경은 현재의 10^x 배로 늘여야 한다고 할 때, x의 값은? [3점]

① $\dfrac{1}{5}$　　② $\dfrac{1}{4}$　　③ $\dfrac{1}{3}$
④ $\dfrac{1}{2}$　　⑤ 1

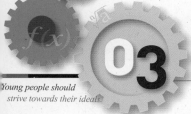

03 지수함수

출제경향 지수함수의 뜻, 지수함수의 그래프의 성질, 지수함수를 이용한 수의 대소 비교와 주어진 범위에서의 최댓값·최솟값을 구하는 문제가 출제된다. 지수함수의 그래프의 개형과 평행이동, 대칭이동 등을 알아 두고, 자연 현상이나 사회 현상을 지수함수로 표현하는 과정에서 나타나는 간단한 방정식과 부등식을 풀 수 있어야 한다.

핵심개념 1 지수함수

(1) 임의의 실수 x에 대하여 a^x의 값이 하나로 정해지는 함수 $y=a^x$ $(a>0,\ a\neq1)$을 a를 밑으로 하는 지수함수라 한다.

(2) 지수함수 $y=a^x$ $(a>0,\ a\neq1)$의 성질

① 정의역은 실수 전체의 집합이고, 치역은 양의 실수 전체의 집합이다.

② $a>1$일 때, x의 값이 증가하면 y의 값도 증가한다.

　0<a<1일 때, x의 값이 증가하면 y의 값은 감소한다.

③ 그래프는 점 $(0,\ 1)$을 지나고, x축을 점근선으로 갖는다.

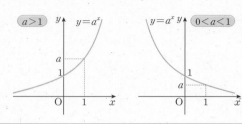

01 [보기]에서 함수 $y=\left(\dfrac{1}{4}\right)^x$의 그래프에 대한 설명으로 옳은 것만을 있는 대로 고른 것은? [3점]

┤보기├

ㄱ. 점근선의 방정식은 $y=0$이다.　　　　ㄴ. 점 $(0,\ 1)$을 지난다.

ㄷ. $y=4^x$의 그래프와 x축에 대하여 대칭이다.　　ㄹ. x의 값이 증가하면 y의 값도 증가한다.

① ㄱ, ㄴ　　　② ㄱ, ㄹ　　　③ ㄴ, ㄷ　　　④ ㄱ, ㄴ, ㄷ　　　⑤ ㄱ, ㄷ, ㄹ

핵심개념 2 지수함수의 최대·최소

정의역이 $\{x\,|\,m\leq x\leq n\}$일 때, 지수함수 $f(x)=a^x$ $(a>0,\ a\neq1)$은

(1) $a>1$이면

　$x=m$일 때 최솟값 $f(m)$, $x=n$일 때 최댓값 $f(n)$을 갖는다.

(2) $0<a<1$이면

　$x=m$일 때 최댓값 $f(m)$, $x=n$일 때 최솟값 $f(n)$을 갖는다.

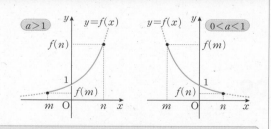

지수함수 $y=a^x$ $(a>0,\ a\neq1)$의 최대, 최소
⇨ a의 값의 범위에 따라 x의 값이 증가할 때 y의 값이 증가하거나 감소하므로 $a>1$인지 $0<a<1$인지 확인하는 것이 중요하다.

02 $-1\leq x\leq1$에서 함수 $y=\dfrac{1}{3}\left(\dfrac{3}{4}\right)^x$의 최댓값을 M, 최솟값을 m이라 할 때, Mm의 값은? [3점]

① $\dfrac{1}{81}$　　　② $\dfrac{1}{27}$　　　③ $\dfrac{1}{9}$　　　④ $\dfrac{1}{3}$　　　⑤ 1

핵심개념 3   지수방정식

(1) $2^x=8$, $3^{-x}=2^{x+1}$, $4^x-2^x-3=0$과 같이 지수에 미지수가 있는 방정식을 지수방정식이라 한다.

(2) 지수방정식의 풀이

① 항이 2개인 경우

• 밑을 같게 할 수 있을 때 ⇨ 밑을 같게 한 다음 지수를 비교한다.

$a^{f(x)}=a^{g(x)} \Longleftrightarrow f(x)=g(x)\ (a>0,\ a\neq1)$

• 지수를 같게 할 수 있을 때 ⇨ 지수를 같게 한 다음 밑을 비교하거나 지수가 0임을 이용한다.

$a^{f(x)}=b^{f(x)} \Longleftrightarrow a=b$ 또는 $f(x)=0\ (a>0,\ a\neq1,\ b>0,\ b\neq1)$

• 밑도 지수도 같게 할 수 없을 때

⇨ $a^{f(x)}=b^{g(x)}\ (a>0,\ a\neq1,\ b>0,\ b\neq1,\ a\neq b)$의 양변에 상용로그를 취하여 $\log a^{f(x)}=\log b^{g(x)}$를 푼다.

② 항이 3개 이상인 경우

$3^{2x}-2\cdot3^x-3=0$과 같이 a^x 꼴이 반복될 때 ⇨ $a^x=t\ (t>0)$로 치환하여 t에 대한 방정식으로 푼다.

[2013학년도 교육청]

03 지수방정식 $2^{2x}-2^{x+1}-8=0$ 의 해는? [2점]

① 1   ② 2   ③ 3   ④ 4   ⑤ 5

핵심개념 4   지수부등식

(1) $2^x<8$, $3^{-x}\leq2^{x+1}$, $4^x-2^x-3>0$과 같이 지수에 미지수가 있는 부등식을 지수부등식이라 한다.

(2) 지수부등식의 풀이

① 항이 2개인 경우

• 밑을 같게 할 수 있을 때 ⇨ 밑을 같게 한 다음 지수를 비교한다.

$a>1$일 때, $a^{f(x)}<a^{g(x)} \Longleftrightarrow f(x)<g(x)$ ─┐ 밑을 같게 할 수 있을 때
$0<a<1$일 때, $a^{f(x)}<a^{g(x)} \Longleftrightarrow f(x)>g(x)$ ─┘ ┌ (밑)>1 ⇨ 지수의 부등호 방향 그대로
　　　　　　　　　　　　　　　　　　　　　　　└ 0<(밑)<1 ⇨ 지수의 부등호 방향 반대로

• 밑을 같게 할 수 없을 때

⇨ $a^{f(x)}<b^{g(x)}\ (a>0,\ a\neq1,\ b>0,\ b\neq1,\ a\neq b)$의 양변에 상용로그를 취하여 $\log a^{f(x)}<\log b^{g(x)}$를 푼다.

② 항이 3개 이상인 경우

$2^{2x}-2^x-3>0$과 같이 a^x 꼴이 반복될 때 ⇨ $a^x=t\ (t>0)$로 치환하여 t에 대한 부등식으로 푼다.

[2013학년도 교육청]

04 지수부등식 $9^x\leq3^{x+4}$을 만족시키는 모든 자연수 x의 값의 합은? [2점]

① 3   ② 6   ③ 10   ④ 15   ⑤ 21

[2003학년도 교육청]

Act ❶
그래프의 평행이동과 대칭이동의 성질을 이용하여 [보기]의 참, 거짓을 판단한다.

지수함수의 그래프에 대한 [보기]의 설명 중 옳은 것을 모두 고른 것은? [2점]

┤보기├

ㄱ. $y=2^x$의 그래프를 x축에 대하여 대칭이동하면 $y=\dfrac{1}{2^x}$의 그래프가 된다.

ㄴ. $y=2^x$의 그래프를 x축의 방향으로 1만큼 평행이동하면 $y=2^x$의 그래프보다 아래에 놓이게 된다.

ㄷ. $y=\sqrt{2}\cdot 2^x$의 그래프를 x축의 방향으로 평행이동하여 $y=2^x$의 그래프를 얻을 수 있다.

① ㄱ   ② ㄴ   ③ ㄴ, ㄷ   ④ ㄱ, ㄷ   ⑤ ㄱ, ㄴ, ㄷ

해결의 실마리

(1) 지수함수 $y=a^{-x}$의 그래프는 ➡ $y=a^x$의 그래프를 y축에 대하여 대칭이동한 것이다.
(2) 지수함수 $y=a^{x-m}+n$의 그래프는 ➡ $y=a^x$의 그래프를 x축의 방향으로 m만큼, y축의 방향으로 n만큼 평행이동한 것이다.

---

01   [2015학년도 교육청]

실수 a, b에 대하여 좌표평면에서 함수 $y=a\times 2^x$의 그래프가 두 점 $(0, 4)$, $(b, 16)$을 지날 때, $a+b$의 값은? [3점]

① 6   ② 7   ③ 8
④ 9   ⑤ 10

03   [2012학년도 수능]

좌표평면에서 지수함수 $y=a^x$의 그래프를 y축에 대하여 대칭이동시킨 후, x축의 방향으로 3만큼, y축의 방향으로 2만큼 평행이동시킨 그래프가 점 $(1, 4)$를 지난다. 양수 a의 값은? [3점]

① $\sqrt{2}$ ② 2   ③ $2\sqrt{2}$
④ 4   ⑤ $4\sqrt{2}$

02   [2012학년도 교육청]

좌표평면에서 지수함수 $y=a\cdot 3^x$ $(a\neq 0)$의 그래프를 원점에 대하여 대칭이동시킨 후, x축의 방향으로 2만큼, y축의 방향으로 3만큼 평행이동시킨 그래프가 점 $(1, -6)$을 지난다. 이때 상수 a의 값은? [3점]

① 1   ② 2   ③ 3
④ 4   ⑤ 5

04   [2010학년도 수능]

두 지수함수 $f(x)=a^{bx-1}$, $g(x)=a^{1-bx}$이 다음 조건을 만족시킨다.

(가) 함수 $y=f(x)$의 그래프와 함수 $y=g(x)$의 그래프는 직선 $x=2$에 대하여 대칭이다.
(나) $f(4)+g(4)=\dfrac{5}{2}$

두 상수 a, b의 합 $a+b$의 값은? (단, $0<a<1$) [3점]

① 1   ② $\dfrac{9}{8}$ ③ $\dfrac{5}{4}$
④ $\dfrac{11}{8}$ ⑤ $\dfrac{3}{2}$

기출유형 02 지수함수를 이용한 수의 대소 비교

세 수 $A=\left(\dfrac{1}{3}\right)^{-2}$, $B=9^{0.75}$, $C=\sqrt[4]{27}$의 대소 관계로 옳은 것은? [3점]

① $A<B<C$ ② $A<C<B$ ③ $B<A<C$ ④ $C<A<B$ ⑤ $C<B<A$

Act ❶
밑을 3으로 통일시키고 지수함수의 성질을 이용하여 대소를 판단한다.

해결의 실마리

지수를 포함한 수의 대소 비교

(1) 밑을 같게 할 수 있으면 ⇨ 밑을 같게 한 후 지수함수의 성질을 이용하여 대소를 판단한다.

> 지수함수 $y=a^x$ $(a>0$, $a\neq1)$의 성질
> $a>1$일 때, x의 값이 증가하면 y의 값도 증가한다.
> $0<a<1$일 때, x의 값이 증가하면 y의 값은 감소한다.

(2) 밑을 같게 할 수 없으면 ⇨ 주어진 수를 거듭제곱하여 대소를 비교한다.

05

세 수 $A=\sqrt[5]{9}$, $B=\sqrt{3}$, $C=\sqrt{\sqrt[4]{243}}$의 대소 관계를 바르게 나타낸 것은? [3점]

① $A<B<C$ ② $A<C<B$ ③ $B<A<C$
④ $B<C<A$ ⑤ $C<A<B$

07

[2012학년도 교육청]

$a=3$, $b=\sqrt[3]{9}$일 때, 세 실수 a, b, a^b의 대소 관계로 옳은 것은? [4점]

① $a<b<a^b$ ② $a<a^b<b$ ③ $b<a<a^b$
④ $b<a^b<a$ ⑤ $a^b<b<a$

06

세 수 $A=\sqrt{2^3}$, $B=0.5^{-\frac{1}{3}}$, $C=\sqrt[3]{4}$의 대소 관계를 바르게 나타낸 것은? [3점]

① $A<B<C$ ② $B<A<C$ ③ $B<C<A$
④ $C<A<B$ ⑤ $C<B<A$

08

[2014학년도 교육청]

세 수 $A=2^{\sqrt{3}}$, $B=\sqrt[3]{81}$, $C=\sqrt[4]{256}$의 대소 관계로 옳은 것은? [3점]

① $A<B<C$ ② $A<C<B$ ③ $B<A<C$
④ $C<A<B$ ⑤ $C<B<A$

[2008학년도 수능]

정의역이 $\{x \mid -1 \leq x \leq 3\}$인 두 지수함수 $f(x)=4^x$, $g(x)=\left(\dfrac{1}{2}\right)^x$에 대하여 $f(x)$의 최댓값을 M, $g(x)$의 최솟값을 m이라 할 때, Mm의 값은? [3점]

① 8　　　② 6　　　③ 4　　　④ 2　　　⑤ 1

Act ❶
$f(x)=4^x$은 (밑)>1이므로 x가 최대일 때 $f(x)$도 최대이고, $g(x)=\left(\dfrac{1}{2}\right)^x$은 $0<$(밑)<1이므로 x가 최대일 때 $g(x)$는 최소가 된다.

해결의 실마리

(1) $y=a^{f(x)}$ $(a>0,\ a\neq1)$ 꼴의 최대·최소

　① $a>1$이면 ⇨ $f(x)$가 최대일 때 y도 최대, $f(x)$가 최소일 때 y도 최소

　② $0<a<1$이면 ⇨ $f(x)$가 최대일 때 y는 최소, $f(x)$가 최소일 때 y는 최대

(2) a^x 꼴이 반복되는 함수의 최대·최소

　$a^x=t$ $(t>0)$로 치환하여 t의 값의 범위 내에서 최대·최소를 구한다.

09

[2014학년도 교육청]

정의역이 $\{x \mid -1 \leq x \leq 2\}$인 함수 $f(x)=2 \times \left(\dfrac{2}{3}\right)^x$에 대하여 $f(x)$의 최댓값을 M, 최솟값을 m이라 할 때, $\dfrac{M}{m}$의 값은? [3점]

① $\dfrac{9}{4}$　　　② $\dfrac{21}{8}$　　　③ 3

④ $\dfrac{27}{8}$　　　⑤ $\dfrac{15}{4}$

11

[2014학년도 교육청]

$1 \leq x \leq 4$에서 함수 $y=\left(\dfrac{1}{2}\right)^{x^2-4x+2}$의 최댓값을 M, 최솟값을 m이라 할 때, Mm의 값은? [3점]

① $\dfrac{1}{8}$　　　② $\dfrac{1}{4}$　　　③ $\dfrac{1}{2}$

④ 1　　　⑤ 2

10

[2013학년도 교육청]

정의역이 $\{x \mid -2 \leq x \leq 1\}$인 함수 $y=\left(\dfrac{1}{2}\right)^x-3$의 최댓값을 M, 최솟값을 m이라 할 때, $M-m$의 값은? [3점]

① $\dfrac{7}{2}$　　　② 4　　　③ $\dfrac{9}{2}$

④ 5　　　⑤ $\dfrac{11}{2}$

12

[2014학년도 교육청]

정의역이 $\{x \mid -1 \leq x \leq 4\}$인 함수 $y=5^{x^2-4x-2}$의 최댓값을 구하시오. [3점]

기출유형 **04** · 지수방정식

지수방정식 $\left(\dfrac{9}{4}\right)^x=\left(\dfrac{2}{3}\right)^{1+x}$ 의 해는? [3점]

[2014학년도 교육청]

Act ①
밑을 같게 한 다음 지수를 비교한다.

① $-\dfrac{2}{3}$ ② $-\dfrac{1}{3}$ ③ 0 ④ $\dfrac{1}{3}$ ⑤ $\dfrac{2}{3}$

해결의 실마리

(1) 밑을 같게 할 수 있을 때 ⇨ 밑을 같게 한 다음 지수를 비교한다.
$a^{f(x)}=a^{g(x)} \Longleftrightarrow f(x)=g(x)\ (a>0,\ a\neq1)$

(2) 지수를 같게 할 수 있을 때 ⇨ 지수를 같게 한 다음 밑을 비교하거나 지수가 0임을 이용한다.
$a^{f(x)}=b^{f(x)} \Longleftrightarrow a=b$ 또는 $f(x)=0\ (a>0,\ a\neq1,\ b>0,\ b\neq1)$

(3) a^x 꼴이 반복될 때 ⇨ $a^x=t\ (t>0)$로 치환하여 t에 대한 방정식으로 푼다.

13

[2011학년도 교육청]

지수방정식 $\left(\dfrac{1}{3}\right)^{x^2-x}=\left(\dfrac{1}{27}\right)^{x-1}$ 의 두 근을 α, β라 할 때, $\alpha^2+\beta^2$의 값을 구하시오. [3점]

14

[2015학년도 교육청]

지수방정식 $4^x+2^{x+3}-128=0$을 만족시키는 실수 x의 값을 구하시오. [3점]

15

[2013학년도 교육청]

방정식 $2^{2x+1}-9\cdot2^x+4=0$의 모든 실근의 곱은? [3점]

① -2 ② -1 ③ 0
④ 1 ⑤ 2

16

[2013학년도 교육청]

지수방정식 $3^{2x}-2\cdot3^{x+1}-3k=0$이 서로 다른 두 실근을 갖도록 하는 상수 k의 값의 범위는? [3점]

① $-6<k<-3$ ② $-5<k<-2$
③ $-4<k<-1$ ④ $-3<k<0$
⑤ $-2<k<1$

[2012학년도 교육청]

지수부등식 $\left(\dfrac{1}{\sqrt{3}}\right)^{2x+6} \leq 27^{2-x}$을 만족시키는 모든 자연수 x의 값의 합은? [3점]

① 6   ② 10   ③ 15   ④ 21   ⑤ 28

Act ❶
밑을 같게 한 다음 지수를 비교한다.

해결의 실마리

(1) 밑을 같게 할 수 있을 때 ⇨ 밑을 같게 한 다음 지수를 비교한다.

   $a>1$일 때, $a^{f(x)} < a^{g(x)} \Longleftrightarrow f(x) < g(x)$

   $0<a<1$일 때, $a^{f(x)} < a^{g(x)} \Longleftrightarrow f(x) > g(x)$

(2) a^x 꼴이 반복될 때 ⇨ $a^x = t$ $(t>0)$로 치환하여 t에 대한 부등식으로 푼다.

17
[2014학년도 교육청]

부등식 $\left(\dfrac{1}{2}\right)^{2x+1} \leq \left(\dfrac{1}{8}\right)^{x-1}$을 만족시키는 모든 자연수 x의 값의 합은? [3점]

① 8   ② 9   ③ 10

④ 11   ⑤ 12

19
[2015학년도 교육청]

지수부등식 $4^x - 10 \cdot 2^x + 16 \leq 0$을 만족시키는 모든 정수 x의 값의 합은? [3점]

① 4   ② 5   ③ 6

④ 7   ⑤ 8

18
[2014학년도 교육청]

지수부등식 $4^x \times 5^{2x-1} \leq 2 \times 10^{x+3}$을 만족시키는 자연수 x의 개수는? [3점]

① 2   ② 4   ③ 6

④ 8   ⑤ 10

20
[2012학년도 교육청]

이차부등식 $x^2 - 2^{a+1}x + 9 \cdot 2^a \geq 0$이 모든 실수 x에 대하여 성립하도록 하는 모든 자연수 a의 값의 합을 구하시오.

[3점]

기출유형 06 지수함수의 실생활에의 활용

비행기가 항력을 이겨서 등속수평비행하는 데 필요한 동력을 필요마력이라 한다. 필요마력 P(마력) 와 비행기의 항력계수 C, 비행속력 V(m/초), 날개의 넓이 S(m^2) 사이에는 다음과 같은 관계식이 성립한다고 한다.

$$P = \frac{1}{150}kCV^3S \text{ (단, } k \text{는 양의 상수이다.)}$$

날개의 넓이의 비가 1 : 3인 두 비행기 A, B가 동일한 항력계수를 갖고 각각 등속수평비행하고 있을 때, 필요마력의 비는 1 : $\sqrt{3}$이고 비행속력은 각각 V_A, V_B이다. $\dfrac{V_A}{V_B}$의 값은? [3점]

① $3^{\frac{1}{6}}$ ② $3^{\frac{1}{3}}$ ③ $3^{\frac{1}{2}}$ ④ $3^{\frac{2}{3}}$ ⑤ $3^{\frac{5}{6}}$

Act ❶
날개의 넓이의 비가 1 : 3, 필요마력의 비가 1 : $\sqrt{3}$임을 이용하여 P_B를 P_A로 나타낸 다음 $\dfrac{P_A}{P_B}$에서 $\dfrac{V_A}{V_B}$의 값을 구한다.

해결의 실마리

(1) 식이 주어진 경우 ⇨ 주어진 식에 알맞은 값을 대입한다.
(2) 식을 구해야 하는 경우 ⇨ 조건에 맞도록 식을 세운 후 지수법칙을 이용한다.

21

어떤 펌프의 흡입구경 D(mm), 단위시간(분) 동안의 유체배출량 Q(m^3/분), 흡입구의 유속 V(m/분) 사이에 다음과 같은 관계가 성립한다고 한다.

$$D = k\left(\frac{Q}{V}\right)^{\frac{1}{2}} \text{ (단, } V>0, \ k \text{는 양의 상수이다.)}$$

두 펌프 A, B의 흡입구경을 각각 D_A, D_B, 단위시간 (분) 동안의 유체배출량을 각각 Q_A, Q_B, 흡입구의 유속을 각각 V_A, V_B라 하자. Q_A가 Q_B의 $\dfrac{2}{3}$배, V_A가 V_B의 $\dfrac{8}{27}$배, $D_A - D_B = 60$일 때, D_B의 값은? [3점]

① 120 ② 125 ③ 130
④ 135 ⑤ 140

22

올림픽에 참가한 어느 나라가 딴 금메달, 은메달, 동메달의 수를 각각 a, b, c라 할 때 $3a+2b+c$의 값을 그 나라의 메달 가치라 하자. 어떤 연구에 의하면 인구가 P만 명이고 국내총생산액이 G억 달러인 나라의 메달 가치 S는 부등식

$$S \leq 0.215\left(\frac{P}{100}\right)^{\frac{1}{3}}\left(\frac{G}{10}\right)^{\frac{2}{3}} \quad \cdots\cdots (*)$$

을 만족시킨다고 한다.
어느 해 올림픽에 참가한 A나라의 인구가 6400만 명이고, 국내총생산액이 5120억 달러라 하자. 부등식 (*)이 항상 성립한다고 할 때, A나라의 메달 가치의 최댓값은? [3점]

① 51 ② 53 ③ 55
④ 57 ⑤ 59

01

함수 $f(x)=2^{ax+b}$의 그래프가 두 점 $(1,\ 2)$, $(2,\ 16)$을 지날 때, 두 상수 a, b에 대하여 $a-b$의 값은? [2점]

① 2   ② 3   ③ 4
④ 5   ⑤ 6

02

함수 $y=3^x$의 그래프를 x축의 방향으로 2만큼 평행이동한 다음, y축에 대하여 대칭이동하면 점 $(-4,\ k)$를 지난다. 이때 k의 값은? [3점]

① 8   ② 9   ③ 10
④ 11   ⑤ 12

03

함수 $y=2^{a-x}+b$의 그래프가 점 $(-1,\ 4)$를 지나고 점근선의 방정식이 $y=2$일 때, 상수 a, b의 합 $a+b$의 값을 구하시오. [3점]

04

그림은 함수 $y=2^x$의 그래프를 x축에 대하여 대칭이동한 후 x축의 방향으로 a만큼, y축의 방향으로 b만큼 평행이동한 함수 $y=f(x)$의 그래프를 나타낸 것이다. 이 그래프가 점 $(2,\ 1)$을 지나고 점근선의 방정식이 $y=3$일 때, $f(4)$의 값은?

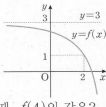

[3점]

① -13 ② -5 ③ -1
④ 1   ⑤ $\dfrac{5}{2}$

05

두 함수 $y=3^x$, $y=-\left(\dfrac{1}{3}\right)^x$의 그래프와 직선 $x=k$의 교점을 각각 P, Q라 할 때, $\overline{PQ}$의 최솟값은? [3점]

① $\dfrac{1}{2}$ ② 1   ③ $\dfrac{3}{2}$
④ 2   ⑤ $\dfrac{5}{2}$

06

$0<a<1$인 상수 a에 대하여 함수 $y=a^{-x^2+2x+3}$의 최솟값이 $\dfrac{16}{81}$일 때, a의 값은? [3점]

① $\dfrac{1}{6}$ ② $\dfrac{1}{3}$ ③ $\dfrac{1}{2}$
④ $\dfrac{2}{3}$ ⑤ $\dfrac{5}{6}$

07

지수방정식 $\left(\dfrac{1}{2}\right)^{x^2-3}=\left(\dfrac{1}{4}\right)^{x}$의 모든 근의 합은? [3점]

① 2   ② 1   ③ 0

④ −1   ⑤ −2

08

지수방정식 $(3^{x-5}\cdot 9^{x+4})^x=27^{x+5}$의 모든 근의 곱은? [3점]

① −5   ② −4   ③ −3

④ −2   ⑤ −1

09

지수부등식 $(2^x+1)(2^x-10)<12$를 만족시키는 모든 자연수 x의 개수는? [3점]

① 1   ② 2   ③ 3

④ 4   ⑤ 5

10

부등식 $4^{x^2}<\left(\dfrac{1}{2}\right)^{4x-6}$을 만족하는 정수 x의 개수는? [3점]

① 3   ② 4   ③ 5

④ 6   ⑤ 7

11

두 함수 $y=f(x)$와 $y=g(x)$의 그래프가 오른쪽 그림과 같다.

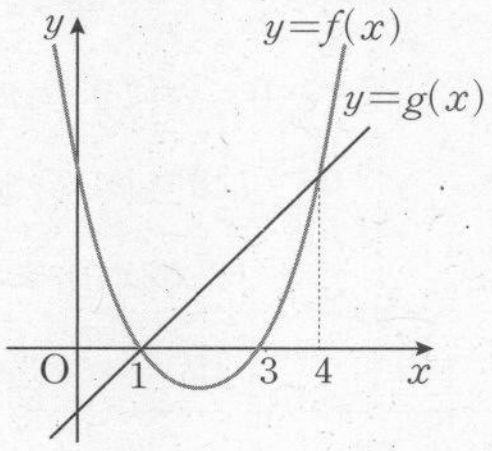

부등식 $x^2+ax+b<0$의 해와 부등식 $\left(\dfrac{1}{2}\right)^{f(x)}>\left(\dfrac{1}{2}\right)^{g(x)}$의 해가 같을 때, 두 상수 a, b의 합 $a+b$의 값은? [3점]

① −5   ② −4   ③ −3

④ −2   ⑤ −1

12

처음 온도가 $A\,℃$인 물체를 온도가 $B\,℃$인 곳에 놓아두면 이 물체의 t분 후의 온도 $f(t)$는

$$f(t)=B+(A-B)p^{-kt} \ (p,\ k\text{는 상수})$$

이 된다고 한다. 한 음료수를 온도가 $28\,℃$로 유지되는 보관함에 넣었더니 이 음료수의 온도가 5분 후에는 $13\,℃$, 10분 후에는 $19\,℃$가 되었다. 이때 15분 후의 음료수의 온도는? [3점]

① $22.6\,℃$ ② $23.6\,℃$ ③ $24.6\,℃$

④ $25.6\,℃$ ⑤ $26.6\,℃$

04 로그함수

Young people should strive towards their ideals.

출제경향 로그함수의 뜻, 로그함수의 그래프의 성질, 주어진 범위에서의 최댓값·최솟값을 구하는 문제가 출제된다. 지수함수의 그래프의 개형과 지수함수와 로그함수의 관계 등을 알아 두고, 자연 현상이나 사회 현상을 로그함수로 표현하는 과정에서 나타나는 간단한 방정식과 부등식을 풀 수 있어야 한다.

핵심개념 1 　 로그함수

(1) 지수함수 $y=a^x$의 역함수 $y=\log_a x$ $(a>0,\ a\neq1)$를 a를 밑으로 하는 로그함수라 한다.

(2) 로그함수 $y=\log_a x$ $(a>0,\ a\neq1)$의 성질

① 정의역은 양의 실수 전체의 집합이고, 치역은 실수 전체의 집합이다.

② $a>1$일 때, x의 값이 증가하면 y의 값도 증가한다.

  　$0<a<1$일 때, x의 값이 증가하면 y의 값은 감소한다.

③ 그래프는 점 $(1,\ 0)$을 지나고, y축을 점근선으로 갖는다.

④ 지수함수 $y=a^x$의 그래프와 직선 $y=x$에 대하여 대칭이다.

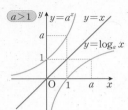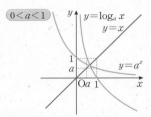

함수 $y=\log_a x$의 그래프를

(i) x축 방향으로 m만큼, y축 방향으로 n만큼 평행이동 : $y=\log_a(x-m)+n$

(ii) y축에 대하여 대칭이동 : $y=\log_a(-x)$

(iii) x축에 대하여 대칭이동 : $y=-\log_a x$

(iv) 원점에 대하여 대칭이동 : $y=-\log_a(-x)$

---

01 [보기]에서 함수 $y=\log_3(x-1)+2$의 그래프에 대한 설명으로 옳은 것만을 있는 대로 고른 것은? [3점]

┤보기├

ㄱ. 정의역은 $\{x|x>0\}$이다.

ㄴ. $y=\log_{\frac{1}{3}}(x-1)-2$의 그래프와 x축에 대하여 대칭이다.

ㄷ. x의 값이 증가하면 y의 값도 증가한다.

ㄹ. $y=\log_3 x$의 그래프를 x축의 방향으로 -1만큼, y축의 방향으로 2만큼 평행이동한 것이다.

① ㄱ, ㄴ　　　② ㄱ, ㄹ　　　③ ㄴ, ㄷ　　　④ ㄱ, ㄴ, ㄷ　　　⑤ ㄱ, ㄷ, ㄹ

핵심개념 2 　 로그함수의 최대·최소

(1) $y=\log_a f(x)$ $(a>0,\ a\neq1)$ 꼴의 최대·최소

① $a>1$이면 $f(x)$가 최대일 때 y도 최대, $f(x)$가 최소일 때 y도 최소이다.

② $0<a<1$이면 $f(x)$가 최대일 때 y는 최소, $f(x)$가 최소일 때 y는 최대이다.

(2) $\log_a x$ 꼴이 반복되는 함수의 최대·최소

$\log_a x=t$로 치환하여 t의 값의 범위 내에서 최대·최소를 구한다.

로그함수 $y=\log_a f(x)$의 그래프는 $a>1$일 때 $f(x)$의 값이 증가하면 y의 값도 증가하고 $0<a<1$일 때 $f(x)$의 값이 증가하면 y의 값은 감소한다. 따라서 주어진 로그의 밑을 같게 나타낸 후 대소를 비교한다.

---

02 $3\leq x\leq10$에서 함수 $y=\log_3(x-a)+2$의 최솟값이 4일 때, 상수 a의 값은? [3점]

① -6　　　② -5　　　③ -4　　　④ -3　　　⑤ -2

핵심개념 3 　로그방정식

(1) $\log_3 x=2$, $x^{\log x}=x^2$, $(\log_2 x)^2-\log_2 x=0$과 같이 로그의 진수 또는 밑에 미지수를 포함하는 방정식을 로그방정식이라 한다.

(2) 로그방정식의 풀이

① $\log_a f(x)=b$일 때 : $\log_a f(x)=b \Leftrightarrow f(x)=a^b$ (단, $f(x)>0$)을 이용하여 푼다.

② 밑이 같을 때 : 진수가 같음을 이용하여 푼다.

　　$\log_a f(x)=\log_a g(x) \Leftrightarrow f(x)=g(x)$ (단, $f(x)>0$, $g(x)>0$)

③ 밑이 같지 않을 때 : 로그의 밑 변환 공식을 이용하여 밑을 통일하여 푼다.

④ $\log_a x$의 꼴이 반복될 때 : $\log_a x=t$로 치환하여 t에 대한 방정식을 푼다.

⑤ 지수에 $\log_a x$가 있을 때 : 양변에 a를 밑으로 하는 로그를 취하여 푼다.

⑥ 진수가 같을 때 : 밑이 같거나 진수가 1이다.

　　$\log_a f(x)=\log_b f(x) \Leftrightarrow a=b$ 또는 $f(x)=1$

> 로그방정식을 풀 때에는 구한 해가 로그의 정의 및 조건에 맞는지 반드시 확인한다.
> (밑)>0, (밑)$\neq 1$, (진수)>0

03 로그방정식 $\log_2(x-1)+\log_2(x+2)=2$의 해는? [3점]

① $x=-2$ 　　② $x=-1$ 　　③ $x=0$ 　　④ $x=1$ 　　⑤ $x=2$

핵심개념 4 　로그부등식

(1) $\log_3 x>1$, $\log_6 x+\log_6(5-x)<1$, $x^{\log_2 x}>4$와 같이 로그의 진수 또는 밑에 미지수를 포함하는 부등식을 로그부등식이라 한다.

(2) 로그부등식의 풀이

① 밑이 같을 때 : 진수를 비교한다.

$\begin{cases} (밑)>1이면 \ 진수의 \ 부등호 \ 방향은 \ 그대로 \\ 0<(밑)<1이면 \ 진수의 \ 부등호 \ 방향은 \ 반대로 \end{cases}$

② 밑이 같지 않을 때 : 로그의 밑 변환 공식을 이용하여 밑을 통일하여 푼다.

③ $\log_a x$의 꼴이 반복될 때 : $\log_a x=t$로 치환하여 t에 대한 부등식을 푼다.

④ 지수에 $\log_a x$가 있을 때 : 양변에 a를 밑으로 하는 로그를 취하여 푼다.

> 로그부등식을 풀 때에도 로그방정식과 마찬가지로 구한 해가 로그의 정의 및 조건에 맞는지 반드시 확인한다.
> (밑)>0, (밑)$\neq 1$, (진수)>0

[2013학년도 교육청]

04 로그부등식 $(\log_3 x)^2<3+2\log_3 x$를 만족시키는 모든 자연수 x의 개수를 구하시오. [3점]

[2012학년도 교육청]

함수 $y=\log_3\left(\dfrac{x}{9}-1\right)$의 그래프는 함수 $y=\log_3 x$의 그래프를 x축의 방향으로 m만큼, y축의 방향으로 n만큼 평행이동시킨 것이라 할 때, $10(m+n)$의 값을 구하시오. [3점]

Act ❶

로그의 성질을 이용하여 $y=\log_3\left(\dfrac{x}{9}-1\right)$을 $y=\log_3(x-m)+n$ 꼴로 정리한다.

해결의 실마리

함수 $y=\log_a x$의 그래프를

① x축 방향으로 m만큼, y축 방향으로 n만큼 평행이동 : $y=\log_a(x-m)+n$ ② y축에 대하여 대칭이동 : $y=\log_a(-x)$

③ x축에 대하여 대칭이동 : $y=-\log_a x$ ④ 원점에 대하여 대칭이동 : $y=-\log_a(-x)$

01

[2015학년도 교육청]

함수 $y=\log x$의 그래프를 x축의 방향으로 a만큼, y축의 방향으로 b만큼 평행이동시킨 그래프가 두 점 $(4,\ b)$, $(13,\ 11)$을 지날 때, 상수 a, b의 곱 ab의 값을 구하시오. [3점]

03

[2015학년도 교육청]

그림과 같이 함수 $y=\log_2 x$의 그래프 위의 두 점 A, B에서 x축에 내린 수선의 발을 각각 $\mathrm{C}(p,\ 0)$, $\mathrm{D}(2p,\ 0)$이라 하자.

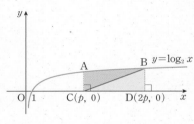

삼각형 BCD와 삼각형 ACB의 넓이의 차가 8일 때, 실수 p의 값은? (단, $p>1$) [3점]

① 4 ② 8 ③ 12

④ 16 ⑤ 20

02

[2014학년도 교육청]

함수 $y=a+\dfrac{1}{2}\log_3(x-b)$의 그래프의 점근선의 방정식이 $x=4$이고 이 그래프가 점 $(13,\ 2)$를 지날 때, $5(a+b)$의 값을 구하시오. (단, a, b는 상수이다.) [3점]

04

[2011학년도 교육청]

$y=\log_3 x$와 기울기가 $\dfrac{1}{2}$인 직선이 두 점 A, B에서 만나고 점 A, B에서 x축에 내린 수선의 발을 각각 C, D라 하자.

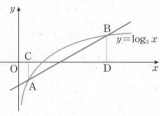

$\overline{\mathrm{OC}}:\overline{\mathrm{OD}}=1:9$일 때, 선분 CD의 길이를 구하시오. [3점]

기출유형 02 지수함수와 로그함수

[2009학년도 수능]

지수함수 $f(x)=a^{x-m}$의 그래프와 그 역함수의 그래프가 두 점에서 만나고, 두 교점의 x좌표가 1과 3일 때, $a+m$의 값은? [3점]

① $2-\sqrt{3}$ ② 2 ③ $1+\sqrt{3}$ ④ 3 ⑤ $2+\sqrt{3}$

Act ①

$y=a^{x-m}$과 역함수의 교점은 $y=a^{x-m}$과 $y=x$의 교점이다.

해결의 실마리

(1) 지수함수 $y=a^x$의 역함수는 로그함수 $y=\log_a x$이다.

(2) 로그함수 $y=\log_a x$의 그래프와 지수함수 $y=a^x$의 그래프는 직선 $y=x$에 대하여 대칭이다.

05

[2013학년도 교육청]

로그함수 $f(x)=\log_2 x+1$의 역함수를 $g(x)$라 할 때, $g(5)$의 값은? [3점]

① 12 ② 13 ③ 14 ④ 15 ⑤ 16

06

$f(x)=1+2\log_3 x$에 대하여 함수 $g(x)$가 모든 실수 x에 대하여 $(g\circ f)(x)=x$를 만족할 때, $g(5)$의 값은? [3점]

① $\frac{1}{3}$ ② 1 ③ 3 ④ 9 ⑤ 27

07

[2006학년도 교육청]

함수 $f(x)=1+3\log_2 x$에 대하여 함수 $g(x)$가 $(g\circ f)(x)=x$를 만족시킬 때, $g(13)$의 값을 구하시오. [3점]

08

양의 실수 전체의 집합에서 정의된 함수 $f(x)=\log_2 x+\log_3 x$의 역함수를 $g(x)$라 할 때, 다음 중 함수 $g(x)+3$의 역함수와 같은 것은? [3점]

① $f(x-3)$ ② $f(x+3)$ ③ $f(x)+3$ ④ $f(x)-3$ ⑤ $f(-3x)$

$1 \leq x \leq 4$에서 함수 $y = \log_{\frac{1}{2}}(x^2 - 4x + 8)$의 최댓값을 M, 최솟값을 m이라 할 때, $M + m$의 값은?

[3점]

Act ❶
밑이 1보다 작은 양수이므로 진수가 최소일 때 y는 최대, 진수가 최대일 때 y는 최소가 된다.

① -5 ② -4 ③ -3 ④ -2 ⑤ -1

해결의 실마리

(1) $y = \log_a f(x)$ $(a > 0,\ a \neq 1)$ 꼴의 최대·최소

① $a > 1$이면 $f(x)$가 최대일 때 y도 최대, $f(x)$가 최소일 때 y도 최소이다.

② $0 < a < 1$이면 $f(x)$가 최대일 때 y는 최소, $f(x)$가 최소일 때 y는 최대이다.

(2) $\log_a x$ 꼴이 반복되는 함수의 최대·최소

$\log_a x = t$로 치환하여 t의 값의 범위 내에서 최대·최소를 구한다.

09

$3 \leq x \leq 9$에서 함수 $y = \log_3(x - a) + 1$의 최솟값이 3일 때, 상수 a의 값은? [3점]

① -6 ② -5 ③ -4
④ -3 ⑤ -2

10

[2014학년도 교육청]

함수 $y = \log_{\frac{1}{3}}(x^2 + 2x + 10)$의 최댓값은? [3점]

① -3 ② -2 ③ -1
④ 0 ⑤ 1

11

$1 \leq x \leq 16$에서 정의된 함수 $y = \log_2 4x \cdot \log_2 \dfrac{16}{x}$의 최댓값을 M, 최솟값을 m이라 할 때, $M + m$의 값을 구하시오. [3점]

12

$x > 0$, $y > 0$일 때, $\log_3\left(x + \dfrac{2}{y}\right) + \log_3\left(2y + \dfrac{1}{x}\right)$의 최솟값은? [3점]

① -1 ② 0 ③ 1
④ 2 ⑤ 3

친절한 해설 18쪽

기출유형 04 로그방정식

[2013학년도 교육청]

로그방정식 $2\log_2(x+3)=\log_2(3x+13)$의 해는? [3점]

① -2 ② -1 ③ 0 ④ 1 ⑤ 2

Act 1
밑이 같으므로 진수를 비교한다.

해결의 실마리

① $\log_a f(x)=b$일 때 ⇨ $\log_a f(x)=b \Leftrightarrow f(x)=a^b$ (단, $f(x)>0$)을 이용하여 푼다.

② 밑이 같을 때 ⇨ 진수가 같음을 이용하여 푼다.

$\log_a f(x)=\log_a g(x) \Leftrightarrow f(x)=g(x)$ (단, $f(x)>0$, $g(x)>0$)

③ 밑이 같지 않을 때 ⇨ 로그의 밑 변환 공식을 이용하여 밑을 통일하여 푼다.

④ $\log_a x$의 꼴이 반복될 때 ⇨ $\log_a x=t$로 치환하여 t에 대한 방정식을 푼다.

⑤ 지수에 $\log_a x$가 있을 때 ⇨ 양변에 a를 밑으로 하는 로그를 취하여 푼다.

13

[2012학년도 교육청]

연립방정식 $\begin{cases}\log_2 x+\log_2 y=7 \\ \log_2 x^2-\log_2 y=-1\end{cases}$ 의 해를 $x=\alpha$, $y=\beta$ 라 할 때, $\alpha+\beta$의 값을 구하시오. [3점]

14

[2011학년도 교육청]

로그방정식 $\log_3(\log_5 8)+\log_3(\log_2 x)=2$의 해를 α라 할 때, α의 값을 구하시오. [3점]

15

[2012학년도 교육청]

로그방정식 $(\log_4 x)^2+\log_4 \dfrac{1}{x^3}-1=0$의 두 실근을 α, β 라 할 때, $\alpha\beta$의 값은? [3점]

① 8 ② 16 ③ 32
④ 64 ⑤ 128

16

[2012학년도 교육청]

방정식 $x^{\log x}=\left(\dfrac{x}{10}\right)^4$의 실근을 구하시오. [3점]

로그부등식 $2\log_2(x-3) \le 2 + \log_2(x+5)$를 만족시키는 정수 x의 개수는? [3점]

① 5   ② 6   ③ 7   ④ 8   ⑤ 9

[2014학년도 교육청]

Act ①
밑이 같으므로 진수를 비교한다.

해결의 실마리

① 밑이 같을 때 ⇨ 진수를 비교한다.

$\begin{cases} (밑) > 1 \text{ 이면 진수의 부등호 방향은 그대로} \\ 0 < (밑) < 1 \text{ 이면 진수의 부등호 방향은 반대로} \end{cases}$

② 밑이 같지 않을 때 ⇨ 로그의 밑 변환 공식을 이용하여 밑을 통일하여 푼다.

③ $\log_a x$의 꼴이 반복될 때 ⇨ $\log_a x = t$로 치환하여 t에 대한 부등식을 푼다.

④ 지수에 $\log_a x$가 있을 때 ⇨ 양변에 a를 밑으로 하는 로그를 취하여 푼다.

17   [2014학년도 교육청]

로그부등식 $\log_2(x-3) + \log_2(x+1) \le 5$를 만족시키는 정수 x의 개수는? [3점]

① 1   ② 2   ③ 3
④ 4   ⑤ 5

19   [2016학년도 수능]

x에 대한 로그부등식 $\log_5(x-1) \le \log_5\left(\dfrac{1}{2}x+k\right)$를 만족시키는 모든 정수 x의 개수가 3일 때, 자연수 k의 값은? [3점]

① 1   ② 2   ③ 3
④ 4   ⑤ 5

18

로그부등식 $\log_{\frac{1}{2}}(x^2+2x+3) > \log_{\frac{1}{2}}(-2x+24)$를 만족시키는 정수 x의 개수는? [3점]

① 9   ② 10   ③ 11
④ 12   ⑤ 13

20   [2013학년도 교육청]

로그부등식 $(\log_2 x)^2 - \log_2 x^6 + 8 \le 0$을 만족시키는 자연수 x의 개수는? [3점]

① 11   ② 13   ③ 15
④ 17   ⑤ 19

기출유형 06 로그함수의 실생활에의 활용

[2008학년도 교육청]

지진의 규모 R와 지진이 일어났을 때 방출되는 에너지 E 사이에는 다음과 같은 관계가 있다고 한다.

$$R = 0.67\log(0.37E) + 1.46$$

지진의 규모가 6.15일 때 방출되는 에너지를 E_1, 지진의 규모가 5.48일 때 방출되는 에너지를 E_2라

할 때, $\dfrac{E_1}{E_2}$의 값을 구하시오. [3점]

Act ①
지진 규모 R에 6.15와 5.48을 각각 대입하여 $\log(0.37E_1)$, $\log(0.37E_2)$의 값을 구한 다음 $\dfrac{E_1}{E_2}$의 값을 계산한다.

해결의 실마리

(1) 식이 주어진 경우 ⇨ 주어진 식에 알맞은 값을 대입한다.

(2) 식을 구해야 하는 경우 ⇨ 조건에 맞도록 식을 세운 후 로그의 성질을 이용한다.

21

[2013학년도 수능 모의평가]

밀폐된 용기 속의 액체에서 증발과 응축이 계속하여 같은 속도로 일어나는 동적 평형 상태의 증기압을 포화 증기압이라 한다. 밀폐된 용기 속에 있는 어떤 액체의 경우 포화 증기압 P(mmHg)와 용기 속의 온도 $t(℃)$ 사이에 다음과 같은 관계식이 성립한다고 한다.

$$\log P = 8.11 - \frac{1750}{t+235} \quad (0 < t < 60)$$

용기 속의 온도가 15℃일 때의 포화 증기압을 P_1, 45℃일 때의 포화 증기압을 P_2라 할 때, $\dfrac{P_2}{P_1}$의 값은? [3점]

① $10^{\frac{1}{4}}$ ② $10^{\frac{1}{2}}$ ③ $10^{\frac{3}{4}}$

④ 10 ⑤ $10^{\frac{5}{4}}$

22

[2010학년도 교육청]

2009년도 우리나라의 이산화탄소 배출량은 6억 톤이었다. 우리나라에서는 이산화탄소 배출로 인해 발생하는 지구 온난화 현상을 개선하기 위해 매년 전년도보다 5%씩 이산화탄소 배출량을 감소시키는 정책을 2010년부터 추진하고 있다. 이 정책이 계획대로 추진된다고 할 때, 이산화탄소 배출량이 처음으로 4억 톤 이하가 되는 시기는? (단, 측정 주기는 1년이고, $\log 2 = 0.301$, $\log 3 = 0.477$, $\log 9.5 = 0.978$로 계산한다.) [3점]

① 2014년~2016년   ② 2017년~2019년

③ 2020년~2022년   ④ 2023년~2025년

⑤ 2026년~2028년

01

로그함수 $y=\log_6(x+a)$의 그래프가 점 $(1,\ 2)$를 지날 때, 상수 a의 값을 구하시오. [3점]

02

함수 $y=\log_2(x+a)+b$의 그래프가 그림과 같을 때, 상수 a, b에 대하여 $a+b$의 값은? [3점]

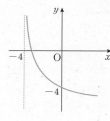

① -2 ② -1
③ 0 ④ 1
⑤ 2

03

다음 함수의 그래프 중 함수 $y=\log_2 x$의 그래프를 평행이동 또는 대칭이동하여 겹쳐질 수 <u>없는</u> 것은? [3점]

① $y=\log_2 3x$ ② $y=\log_2 \dfrac{4}{x}$ ③ $y=\log_{\frac{1}{2}}(2-x)$

④ $y=\log_2 x^2$ ⑤ $y=2^{-x}$

04

함수 $y=\log_3 x$의 그래프를 원점에 대하여 대칭이동한 다음, x축의 방향으로 2만큼, y축의 방향으로 k만큼 평행이동한 그래프가 직선 $y=1$과 만나는 점의 x좌표가 1일 때, k의 값을 구하시오. [3점]

05

$x>0$, $y>0$일 때, $\log_6\left(x+\dfrac{5}{y}\right)+\log_6\left(5y+\dfrac{1}{x}\right)$의 최솟값은? [3점]

① -1 ② 0 ③ 1
④ 2 ⑤ 3

06

$a\leq x\leq b$에서 함수 $y=\log_{\frac{1}{2}}(x+2)$의 최댓값이 2, 최솟값이 -3일 때, 두 상수 a, b의 합 $a+b$의 값은? [3점]

① $\dfrac{13}{4}$ ② $\dfrac{15}{4}$ ③ $\dfrac{17}{4}$
④ $\dfrac{19}{4}$ ⑤ $\dfrac{21}{4}$

07

$1 \leq x \leq 81$에서 정의된 함수 $y = \log_3 9x \cdot \log_3 \dfrac{81}{x}$의 최댓값을 M, 최솟값을 m이라 할 때, $M + m$의 값을 구하시오. [3점]

08

방정식 $(\log_2 x)^2 - 2\log_2 x - 5 = 0$의 두 근을 α, β라 할 때, $\alpha\beta$의 값은? [3점]

① 2   ② 4   ③ 6
④ 8   ⑤ 10

09

방정식 $\log(3-x) - \log(4-x) = \log(5-2y) - \log(6-y)$를 만족하는 정수 x, y에 대하여 $y - x$의 값을 구하시오. [3점]

10

부등식 $\log_{\frac{1}{9}}(3x+1) > \log_{\frac{1}{3}}(2x-1)$을 만족하는 정수 x의 최솟값을 구하시오. [3점]

11

어떤 농장에서 기르고 있는 오리의 수는 매년 전년도의 3배가 된다고 한다. 현재 오리가 100마리 있을 때, 2700마리 이상 되는 해는 현재부터 몇 년 후인가? [3점]

① 3년 후   ② 4년 후   ③ 5년 후
④ 6년 후   ⑤ 7년 후

12

그림은 $y = \log_3(x-a) + b$와 그 역함수 $y = f(x)$의 그래프이다. 삼각형 ABC의 넓이가 $\dfrac{3}{2}$일 때, 상수 a, b에 대하여 $a + b$의 값은? (단, 점 A는 제1사분면 위의 점이다.) [4점]

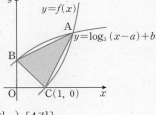

① -3 ② -1 ③ 0
④ 1   ⑤ 3

05 삼각함수

출제경향 일반각과 호도법의 뜻과 동경이 나타내는 위치를 알고 중학교에서 학습한 삼각비를 바탕으로 삼각함수를 이해한다. 또한, 삼각함수 사이의 관계를 이용하여 식을 간단히 할 수 있어야 한다.

핵심개념 1   일반각과 호도법

(1) 시초선과 동경

점 O를 중심으로 반직선 OP가 회전하여 ∠XOP를 결정할 때, 반직선 OX를 **시초선**, 반직선 OP를 **동경**이라 한다.

(2) 일반각

시초선 OX에 대하여 동경 OP가 나타내는 ∠XOP의 크기 중 하나를 $\alpha°$라 할 때, 동경 OP가 나타내는 일반각의 크기는 $360°×n+\alpha°$ (n은 정수)

(3) 사분면의 각

좌표평면 위의 원점 O에서 x축의 양의 방향을 시초선으로 잡았을 때, 동경 OP가 제1사분면, 제2사분면, 제3사분면, 제4사분면에 있으면 동경 OP가 나타내는 각을 차례대로 제1사분면, 제2사분면, 제3사분면, 제4사분면의 각이라 한다.

(4) $\dfrac{180°}{\pi}$를 **1라디안**(radian)이라 하고, 이것을 단위로 각의 크기를 나타내는 방법을 **호도법**이라 한다.

(5) 호도법과 육십분법의 관계

① 1라디안$=\dfrac{180°}{\pi}$ ② $1°=\dfrac{\pi}{180}$라디안

> 호도법에서는 단위인 라디안을 흔히 생략한다. 예를 들면 π라디안은 π로, 1라디안은 1로 나타낸다.

01 각 $-990°$의 동경이 나타내는 여러 각 중에서 최소의 양의 각 a는? [2점]

① 90° ② 60° ③ 50° ④ 40° ⑤ 30°

02 [보기]에서 옳은 것만을 있는 대로 고른 것은? [2점]

| 보기 |

ㄱ. $\dfrac{1}{3}\pi=45°$ ㄴ. $120°=\dfrac{2}{3}\pi$ ㄷ. $\dfrac{7}{6}\pi=210°$ ㄹ. $270°=\dfrac{5}{4}\pi$

① ㄱ, ㄴ   ② ㄱ, ㄹ   ③ ㄴ, ㄷ   ④ ㄱ, ㄴ, ㄷ   ⑤ ㄱ, ㄷ, ㄹ

핵심개념 2   부채꼴의 호의 길이와 넓이

반지름의 길이가 r, 중심각의 크기가 θ인 부채꼴의 호의 길이를 l, 넓이를 S라 하면

① $l=r\theta$ ② $S=\dfrac{1}{2}rl=\dfrac{1}{2}r^2\theta$

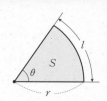

03 중심각의 크기가 4라디안이고 넓이가 32인 부채꼴의 호의 길이를 구하시오. [2점]

핵심개념 3 　**삼각함수의 정의와 값의 부호**

(1) 삼각함수의 정의

오른쪽 그림과 같이 $\overline{\text{OP}}=r$인 점 $\text{P}(x, y)$에 대하여 동경 OP가 x축의 양의 방향과 이루는 일반각의

크기를 θ라 할 때

$$\sin\theta=\frac{y}{r}, \ \cos\theta=\frac{x}{r}, \ \tan\theta=\frac{y}{x} \ (x\neq0)$$

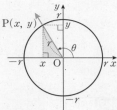

를 차례대로 θ의 **사인함수**, **코사인함수**, **탄젠트함수**라 하고, 이들 함수를 통틀어 θ에 대한 **삼각함수**라

한다.

(2) 삼각함수의 값의 부호

삼각함수의 값의 부호는 동경과 원이 만나는 점의 x좌표와 y좌표에 의하여 결정되므로 각 θ의 동경이 위치한 사분면에 따라 다음과 같이 정해진다.

 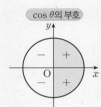 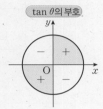

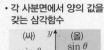

04 두 점 $\text{P}(2, 1)$, $\text{Q}(-1, -2)$와 원점 O를 이은 두 동경 OP, OQ가 나타내는 각을 각각 α, β라 할 때, $\sin\alpha+\cos\beta$의 값은? [3점]

① $-\dfrac{1}{\sqrt{5}}$　　　② $-\dfrac{1}{2}$　　　③ 0　　　④ $\dfrac{1}{\sqrt{5}}$　　　⑤ $\dfrac{1}{2}$

05 $\cos\theta<0$, $\tan\theta>0$을 만족하는 각 θ는 제 몇 사분면의 각인가? [2점]

① 제1사분면　　② 제2사분면　　③ 제3사분면　　④ 제4사분면　　⑤ 제2, 3사분면

핵심개념 4 　**삼각함수 사이의 관계**

① $\tan\theta=\dfrac{\sin\theta}{\cos\theta}$　　　　　　② $\sin^2\theta+\cos^2\theta=1$

06 $\dfrac{\sin\theta}{1+\cos\theta}-\dfrac{1-\sin\theta}{\sin\theta}$를 간단히 하면? [3점]

① -2　　　　② -1　　　　③ 0　　　　④ 1　　　　⑤ 2

좌표평면에 각을 나타내었을 때, 다음 중 동경이 오른쪽 그림과 같지 <u>않은</u> 것은? [2점]

① 390° ② 750° ③ 1100°

④ −330° ⑤ −690°

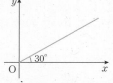

Act ❶
각 θ를 일반각으로 나타내어 $\theta = 360° \times n + \alpha°$와 각 $\alpha°$를 나타내는 동경이 일치함을 이용한다.

해결의 실마리

(1) 동경의 위치

　$\theta = 360° \times n + \alpha°$ (n은 정수, $0° \leq \alpha° < 360°$)이면 각 $\alpha°$를 나타내는 동경과 각 θ를 나타내는 동경이 일치한다.

(2) 사분면의 각

　① θ가 제1사분면의 각 $\Rightarrow$ $360° \times n < \theta < 360° \times n + 90°$

　② θ가 제2사분면의 각 $\Rightarrow$ $360° \times n + 90° < \theta < 360° \times n + 180°$

　③ θ가 제3사분면의 각 $\Rightarrow$ $360° \times n + 180° < \theta < 360° \times n + 270°$

　④ θ가 제4사분면의 각 $\Rightarrow$ $360° \times n + 270° < \theta < 360° \times n + 360°$

(3) 육십분법과 호도법

　① 1라디안 $= \dfrac{180°}{\pi}$　　② $1° = \dfrac{\pi}{180}$ 라디안

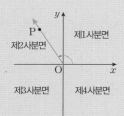

01

θ가 제3사분면의 각일 때, $\dfrac{\theta}{2}$를 나타내는 동경이 존재할 수 있는 사분면은? [3점]

① 제1사분면　　　　② 제2사분면

③ 제3사분면　　　　④ 제1사분면 또는 제3사분면

⑤ 제2사분면 또는 제4사분면

02

θ가 제2사분면의 각일 때, $\dfrac{\theta}{2}$를 나타내는 동경이 존재할 수 있는 사분면은? [3점]

① 제1사분면　　　　② 제2사분면

③ 제4사분면　　　　④ 제1사분면 또는 제3사분면

⑤ 제3사분면 또는 제4사분면

03

다음 중 옳지 <u>않은</u> 것은? [2점]

① $30° = \dfrac{\pi}{6}$　　② $-135° = -\dfrac{3}{4}\pi$　③ $150° = \dfrac{5}{6}\pi$

④ $\dfrac{5}{3}\pi = 330°$　　⑤ $\dfrac{3}{2}\pi = 270°$

04

다음 중 옳지 <u>않은</u> 것은? [2점]

① $75° = \dfrac{5}{12}\pi$　　② $135° = \dfrac{3}{5}\pi$　　③ $300° = \dfrac{5}{3}\pi$

④ $\dfrac{1}{12}\pi = 15°$　　⑤ $\dfrac{10}{3}\pi = 600°$

기출유형 02 · 두 동경의 위치 관계

각 θ, 6θ를 나타내는 두 동경이 서로 일치할 때, 이를 만족하는 각 θ의 값을 모두 더하면? (단, $0<\theta<\pi$) [3점]

① $\dfrac{4}{5}\pi$ ② π ③ $\dfrac{6}{5}\pi$ ④ $\dfrac{7}{5}\pi$ ⑤ $\dfrac{8}{5}\pi$

Act ①
θ와 6θ를 나타내는 동경이 일치하므로 $6\theta-\theta=2n\pi$ (n은 정수)임을 이용한다.

해결의 실마리

두 동경이 나타내는 각의 크기가 각각 α, β일 때

두 동경의 위치	일치	일직선상에 있고 방향이 반대	x축에 대하여 대칭	y축에 대하여 대칭
두 동경의 위치에 따른 그래프				
α, β의 관계식	$\beta-\alpha=2n\pi$	$\beta-\alpha=2n\pi+\pi$	$\beta+\alpha=2n\pi$	$\beta+\alpha=2n\pi+\pi$

05

각 θ를 나타내는 동경과 각 9θ를 나타내는 동경이 서로 일치할 때, 이를 만족하는 각 θ의 값은? $\left(\text{단, } \pi<\theta<\dfrac{3}{2}\pi\right)$ [3점]

① $\dfrac{5}{4}\pi$ ② $\dfrac{6}{5}\pi$ ③ $\dfrac{7}{6}\pi$

④ $\dfrac{8}{7}\pi$ ⑤ $\dfrac{9}{8}\pi$

06

각 θ를 나타내는 동경과 각 7θ를 나타내는 동경이 일직선 위에 있고 방향이 서로 반대일 때, 이를 만족하는 각 θ의 값은? $\left(\text{단, } \dfrac{\pi}{2}<\theta<\pi\right)$ [3점]

① $\dfrac{2}{3}\pi$ ② $\dfrac{3}{4}\pi$ ③ $\dfrac{4}{5}\pi$

④ $\dfrac{5}{6}\pi$ ⑤ $\dfrac{6}{7}\pi$

07

각 θ를 나타내는 동경과 각 5θ를 나타내는 동경이 x축에 대하여 서로 대칭일 때, 이를 만족하는 각 θ의 값은? $\left(\text{단, } \dfrac{\pi}{2}<\theta<\pi\right)$ [3점]

① $\dfrac{2}{3}\pi$ ② $\dfrac{3}{4}\pi$ ③ $\dfrac{4}{5}\pi$

④ $\dfrac{5}{6}\pi$ ⑤ $\dfrac{6}{7}\pi$

08

각 θ를 나타내는 동경과 각 4θ를 나타내는 동경이 y축에 대하여 서로 대칭일 때, 이를 만족하는 각 θ의 값은? $\left(\text{단, } 0<\theta<\dfrac{\pi}{2}\right)$ [3점]

① $\dfrac{\pi}{3}$ ② $\dfrac{\pi}{4}$ ③ $\dfrac{\pi}{5}$

④ $\dfrac{\pi}{6}$ ⑤ $\dfrac{\pi}{8}$

반지름의 길이가 4이고, 넓이가 24인 부채꼴의 호의 길이를 a, 중심각의 크기를 b(라디안)라 할 때, $a+b$의 값은? [3점]

① 9   ② 12   ③ 15   ④ 18   ⑤ 21

Act ❶
부채꼴의 넓이 공식과 호의 길이 공식에 주어진 값을 대입한다.

해결의 실마리

반지름의 길이가 r, 중심각의 크기가 θ인 부채꼴의 호의 길이를 l, 넓이를 S라 하면

① $l = r\theta$ ② $S = \dfrac{1}{2}rl = \dfrac{1}{2}r^2\theta$

09

[2015학년도 교육청]

중심각의 크기가 2(라디안)이고 넓이가 36인 부채꼴의 호의 길이는? [3점]

① 6   ② 8   ③ 10
④ 12   ⑤ 14

10

그림에서 색칠한 부분의 넓이는? [3점]

① 15   ② 18
③ 21   ④ 24
⑤ 27

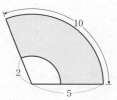

11

반지름의 길이가 4이고 둘레의 길이가 32인 부채꼴의 넓이를 구하시오. [3점]

12

둘레의 길이가 20인 부채꼴의 넓이 S가 최대일 때, 중심각의 크기 θ는? [3점]

① 1   ② 2   ③ 3
④ 4   ⑤ 5

기출유형 04 삼각함수의 정의와 값의 부호

원점 O와 점 P$(-6 , -8)$을 잇는 선분 OP를 동경으로 하는 각을 θ라 할 때, $\cos\theta + \sin\theta$의 값은? [3점]

① $-\dfrac{7}{5}$ ② $-\dfrac{5}{7}$ ③ $-\dfrac{3}{4}$ ④ $\dfrac{5}{7}$ ⑤ $\dfrac{7}{5}$

Act ①
$r=\overline{\mathrm{OP}}$의 값을 구한 다음
$\sin\theta = \dfrac{y}{r}$, $\cos\theta = \dfrac{x}{r}$
임을 이용한다.

해결의 실마리

(1) 각 θ를 나타내는 동경과 원점 O를 중심으로 하고 반지름의 길이가 r인 원의 교점의 좌표를 (x , y)라 하면

$\Rightarrow \sin\theta = \dfrac{y}{r}$, $\cos\theta = \dfrac{x}{r}$, $\tan\theta = \dfrac{y}{x}$ $(x \neq 0)$

(2) 각 사분면에서 양의 값을 갖는 삼각함수 $\Rightarrow$

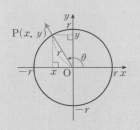

13

원점 O와 점 P$(3 , -4)$를 이은 선분을 동경으로 하는 각을 θ라 할 때, $\cos\theta - \sin\theta$의 값은? [3점]

① $-\dfrac{7}{5}$ ② $-\dfrac{4}{5}$ ③ $-\dfrac{3}{4}$

④ $\dfrac{4}{5}$ ⑤ $\dfrac{7}{5}$

15

θ가 제3사분면의 각일 때,
$\sqrt{\sin^2\theta} + \sqrt{\tan^2\theta} - |\cos\theta + \sin\theta| - |\tan\theta - \cos\theta|$를 간단히 한 것은? [3점]

① $\cos\theta$ ② $\sin\theta$ ③ $2\cos\theta$
④ $\tan\theta$ ⑤ $2\tan\theta$

14

[2002학년도 수능]

$\left(2 + 2\sin\dfrac{\pi}{3}\right)\left(2 - \tan\dfrac{\pi}{3}\right)$의 값은? [3점]

① 1 ② $\dfrac{1}{2}$ ③ $\dfrac{1}{3}$

④ $\dfrac{1}{4}$ ⑤ $\dfrac{1}{5}$

16

[1998학년도 수능]

이차방정식 $x^2 - 2\sqrt{3}x + 2 = 0$의 두 근을 α, $\beta(\alpha > \beta)$라 할 때, $\tan\theta = \dfrac{\alpha - \beta}{\alpha + \beta}$를 만족하는 θ는?

$\left(\text{단, } -\dfrac{\pi}{2} < \theta < \dfrac{\pi}{2}\right)$ [2점]

① $\dfrac{\pi}{6}$ ② $\dfrac{\pi}{4}$ ③ $\dfrac{\pi}{3}$

④ $-\dfrac{\pi}{4}$ ⑤ $-\dfrac{\pi}{3}$

[보기]에서 옳은 것만을 있는 대로 고른 것은?

Act ❶

$\tan \theta = \dfrac{\sin \theta}{\cos \theta}$,

$\sin^2 \theta + \cos^2 \theta = 1$을 이용하여 [보기]의 참, 거짓을 판단한다.

┌─ 보기 ├───

ㄱ. $\dfrac{1}{\tan \theta} + \dfrac{1-\cos \theta}{\sin \theta} = \dfrac{1}{\sin \theta}$ ㄴ. $\tan \theta + \dfrac{1}{\tan \theta} = \dfrac{1}{\cos\theta\sin\theta}$

ㄷ. $\dfrac{\tan \theta \sin \theta}{\tan \theta - \sin \theta} - \dfrac{1}{\sin \theta} = \dfrac{\cos \theta}{\sin \theta}$

① ㄱ　　　② ㄱ, ㄴ　　　③ ㄱ, ㄷ　　　④ ㄴ, ㄷ　　　⑤ ㄱ, ㄴ, ㄷ

해결의 실마리

$\sin \theta$, $\cos \theta$, $\tan \theta$의 값 중 어느 하나를 알고 나머지 삼각함수의 값을 구할 때는 삼각함수 사이의 관계식을 이용한다.

① $\tan \theta = \dfrac{\sin \theta}{\cos \theta}$　　　② $\sin^2 \theta + \cos^2 \theta = 1$

17

$\dfrac{\cos \theta + \sin \theta}{\cos \theta - \sin \theta} = \sqrt{3}$일 때, $\tan \theta$의 값은? [3점]

① $\dfrac{1-\sqrt{3}}{\sqrt{3}}$　　② $\dfrac{\sqrt{3}-1}{\sqrt{3}+1}$　　③ 1

④ $\dfrac{\sqrt{3}+1}{\sqrt{3}-1}$　　⑤ $\dfrac{\sqrt{3}+1}{1-\sqrt{3}}$

18

[2005학년도 수능]

$\cos \theta = -\dfrac{1}{3}$일 때, $\sin \theta \cdot \tan \theta$의 값은? [2점]

① $-\dfrac{10}{3}$　　② $-\dfrac{8}{3}$　　③ $-\dfrac{5}{3}$

④ $\dfrac{5}{3}$　　⑤ $\dfrac{8}{3}$

19

[2000학년도 수능]

$\sin x + \cos x = \sqrt{2}$일 때, $\sin x \cos x$의 값은? [2점]

① 1　　② $\sqrt{2}$　　③ $-\sqrt{2}$

④ $\dfrac{1}{2}$　　⑤ $-\dfrac{1}{2}$

20

[2012학년도 교육청]

$\sin \theta + \cos \theta = \sin \theta \cos \theta$일 때, $\sin \theta \cos \theta$의 값은 $a + b\sqrt{2}$이다. $10a - b$의 값을 구하시오. (단, a, b는 유리수이다.) [3점]

Very Important Test

01

각을 나타내는 동경의 위치가 제2사분면에 있는 것을 [보기]에서 있는 대로 고른 것은? [3점]

보기

ㄱ. $-60°$ ㄴ. $210°$ ㄷ. $660°$
ㄹ. $-250°$ ㅁ. $-930°$ ㅂ. $-1140°$

① ㄱ, ㄷ   ② ㄷ, ㄹ   ③ ㄹ, ㅁ
④ ㄱ, ㄷ, ㄹ   ⑤ ㄴ, ㄹ, ㅁ

02

θ의 동경과 5θ의 동경이 x축에 대하여 대칭일 때, θ의 값을 모두 더하면? (단, $0<\theta<\pi$) [3점]

① 0 ② $\dfrac{\pi}{2}$ ③ π

④ $\dfrac{3}{2}\pi$ ⑤ 2π

03

중심각의 크기가 $30°$이고, 호의 길이가 $\dfrac{\pi}{2}$인 부채꼴의 넓이는? [3점]

① $\dfrac{\pi}{4}$ ② $\dfrac{3}{4}\pi$ ③ π

④ $\dfrac{3}{2}\pi$ ⑤ 2π

04

반지름의 길이가 4이고, 둘레의 길이가 $\pi+8$인 부채꼴의 중심각의 크기는? [3점]

① $\dfrac{\pi}{4}$ ② $\dfrac{\pi}{3}$ ③ $\dfrac{\pi}{2}$

④ $\dfrac{4}{3}\pi$ ⑤ $\dfrac{7}{4}\pi$

05

둘레의 길이가 8인 부채꼴의 최대 넓이를 S라 하고, 이때의 반지름의 길이를 r라 할 때, $S+2r$의 값을 구하시오.
[3점]

06

둘레의 길이가 16인 부채꼴의 넓이가 최대일 때의 반지름의 길이를 m, 최대 넓이를 n이라 할 때, $m+n$의 값은?
[3점]

① 16   ② 17   ③ 18
④ 19   ⑤ 20

07

그림과 같이 동경 OP가 나타내는 각이 $\frac{2}{3}\pi$, $\overline{OP}=2$일 때, 점 $P(x, y)$에 대하여 $x-y$ 의 값은? [3점]

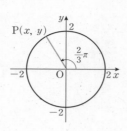

① $-\sqrt{3}-1$ ② $-\sqrt{3}+1$

③ 0 ④ $\sqrt{3}-1$

⑤ $\sqrt{3}+1$

08

$\frac{3}{2}\pi<\theta<2\pi$일 때, $\sqrt{\sin^2\theta}+\sqrt{(\sin\theta-\cos\theta)^2}+\sqrt{\cos^2\theta}$를 간단히 하면? [3점]

① $-2(\sin\theta-\cos\theta)$ ② $-2\cos\theta$

③ $2\cos\theta$ ④ $2\sin\theta$

⑤ 0

09

그림에서 $\cos\theta=x$라 할 때, $\dfrac{\overline{CD}}{\overline{AB}}$를 x의 식으로 나타내면? [3점]

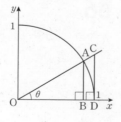

① x ② $-x$

③ $\dfrac{1}{x}$ ④ $\dfrac{2}{x}$

⑤ $\dfrac{3}{x}$

10

점 $P(3, 4)$를 x축에 대하여 대칭이동한 점을 P_1, y축에 대하여 대칭이동한 점을 P_2, 직선 $y=x$에 대하여 대칭이동한 점을 P_3이라 할 때, 동경 OP_1, OP_2, OP_3이 나타내는 각의 크기를 각각 α, β, γ라 하자. 이때 $\sin\alpha\cos\beta\tan\gamma$의 값은? [3점]

① $\dfrac{9}{16}$ ② $\dfrac{15}{16}$ ③ $\dfrac{9}{25}$

④ $\dfrac{16}{25}$ ⑤ $\dfrac{24}{25}$

11

$\pi<\theta<\frac{3}{2}\pi$일 때, $|\sin\theta|+\sqrt{(\sin\theta-\tan\theta)^2}$을 간단히 하면? [3점]

① $-2\sin\theta\tan\theta$ ② $-2\sin\theta+\tan\theta$

③ 1 ④ $2\sin\theta+\tan\theta$

⑤ $2\sin\theta\tan\theta$

12

[보기]에서 옳은 것만을 있는 대로 고른 것은? [3점]

┤보기├

ㄱ. $\dfrac{1-\cos\theta}{\sin\theta}=\dfrac{\sin\theta}{1+\cos\theta}$

ㄴ. $\dfrac{\cos\theta}{1+\sin\theta}+\tan\theta=\dfrac{1}{\cos\theta}$

ㄷ. $\cos^4\theta-\sin^4\theta=1-2\sin^2\theta$

① ㄱ   ② ㄱ, ㄴ   ③ ㄱ, ㄷ

④ ㄴ, ㄷ   ⑤ ㄱ, ㄴ, ㄷ

13

$\sin\theta+\cos\theta=\dfrac{1}{3}$일 때, $\sin\theta\cos\theta$의 값은? [3점]

① $-\dfrac{8}{9}$ ② $\dfrac{8}{9}$ ③ $-\dfrac{4}{9}$

④ $\dfrac{4}{9}$ ⑤ 0

14

$\sin\theta+\cos\theta=\dfrac{1}{2}$일 때, $\sin\theta-\cos\theta$의 값은? [3점]

① $\pm\dfrac{\sqrt{2}}{2}$ ② $\pm\dfrac{\sqrt{3}}{2}$ ③ $\pm\dfrac{\sqrt{5}}{2}$

④ $\pm\dfrac{\sqrt{7}}{2}$ ⑤ $\pm\dfrac{\sqrt{11}}{2}$

15

$\sin\theta\cos\theta=\dfrac{4}{9}$일 때, $\sin\theta-\cos\theta$의 값은?

(단, $\sin\theta>\cos\theta$) [3점]

① $\dfrac{1}{9}$ ② $\dfrac{2}{9}$ ③ $\dfrac{1}{3}$

④ $\dfrac{4}{9}$ ⑤ $\dfrac{5}{9}$

16

$\sin\theta-\cos\theta=\dfrac{1}{3}$일 때, $\sin^3\theta-\cos^3\theta$의 값은 $\dfrac{q}{p}$이다. $p+q$의 값을 구하시오. (단, p, q는 서로소인 자연수이다.) [3점]

17

이차방정식 $4x^2-kx+1=0$의 두 근이 $\sin\theta$, $\cos\theta$일 때, k^2의 값을 구하시오. [3점]

18

$0<\theta<\dfrac{\pi}{2}$일 때, $\log(\sin\theta)-\log(\cos\theta)=\dfrac{1}{2}\log 3$을 만족시키는 θ의 값은? (단, $\log$는 상용로그) [3점]

① $\dfrac{1}{6}\pi$ ② $\dfrac{1}{5}\pi$ ③ $\dfrac{1}{4}\pi$

④ $\dfrac{1}{3}\pi$ ⑤ $\dfrac{1}{2}\pi$

II. 삼각함수

06 삼각함수의 그래프

Young people should strive towards their ideals.

출제경향 사인함수, 코사인함수, 탄젠트함수의 그래프의 성질을 이해하고 삼각함수가 포함된 방정식과 부등식을 풀 수 있어야 한다.

핵심개념 1 주기함수

함수 $f(x)$에서 정의역에 속하는 모든 x에 대하여

$$f(x+p)=f(x)$$

를 만족하는 0이 아닌 상수 p가 존재할 때, 함수 f를 **주기함수**라 하고 p의 값 중에서 최소인 양수를 함수 f의 **주기**라 한다.

$$\begin{aligned} \sin(x+2\pi)&=\sin x \\ \sin(x+4\pi)&=\sin x \\ \sin(x+6\pi)&=\sin x \\ &\vdots \end{aligned}$$

에서 $\sin(x+p)=\sin x$를 만족하는 최소인 양수 p는 2π이다.

---

01 $f(x)=f(x+3)$일 때, $f(10)$과 같은 것은? [2점]

① $f(0)$ ② $f(2)$ ③ $f(4)$ ④ $f(6)$ ⑤ $f(8)$

핵심개념 2 삼각함수의 그래프와 성질

(1) $y=\sin x$

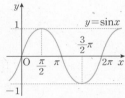

① 정의역은 실수 전체의 집합이고, 치역은 $\{y\,|-1\leq y\leq 1\}$이다.

② 그래프는 원점에 대하여 대칭이다.
 ⇨ $\sin(-x)=-\sin x$

③ 주기가 2π인 주기함수이다.
 ⇨ $\sin(x+2n\pi)=\sin x$ (n은 정수)

(2) $y=\cos x$

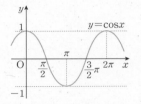

① 정의역은 실수 전체의 집합이고, 치역은 $\{y\,|-1\leq y\leq 1\}$이다.

② 그래프는 y축에 대하여 대칭이다.
 ⇨ $\cos(-x)=\cos x$

③ 주기가 2π인 주기함수이다.
 ⇨ $\cos(x+2n\pi)=\cos x$ (n은 정수)

(3) $y=\tan x$

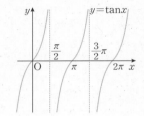

① 정의역은 $n\pi+\dfrac{\pi}{2}$ (n은 정수)를 제외한 실수 전체의 집합이고, 치역은 실수 전체의 집합이다.

② 그래프는 원점에 대하여 대칭이다.
 ⇨ $\tan(-x)=-\tan x$

③ 주기가 π인 주기함수이다.
 ⇨ $\tan(x+n\pi)=\tan x$ (n은 정수)

④ 그래프의 점근선은 직선
 $$x=n\pi+\dfrac{\pi}{2}\ (n\text{은 정수})$$

---

02 함수 $y=\dfrac{1}{2}\cos x$에 대한 설명으로 옳은 것을 모두 고르면? [2점]

① 최댓값은 1, 최솟값은 -1이다.
② 그래프는 y축에 대하여 대칭이다.
③ 치역은 실수 전체의 집합이다.
④ 주기는 π이다.
⑤ 모든 실수 x에 대하여 $f(x+2\pi)=f(x)$이다.

핵심개념 3 　삼각함수의 성질

(1) $2n\pi + x$의 삼각함수 (단, n은 정수)

$\sin(2n\pi + x) = \sin x$, $\cos(2n\pi + x) = \cos x$, $\tan(2n\pi + x) = \tan x$

(2) $-x$의 삼각함수

$\sin(-x) = -\sin x$, $\cos(-x) = \cos x$, $\tan(-x) = -\tan x$

(3) $\pi \pm x$의 삼각함수

$\sin(\pi \pm x) = \mp \sin x$, $\cos(\pi \pm x) = -\cos x$, $\tan(\pi \pm x) = \pm \tan x$ (복부호 동순)

(4) $\dfrac{\pi}{2} \pm x$의 삼각함수

$\sin\left(\dfrac{\pi}{2} \pm x\right) = \cos x$, $\cos\left(\dfrac{\pi}{2} \pm x\right) = \mp \sin x$, $\tan\left(\dfrac{\pi}{2} \pm x\right) = \mp \dfrac{1}{\tan x}$ (복부호 동순)

> (3), (4)를 한 가지로 하여 $\dfrac{n}{2}\pi \pm x$
> 로 기억하고,
> n이 짝수이면 함수는 그대로
> n이 홀수이면 $\begin{cases} \sin \to \cos \\ \cos \to \sin \\ \tan \to \dfrac{1}{\tan} \end{cases}$
> 부호는 원래 주어진 삼각함수를 따른다.

> 위의 공식은 항상 성립하므로 x가 다른 사분면의 각이더라도 이 공식을 기억할 때에는 x를 제1사분면의 각으로 취급하여 기억하면 쉽다.

03 $\sin\dfrac{\pi}{6} + \tan\dfrac{9\pi}{4}$의 값은? [2점] 　　　　　　　　　　　　　　　[2003학년도 수능]

① -2　　　　　② $-\dfrac{1}{2}$　　　　　③ 0　　　　　④ 1　　　　　⑤ $\dfrac{3}{2}$

핵심개념 4 　삼각함수가 포함된 방정식과 부등식의 풀이

(1) 삼각함수가 포함된 방정식의 풀이

① 주어진 방정식을 $\sin x = k$(또는 $\cos x = k$, $\tan x = k$)의 꼴로 변형한다.

② 함수 $y = \sin x$(또는 $\cos x = k$, $\tan x = k$)의 그래프와 $y = k$의 교점의 x좌표를 구한다.

(2) 삼각함수가 포함된 부등식의 풀이

① 부등호를 등호로 바꾸어 삼각함수가 포함된 방정식을 푼다.

② 삼각함수의 그래프를 이용하여 주어진 부등식을 만족하는 x의 값 또는 범위를 구한다.

04 방정식 $\sin x + \dfrac{1}{2} = 0$의 실근의 개수를 구하시오. (단, $0 \le x < 2\pi$) [3점]

유형따라잡기

다음 함수 중 모든 실수 x에 대하여 $f(x+1)=f(x)$를 만족하는 것은? [3점]

Act ❶
$f(x+1)=f(x)$이므로 $f(x)$는 주기가 1인 함수이다.

① $f(x)=\sin \pi x$　② $f(x)=\cos 3x$　③ $f(x)=\tan \dfrac{\pi}{2}x$　④ $f(x)=\sin \dfrac{\pi}{2}x$　⑤ $f(x)=\tan \pi x$

해결의 실마리

삼각함수의 최대·최소와 주기

삼각함수	최댓값	최솟값	주기
$y=a\sin(bx+c)+d$	$\lvert a \rvert +d$	$-\lvert a \rvert +d$	$\dfrac{2\pi}{\lvert b \rvert}$
$y=a\cos(bx+c)+d$	$\lvert a \rvert +d$	$-\lvert a \rvert +d$	$\dfrac{2\pi}{\lvert b \rvert}$
$y=a\tan(bx+c)+d$	없다.	없다.	$\dfrac{\pi}{\lvert b \rvert}$

함수 $y=a\sin(bx+c)+d$, $y=a\cos(bx+c)+d$, $y=a\tan(bx+c)+d$의 그래프는 각각 함수 $y=a\sin bx$, $y=a\cos bx$, $y=a\tan bx$의 그래프를 x축의 방향으로 $-\dfrac{c}{b}$만큼, y축의 방향으로 d만큼 평행이동한 것과 같다.

01

[보기]에서 함수 $y=-\tan(2x-3\pi)$의 그래프에 대한 설명으로 옳은 것만을 있는 대로 고른 것은? [3점]

┤ 보기 ├

ㄱ. 주기가 $\dfrac{\pi}{2}$인 주기함수이다.

ㄴ. $y=-\tan 2x$의 그래프를 x축의 방향으로 $\dfrac{3}{2}\pi$만큼 평행이동한 것이다.

ㄷ. 점근선의 방정식은 $x=n\pi+\dfrac{\pi}{2}$ (n은 정수)이다.

① ㄱ　　　② ㄴ　　　③ ㄱ, ㄴ
④ ㄴ, ㄷ　　⑤ ㄱ, ㄴ, ㄷ

02

함수 $y=3\cos \dfrac{1}{2}x$의 최댓값을 a, 최솟값을 b, 주기를 c라 할 때, $\dfrac{abc}{\pi}$의 값은? [3점]

① -36　　② -30　　③ -24
④ -18　　⑤ -12

03

함수 $y=a\sin bx+c$의 최댓값이 3, 최솟값이 1이고 주기가 π일 때, $a+b+c$의 값은? (단, $a>0$, $b>0$) [3점]

① 1　　　　② 3　　　　③ 5
④ 7　　　　⑤ 9

04

함수 $y=2\sin\left(3x+\dfrac{\pi}{2}\right)+1$의 최댓값과 최솟값을 각각 M, m, 주기를 p라 할 때, $\dfrac{Mmp}{\pi}$의 값은? [3점]

① -2　　② -1　　③ 0
④ 1　　　⑤ 2

기출유형 02 삼각함수의 그래프와 계수의 결정

그림은 함수 $y = a \cos b(x-c)$의 그래프이다. 상수 a, b, c에 대하여 $a+b+c$의 값은? (단, $a>0$, $b>0$, $0 \le c < 2\pi$) [3점]

① $2 + \dfrac{13}{6}\pi$ ② $3 + \dfrac{\pi}{6}$ ③ $3 + \dfrac{11}{6}\pi$

④ $4 + \dfrac{\pi}{6}$ ⑤ $4 + \dfrac{13}{6}\pi$

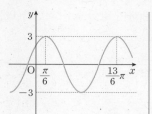

Act ①
삼각함수의 그래프가 주어지면 주기와 평행이동을 생각한다.

해결의 실마리
삼각함수의 그래프가 주어지면 ⇨ 주기와 평행이동을 생각한다.

05

[2014학년도 교육청]

$y = \cos a(x+b) + 1$의 그래프이다. 상수 a, b에 대하여 ab의 값은? (단, $a>0$, $0 < b < \pi$이고, O는 원점이다.) [3점]

$y = \cos a(x+b) + 1$

① $\dfrac{2}{3}\pi$ ② π ③ $\dfrac{4}{3}\pi$

④ $\dfrac{5}{3}\pi$ ⑤ 2π

06

함수 $y = a \sin(bx - c)$의 그 그래프가 그림과 같을 때, 상수 a, b, c의 곱 abc의 값은? (단, $a>0$, $b>0$, $0 < c < \pi$) [3점]

① π ② 2π
③ 3π ④ 4π ⑤ 5π

07

[2005학년도 수능]

다음 그래프는 어떤 사람이 정상적인 상태에 있을 때 시각에 따라 호흡기에 유입되는 공기의 흡입률(리터/초)을 나타낸 것이다. 숨을 들이쉬기 시작하여 t초일 때 호흡기에 유입되는 공기의 흡입률을 y라 하면, 함수 $y = a \sin bt$ (a, b는 양수)로 나타낼 수 있다. 이때 y의 값은 숨을 들이쉴 때는 양수, 내쉴 때는 음수가 된다.

이 함수의 주기가 5초이고, 최대 흡입률이 0.6(리터/초)일 때, 숨을 들이쉬기 시작한 시각으로부터 처음으로 흡입률이 -0.3(리터/초)이 되는 데 걸리는 시간은? [3점]

① $\dfrac{35}{12}$초   ② $\dfrac{37}{12}$초   ③ $\dfrac{30}{11}$초

④ $\dfrac{31}{11}$초   ⑤ $\dfrac{35}{31}$초

기출유형 03 일반각에 대한 삼각함수의 성질

[보기]에서 임의의 각 θ에 대하여 항상 옳은 것만을 있는 대로 고른 것은? [3점]

보기

ㄱ. $\sin(\pi+\theta)=\cos\left(\frac{\pi}{2}+\theta\right)$

ㄴ. $\cos(\pi+\theta)=\sin\left(\frac{\pi}{2}+\theta\right)$

ㄷ. $\tan(\pi+\theta)=\dfrac{1}{\tan\left(\frac{\pi}{2}+\theta\right)}$

ㄹ. $\sin(\pi-\theta)=\cos\left(\frac{\pi}{2}-\theta\right)$

① ㄱ　② ㄴ　③ ㄱ, ㄹ　④ ㄴ, ㄷ　⑤ ㄱ, ㄴ, ㄷ

Act ①
일반각에 대한 삼각함수의 성질을 이용하여 [보기]의 참, 거짓을 판단한다.

해결의 실마리

각이 $\frac{n\pi}{2}\pm\theta$ (n은 정수)인 삼각함수에서

(i) n이 짝수일 때, sin ⇨ sin, cos ⇨ cos, tan ⇨ tan　　n이 홀수일 때, sin ⇨ cos, cos ⇨ sin, tan ⇨ $\frac{1}{\tan}$

(ii) θ를 예각으로 생각하여 $\frac{n\pi}{2}\pm\theta$를 나타내는 동경이 존재하는 사분면에서의 원래 삼각함수의 값의 부호를 조사한다.

08

임의의 각 θ에 대하여

$\sin\left(\frac{\pi}{2}+\theta\right)+\cos(\pi+\theta)+\cos\left(\frac{3}{2}\pi-\theta\right)-\sin(-\theta)$를

간단히 하면? [3점]

① $\sin\theta$　② $\cos\theta$　③ 0
④ $-\cos\theta$　⑤ $-\sin\theta$

09

다음은 $\cos^2 1°+\cos^2 2°+\cos^2 3°+\cdots+\cos^2 89°$의 값을 구하는 과정이다. (가)에 알맞은 수를 p, (나)에 알맞은 수를 q라 할 때, $p+q$의 값은? [3점]

> $\cos(90°-\theta)=\sin\theta$이므로
> $\cos^2\theta+\cos^2(90°-\theta)=$ (가)
> $\cos^2 1°+\cos^2 2°+\cos^2 3°+\cdots+\cos^2 89°=$ (나)

① $\frac{87}{2}$　② 44　③ $\frac{89}{2}$
④ 45　⑤ $\frac{91}{2}$

10

직선 $x-3y+3=0$이 x축의 양의 방향과 이루는 각의 크기를 θ라 할 때, $\cos(\pi+\theta)+\sin\left(\frac{\pi}{2}-\theta\right)+\tan(-\theta)$의 값은? [3점]

① -3　② $-\frac{1}{3}$　③ 0
④ $\frac{1}{3}$　⑤ 3

11

그림과 같이 좌표평면 위에 있는 단위원을 8등분하여 각 분점을 차례로 P_1, P_2, $\cdots$, P_8이라 하자. $P_1(1, 0)$, $\angle P_1OP_2=\theta$라 할 때, $\sin\theta+\sin2\theta+\cdots+\sin8\theta$의 값은? [3점]

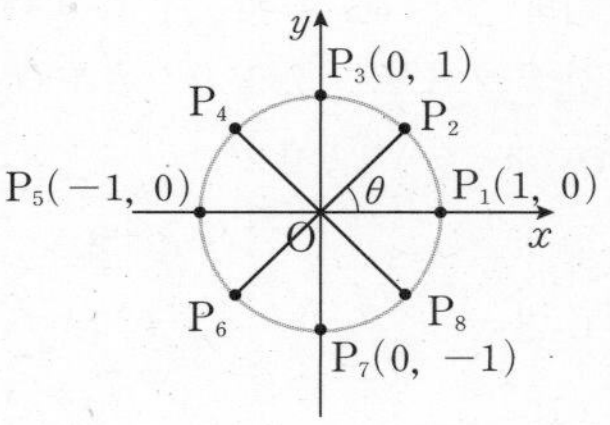

① -1　② 1　③ 0
④ -2　⑤ 2

기출유형 04 이차식 꼴의 삼각함수의 최대·최소

함수 $y=-4\cos^2 x+4\sin x+3$의 최댓값을 M, 최솟값을 m이라 할 때, $M+m$의 값은? [3점]

① 1   ② 2   ③ 3   ④ 4   ⑤ 5

Act ❶ 주어진 식을 한 종류의 삼각함수의 식으로 정리한다.

해결의 실마리

이차식 꼴의 삼각함수의 최대·최소 ——————

① 주어진 식을 한 종류의 삼각함수의 식으로 정리한다.

② 삼각함수를 t로 치환하고 t의 값의 범위를 구한다.

③ 이차함수의 그래프를 이용하여 t의 범위에서 최댓값과 최솟값을 구한다.

▶ ㉠ $y=a\sin^2 x+b\sin x+c$ (a, b, c는 상수) 꼴의 최대, 최소
⇨ $\sin x=t$로 치환하여 이차함수의 최대, 최소를 구한다.
이때 t의 값의 범위가 $-1\le t\le 1$임에 유의한다.

12

함수 $y=\cos^2 x+2\sin x$의 최댓값을 M, 최솟값을 m이라 할 때, $M+m$의 값을 구하시오. [3점]

14

함수 $y=\sin^2 x+4\cos x+a$의 최댓값이 5일 때, 상수 a의 값을 구하시오. [3점]

13

$y=2\cos^2\theta-\sin^2\theta-3\cos\theta$의 최댓값을 M, 최솟값을 m이라 할 때, $M+m$의 값은? [3점]

① 3   ② $\dfrac{13}{4}$ ③ $\dfrac{7}{2}$

④ $\dfrac{15}{4}$ ⑤ 4

15

$0\le\theta<\pi$에서 함수

$y=\cos^2\left(\theta+\dfrac{\pi}{2}\right)-3\cos^2\theta-4\sin(\theta+\pi)$의 최댓값, 최솟값을 각각 M, m이라 할 때, $M+m$의 값을 구하시오. [3점]

방정식 $\sqrt{2}\sin x - 1 = 0$의 해가 $x = \alpha$ 또는 $x = \beta$일 때, $\alpha + \beta$의 값은? (단, $0 \le x < 2\pi$) [3점]

① $\dfrac{1}{4}\pi$ ② $\dfrac{1}{2}\pi$ ③ $\dfrac{3}{4}\pi$ ④ π ⑤ $\dfrac{5}{4}\pi$

Act ❶
주어진 방정식을 $\sin x = k$ 꼴로 변형하여 $y = \sin x$의 그래프와 $y = k$의 교점의 x좌표를 구한다.

해결의 실마리

(1) 삼각함수를 포함한 방정식의 풀이

① 일차식 꼴

(ⅰ) 주어진 방정식을 $\sin x = k$(또는 $\cos x = k$, $\tan x = k$)의 꼴로 변형한다.

(ⅱ) 함수 $y = \sin x$(또는 $\cos x = k$, $\tan x = k$)의 그래프와 $y = k$의 교점의 x좌표를 구한다.

② 이차식 꼴 : $\sin^2 x + \cos^2 x = 1$임을 이용하여 한 종류의 삼각함수에 대한 방정식으로 고쳐서 해를 구한다.

(2) 삼각함수를 포함한 방정식의 실근의 개수

방정식 $f(x) = g(x)$의 서로 다른 실근의 개수는 ⇨ 두 함수 $y = f(x)$와 $y = g(x)$의 그래프의 서로 다른 교점의 개수와 같다.

16

$0 \le x \le 2\pi$일 때, 방정식 $\sin x = \cos 2x$의 실근의 개수는? [3점]

① 1   ② 2   ③ 3
④ 4   ⑤ 5

18

방정식 $2\cos^2 \theta - 3\sin \theta = 0$의 모든 근들의 곱은?
(단, $0 \le \theta \le 2\pi$) [3점]

① 0   ② π^2 ③ $\dfrac{\pi^2}{4}$

④ $\dfrac{5}{36}\pi^2$ ⑤ $-\dfrac{\pi^2}{4}$

17

방정식 $\cos x = \dfrac{1}{8}x$의 실근의 개수를 구하시오. [3점]

19

방정식 $2\cos^2 x + \sin x = 1$의 세 실근을 α, β, γ ($\alpha < \beta < \gamma$)라 할 때, $\gamma - \beta - \alpha$의 값은? (단, $0 \le x \le 2\pi$) [3점]

① $\dfrac{\pi}{6}$ ② $\dfrac{\pi}{3}$ ③ $\dfrac{\pi}{2}$

④ $\dfrac{2}{3}\pi$ ⑤ $\dfrac{5}{6}\pi$

기출유형 **06** 삼각함수를 포함한 부등식의 풀이

부등식 $\sin x > \cos x$를 만족하는 x의 값의 범위가 $\alpha < x < \beta$일 때, $\dfrac{2}{\pi}(\alpha+\beta)$의 값을 구하시오.

(단, $0 \le x < 2\pi$) [3점]

Act①
부등호를 등호로 바꾸어 방정식을 풀고, 그래프를 이용하여 주어진 부등식을 만족하는 미지수의 값의 범위를 구한다.

해결의 실마리

삼각함수를 포함한 부등식의 풀이
(i) 부등호를 등호로 바꾸어 방정식을 푼다.   (ii) 삼각함수의 그래프를 이용하여 주어진 부등식을 만족하는 미지수의 값의 범위를 구한다.

20

$-\dfrac{\pi}{2} \le x \le \dfrac{\pi}{2}$일 때, 부등식 $|\sin x| < \cos x$를 만족하는 x의 값의 범위는? [3점]

① $-\dfrac{\pi}{12} < x < \dfrac{\pi}{12}$ ② $-\dfrac{\pi}{8} < x < \dfrac{\pi}{8}$

③ $-\dfrac{\pi}{6} < x < \dfrac{\pi}{6}$ ④ $-\dfrac{\pi}{4} < x < \dfrac{\pi}{4}$

⑤ $-\dfrac{\pi}{3} < x < \dfrac{\pi}{3}$

21

$0 \le x \le 2\pi$에서 부등식 $2\sin^2 x + 5\cos x > 4$의 해가 $0 \le x < \alpha$ 또는 $\beta < x \le 2\pi$일 때, $\beta - \alpha$의 값은? [3점]

① $\dfrac{2}{3}\pi$ ② π ③ $\dfrac{4}{3}\pi$

④ $\dfrac{5}{3}\pi$ ⑤ 2π

22

$0 \le x < 2\pi$에서 부등식 $2\sin^2 x - 3\cos x \ge 0$의 해가 $\alpha \le x \le \beta$일 때, $\alpha + \beta$의 값은? [3점]

① $\dfrac{\pi}{3}$ ② $\dfrac{2}{3}\pi$ ③ $\dfrac{5}{6}\pi$

④ $\dfrac{4}{3}\pi$ ⑤ 2π

23

모든 실수 x에 대하여 항상 $3x^2 - 2x \tan\theta + 1 > 0$이 성립하도록 하는 θ의 값의 범위는? [3점]

① $-\dfrac{\pi}{12} < \theta < \dfrac{\pi}{12}$ ② $-\dfrac{\pi}{6} < \theta < \dfrac{\pi}{6}$

③ $-\dfrac{\pi}{4} < \theta < \dfrac{\pi}{4}$ ④ $-\dfrac{\pi}{3} < \theta < \dfrac{\pi}{3}$

⑤ $-\dfrac{\pi}{2} < \theta < \dfrac{\pi}{2}$

01

$2\cos\left(-\dfrac{5}{3}\pi\right)+\sqrt{3}\tan\left(-\dfrac{7}{3}\pi\right)$의 값은? [2점]

① -2 ② -1 ③ 0

④ 1 ⑤ 2

02

함수 $f(x)$의 주기가 4이고, $f(1)=1$, $f(3)=3$일 때, $f(13)+f(15)+f(19)$의 값을 구하시오. [3점]

03

[보기]에서 모든 실수 x에 대하여 $f(x)=f(x+2)$가 성립하는 것을 있는 대로 고른 것은? [3점]

| 보기 |

ㄱ. $f(x)=\sin x$ ㄴ. $f(x)=\cos 2x$

ㄷ. $f(x)=\sin \pi x$ ㄹ. $f(x)=\tan \dfrac{\pi}{2}x$

① ㄱ, ㄴ ② ㄴ, ㄷ ③ ㄷ, ㄹ

④ ㄱ, ㄴ, ㄷ ⑤ ㄴ, ㄷ, ㄹ

04

[보기]에서 두 함수의 그래프가 같은 것을 모두 고른 것은? [3점]

| 보기 |

ㄱ. $y=\sin x$, $y=\cos\left(x-\dfrac{\pi}{2}\right)$

ㄴ. $y=\sin|x|$, $y=|\sin x|$

ㄷ. $y=\cos x$, $y=\cos|x|$

① ㄱ ② ㄷ ③ ㄱ, ㄴ

④ ㄱ, ㄷ ⑤ ㄴ, ㄷ

05

함수 $y=a\sin(bx-c)$의 그래프가 오른쪽 그림과 같을 때, 상수 a, b, c의 곱 abc의 값은? (단, $a>0$, $b>0$, $0<c<\pi$) [3점]

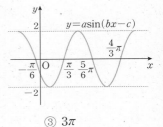

① $\dfrac{7}{3}\pi$ ② $\dfrac{8}{3}\pi$ ③ 3π

④ $\dfrac{10}{3}\pi$ ⑤ $\dfrac{11}{3}\pi$

06

다음 중 $y=\sin 2x$의 그래프를 x축의 방향으로 $\dfrac{\pi}{2}$만큼, y축의 방향으로 1만큼 평행이동한 후 x축에 대하여 대칭이동한 그래프가 나타내는 함수의 식은? [3점]

① $y=\sin 2x+1$ ② $y=\sin 2x-1$

③ $y=-\sin 2x+1$ ④ $y=\cos 2x+1$

⑤ $y=\cos 2x-1$

07

함수 $y=3\cos(x+\pi)-\sin\left(x-\dfrac{\pi}{2}\right)-3$의 최댓값을 M,

최솟값을 m이라 할 때, $M-m$의 값을 구하시오. [3점]

08

함수 $f(x)=a\cos\left(x+\dfrac{\pi}{3}\right)+k$의 최댓값은 2 이고

$f\left(\dfrac{\pi}{6}\right)=\dfrac{1}{2}$일 때, $f(x)$의 최솟값은? (단, $a>0$, k는 상

수이다.) [3점]

① -3 ② -2 ③ -1

④ 0 ⑤ 1

09

방정식 $\tan^2 x+(\sqrt{3}-1)\tan x-\sqrt{3}=0$의 모든 근의 합은

$\dfrac{q}{p}\pi$이다. 서로소인 두 자연수 p, q 에 대하여 $p+q$의 값

은? (단, $0<x<2\pi$) [3점]

① 26   ② 29   ③ 32

④ 35   ⑤ 38

10

방정식 $\sin \pi x=\dfrac{3}{10}x$의 실근의 개수는? [3점]

① 1   ② 3   ③ 5

④ 7   ⑤ 9

11

다음 그림은 $y=\sin x$의 그래프이다. $\cos(a+b+c+d+e+f)$의 값은? [3점]

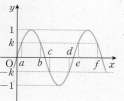

① -1 ② 0

③ 1 ④ k

⑤ $-k$

12

$0\le x<2\pi$에서 부등식 $\sin x\le-\dfrac{1}{3}$을 만족하는 x의 값의

범위가 $\alpha\le x\le\beta$일 때, $\cos\dfrac{\alpha+\beta}{4}$의 값은? [3점]

① $-\dfrac{\sqrt{3}}{2}$ ② $-\dfrac{\sqrt{2}}{2}$ ③ 0

④ $\dfrac{\sqrt{2}}{2}$ ⑤ $\dfrac{\sqrt{3}}{2}$

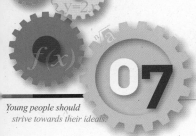

07 사인법칙과 코사인법칙

출제경향 교육과정의 변화로 2002년에서 2018년까지 출제된 적은 없었으나 2015 교육과정에서 다시 다루게 된 단원이다. 사인법칙과 코사인법칙을 이해하고, 이를 활용한 문제를 풀 수 있어야 한다.

핵심개념 1   사인법칙

(1) 사인법칙

삼각형 ABC의 외접원의 반지름의 길이를 R라 하면

$$\frac{a}{\sin A}=\frac{b}{\sin B}=\frac{c}{\sin C}=2R$$

(2) 사인법칙의 변형

① $a=2R\sin A$, $b=2R\sin B$, $c=2R\sin C$

② $\sin A=\dfrac{a}{2R}$, $\sin B=\dfrac{b}{2R}$, $\sin C=\dfrac{c}{2R}$

③ $a:b:c=\sin A:\sin B:\sin C$

- 사인법칙
  ⇨ 한 쌍의 대변과 대각이 주어지거나 두 각과 한 변의 길이가 주어지는 경우에 이용
- 사인법칙의 변형
  ⇨ 삼각형의 세 변과 세 각 사이의 비에 이용

01 △ABC에서 $A=60°$, $a=9$일 때, 원 O의 반지름의 길이는? [2점]

① $2\sqrt{3}$ ② $3\sqrt{3}$ ③ $4\sqrt{3}$

④ $5\sqrt{3}$ ⑤ $6\sqrt{3}$

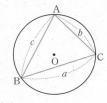

핵심개념 2   코사인법칙

(1) 코사인법칙

삼각형 ABC에서

$$a^2=b^2+c^2-2bc\cos A,\ b^2=c^2+a^2-2ca\cos B,\ c^2=a^2+b^2-2ab\cos C$$

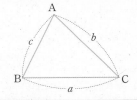

(2) 코사인법칙의 변형

$$\cos A=\frac{b^2+c^2-a^2}{2bc},\ \cos B=\frac{c^2+a^2-b^2}{2ca},\ \cos C=\frac{a^2+b^2-c^2}{2ab}$$

- 코사인법칙
  ⇨ 두 변의 길이와 끼인각의 크기가 주어진 경우에 이용
- 코사인법칙의 변형
  ⇨ 세 변의 길이가 주어진 경우에 이용

02 △ABC에서 $A=60°$, $b=3$, $c=4$일 때, a의 값은? [2점]

① $\sqrt{11}$ ② $2\sqrt{3}$ ③ $\sqrt{13}$ ④ $\sqrt{14}$ ⑤ $\sqrt{15}$

03 △ABC에서 $a=3$, $b=3$, $c=\sqrt{3}$일 때, $\cos C$의 값은? [2점]

① $\dfrac{1}{6}$ ② $\dfrac{1}{4}$ ③ $\dfrac{1}{3}$ ④ $\dfrac{1}{2}$ ⑤ $\dfrac{5}{6}$

핵심개념 **3**　삼각형의 넓이

삼각형 ABC의 넓이를 S라 하면

(1) 두 변의 길이와 그 끼인각의 크기를 알 때

$$S=\frac{1}{2}ab\sin C=\frac{1}{2}bc\sin A=\frac{1}{2}ca\sin B$$

(2) 세 변의 길이 a, b, c를 알 때

$$S=\sqrt{s(s-a)(s-b)(s-c)}\ \left(\text{단, } s=\frac{a+b+c}{2}\right)\leftarrow\text{헤론의 공식}$$

(3) 내접원의 반지름의 길이 r를 알 때

$$S=\frac{1}{2}r(a+b+c)$$

(4) 외접원의 반지름의 길이 R를 알 때

$$S=\frac{abc}{4R}=2R^2\sin A\sin B\sin C$$

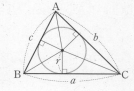

04 $b=6$, $c=4$, $A=120°$인 △ABC의 넓이는? [2점]

① $2\sqrt{3}$　　② $3\sqrt{3}$　　③ $4\sqrt{3}$　　④ $5\sqrt{3}$　　⑤ $6\sqrt{3}$

05 △ABC의 세 변의 길이의 합이 20이고 넓이가 70일 때, △ABC의 내접원의 반지름의 길이를 구하시오. [3점]

핵심개념 **4**　사각형의 넓이

(1) 평행사변형의 넓이

이웃하는 두 변의 길이가 a, b이고 그 끼인각의 크기가 θ인 평행사변형의 넓이 S는

$$S=ab\sin\theta$$

(2) 사각형의 넓이

두 대각선의 길이가 a, b이고 그 끼인각의 크기가 θ인 사각형의 넓이 S는

$$S=\frac{1}{2}ab\sin\theta$$

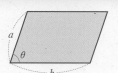

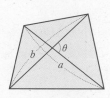

06 $\overline{AB}=4$, $\overline{BC}=5$이고, $\angle ABC=150°$인 평행사변형 ABCD의 넓이를 구하시오. [3점]

07 오른쪽 그림과 같이 두 대각선의 길이가 14, 10이고 그 끼인각의 크기가 120°인 사각형 ABCD의 넓이는? [2점]

① $32\sqrt{3}$　　② $33\sqrt{3}$　　③ $34\sqrt{3}$

④ $35\sqrt{3}$　　⑤ $36\sqrt{3}$

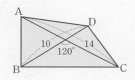

오른쪽 그림의 △ABC에서 $\overline{AC}$=4cm, A=75°, B=45°일 때, $\overline{AB}$의 길이는? [3점]

① $2\sqrt{6}$ cm   ② 6 cm   ③ 3 cm

④ 5 cm   ⑤ $6\sqrt{2}$ cm

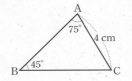

Act ❶

삼각형의 내각의 합에서 C의 크기를 구한 다음 $\dfrac{b}{\sin B}=\dfrac{c}{\sin C}$ 를 이용한다.

해결의 실마리

삼각형 ABC에서

$$\frac{a}{\sin A}=\frac{b}{\sin A}=\frac{c}{\sin C}$$

> 한 쌍의 대변과 대각이 주어지거나 두 각과 한 변의 길이가 주어지면 사인법칙을 이용한다.
> 이때 두 각이 주어지면 삼각형의 내각의 합이 180°이므로 나머지 한 각의 크기가 정해진다.

01

오른쪽 그림의 △ABC에서 $\overline{AC}$=2, $\overline{BC}$=$2\sqrt{2}$, A=135°일 때, B의 크기는? [3점]

① 30°   ② 45°   ③ 60°

④ 75°   ⑤ 120°

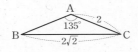

03

오른쪽 그림의 △ABC에서 $\overline{AB}$=8, A=60°, B=75°일 때, a의 값은? [3점]

① $2\sqrt{6}$ ② $4\sqrt{2}$

③ $3\sqrt{6}$ ④ $5\sqrt{2}$

⑤ $4\sqrt{6}$

02

오른쪽 그림의 △ABC에서 $\overline{BC}$=18, B=75°, C=45°일 때, c의 값은? [3점]

① $3\sqrt{6}$ ② $8\sqrt{2}$

③ $5\sqrt{6}$ ④ $10\sqrt{2}$

⑤ $6\sqrt{6}$

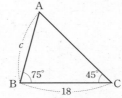

04

△ABC에서 a=10, b=8, A=60°일 때, $\cos^2 B$의 값은? [3점]

① $\dfrac{12}{25}$ ② $\dfrac{13}{25}$ ③ $\dfrac{14}{25}$

④ $\dfrac{3}{5}$ ⑤ $\dfrac{16}{25}$

기출유형 02 사인법칙 — 외접원과의 관계

오른쪽 그림과 같이 $\overline{AB}=4$인 직각이등변삼각형 ABC에서 변 BC의 중점을 D라 할 때, 삼각형 ADC의 외접원의 반지름의 길이는? [3점]

① $2\sqrt{2}$　　② $\sqrt{10}$　　③ $2\sqrt{3}$

④ $\sqrt{14}$　　⑤ 4

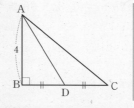

Act ❶
△ADC에서 $\overline{AD}$의 길이와 $C=45°$를 $\dfrac{\overline{AD}}{\sin C}=2R$에 대입한다.

해결의 실마리

삼각형 ABC의 외접원의 반지름의 길이를 R라 하면

① $\dfrac{a}{\sin A}=\dfrac{b}{\sin B}=\dfrac{c}{\sin C}=2R$

② $a=2R\sin A,\ b=2R\sin B,\ c=2R\sin C$

③ $\sin A=\dfrac{a}{2R},\ \sin B=\dfrac{b}{2R},\ \sin C=\dfrac{c}{2R}$

05

그림과 같이 $a=4$, $A=30°$인 △ABC의 외접원의 반지름의 길이 R를 구하시오. [3점]

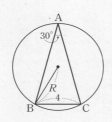

07

△ABC에서 $\cos A=\dfrac{3}{5}$이고, 외접원의 반지름의 길이가 $\dfrac{15}{2}$일 때, $\overline{BC}$의 길이를 구하시오. [3점]

06

그림과 같이 $\angle ACB=45°$, $\overline{AB}=\sqrt{10}$, $\overline{AC}=\sqrt{2}$인 △ABC의 외접원의 반지름의 길이는? [3점]

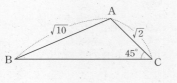

① $\sqrt{5}$　　② $\dfrac{\sqrt{10}}{2}$　　③ $\dfrac{2\sqrt{5}}{3}$

④ $2\sqrt{2}$　　⑤ $\dfrac{\sqrt{5}}{2}$

08

그림과 같이 점 A에서 한 원에 두 접선을 그었을 때, 그 접점을 S, T라 하고, 두 접선과 원 사이에 다른 한 접선이 두 접선과 만나는 점을 B, C라 하자.

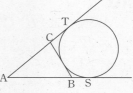

이때 $\overline{AS}=10$이고 △ABC의 외접원의 반지름의 길이가 6이면 △ABC에서 $\sin A+\sin B+\sin C$의 값은? [3점]

① $\dfrac{3}{2}$　　② $\dfrac{5}{2}$　　③ $\dfrac{5}{3}$

④ $\dfrac{5}{4}$　　⑤ $\dfrac{6}{5}$

기출유형 03 사인법칙의 변형 — 세 변과 세 각 사이의 비

△ABC에서 a, b, c가 $a-2b+c=0$, $3a+b-2c=0$일 때, $\sin A : \sin B : \sin C$는? [3점]

① 2 : 3 : 4 ② 3 : 4 : 5 ③ 3 : 5 : 7 ④ 3 : 4 : 8 ⑤ 4 : 7 : 8

Act ①
주어진 관계식을 이용하여 a, b를 c로 나타내고
$\sin A : \sin B : \sin C = a : b : c$
임을 이용한다.

해결의 실마리

삼각형 ABC에서 세 변과 세 각 사이의 비

$a : b : c = 2R\sin A : 2R\sin B : 2R\sin C$

$= \sin A : \sin B : \sin C$

09

△ABC에서 $a+b-2c=0$, $a-3b+c=0$일 때,
$\sin A : \sin B : \sin C$는? [3점]

① 2 : 4 : 3 ② 4 : 2 : 3 ③ 5 : 3 : 4
④ 6 : 3 : 7 ⑤ 7 : 3 : 6

10

△ABC에서 $A : B : C = 1 : 2 : 3$일 때, $a : b : c$는? [3점]

① $1 : \sqrt{2} : 3$ ② $1 : \sqrt{3} : 2$ ③ $2 : \sqrt{2} : 3$
④ $2 : \sqrt{3} : 1$ ⑤ $\sqrt{2} : \sqrt{3} : 1$

11

둘레의 길이가 32인 △ABC가
$\sin A : \sin B : \sin C = 4 : 5 : 7$을 만족시킬 때, 세 변의 길이 중 가장 짧은 변의 길이를 구하시오. [3점]

12

△ABC에서 $\dfrac{a+b}{5} = \dfrac{b+c}{6} = \dfrac{c+a}{7}$일 때,
$\sin A : \sin B : \sin C$는? [3점]

① 2 : 3 : 4 ② 3 : 2 : 4 ③ 4 : 2 : 3
④ 5 : 3 : 7 ⑤ 7 : 6 : 3

기출유형 **04** 코사인법칙

$\triangle$ABC에서 $b=8$, $c=7$, $A=120°$일 때, a의 값을 구하시오. [3점]

[1999학년도 수능]

Act ❶
두 변의 길이와 그 끼인각의 크기가 주어졌으므로 코사인법칙을 이용하여 나머지 한 변의 길이를 구한다.

해결의 실마리

코사인법칙 : 삼각형 ABC에서 $a^2=b^2+c^2-2bc\cos A$, $b^2=c^2+a^2-2ca\cos B$, $c^2=a^2+b^2-2ab\cos C$
⇨ 두 변의 길이와 그 끼인각의 크기를 알 때 코사인법칙을 이용하여 나머지 한 변의 길이를 구할 수 있다.

13

$\triangle$ABC에서 $a=8$, $c=6$, $B=\dfrac{\pi}{3}$일 때, b의 값은? [3점]

① $2\sqrt{11}$　　　② $2\sqrt{13}$　　　③ $3\sqrt{6}$
④ $4\sqrt{11}$　　　⑤ $3\sqrt{13}$

14

$\triangle$ABC에서 $b=8$, $c=5$, $A=\dfrac{\pi}{3}$일 때, a의 값을 구하시오. [3점]

15

$\triangle$ABC에서 세 변의 길이 a, b, c에 대하여
$a^2=b^2+\dfrac{1}{2}bc+c^2$이 성립할 때, $\tan A$의 값은? [3점]

① $-\sqrt{15}$　　　② $-\dfrac{\sqrt{15}}{2}$　　　③ $-\dfrac{\sqrt{15}}{4}$
④ $\sqrt{15}$　　　⑤ $2\sqrt{15}$

16

오른쪽 그림에서 원 O의 지름인 $\overline{AB}$의 길이가 4이고, 호 BP의 길이가 $\dfrac{\pi}{3}$일 때, $\overline{AP}^2$의 값은? [3점]

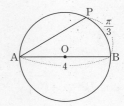

① $4+7\sqrt{3}$　　　② $5+6\sqrt{3}$
③ $6+5\sqrt{3}$　　　④ $8+4\sqrt{3}$
⑤ $9+3\sqrt{3}$

△ABC에서 $(a+b):(b+c):(c+a)=4:5:5$ 일 때, $\cos A$ 의 값은? [3점]

① $\dfrac{2}{3}$　　② $\dfrac{3}{4}$　　③ $\dfrac{4}{5}$　　④ $\dfrac{5}{6}$　　⑤ $\dfrac{6}{7}$

Act ❶

코사인법칙의 변형을 이용하여 세 변의 길이 또는 세 변의 길이의 비에서 모든 각의 코사인 값을 구할 수 있다.

해결의 실마리

코사인법칙의 변형 : 코사인법칙에서

$$\cos A=\frac{b^2+c^2-a^2}{2bc},\ \cos B=\frac{c^2+a^2-b^2}{2ca},\ \cos C=\frac{a^2+b^2-c^2}{2ab}$$

⇨ 코사인법칙의 변형을 이용하여 세 변의 길이 또는 세 변의 길이의 비에서 모든 각의 코사인 값을 구할 수 있다.

17

△ABC에서 $\overline{AC}=3$, $\overline{BC}=6$, $C=60°$일 때, $\cos A$의 값은?

[3점]

① 0　　② $\dfrac{1}{2}$

③ $\dfrac{\sqrt{2}}{2}$　　④ $\dfrac{\sqrt{3}}{2}$

⑤ 1

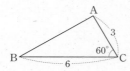

18

△ABC에서 $b=8$, $c=7$, $A=120°$이고 $\cos B+\cos C=\dfrac{a}{26}$일 때, a의 값을 구하시오. [3점]

19

[2001학년도 수능]

△ABC에서 $6\sin A=2\sqrt{3}\sin B=3\sin C$가 성립할 때, A의 크기는? [3점]

① $120°$　　② $90°$　　③ $60°$

④ $45°$　　⑤ $30°$

20

$\overline{AB}=2$, $\overline{BC}=3$, $\overline{CA}=4$인 삼각형 ABC가 있다. 이 삼각형의 외접원의 반지름의 길이는? [3점]

① $\dfrac{6\sqrt{14}}{15}$　　② $\dfrac{8\sqrt{14}}{15}$　　③ $\dfrac{4\sqrt{15}}{15}$

④ $\dfrac{6\sqrt{15}}{15}$　　⑤ $\dfrac{8\sqrt{15}}{15}$

기출유형 06 삼각형의 모양 결정

$\triangle ABC$에서 $2\sin A \cos C = \sin B$가 성립할 때, $\triangle ABC$는 어떤 삼각형인가? [3점]

① $a=b$인 이등변삼각형   ② $b=c$인 이등변삼각형

③ $a=c$인 이등변삼각형   ④ $A=90°$인 직각삼각형

⑤ $B=90°$인 직각삼각형

Act ①
사인법칙의 변형과 코사인법칙의 변형을 이용하여 a, b, c에 대한 관계식을 구하고 삼각형의 모양을 판별한다.

해결의 실마리

삼각형 ABC의 모양을 결정할 때

① (i) 사인에 대한 식은 ⇨ $\sin A = \dfrac{a}{2R}$, $\sin B = \dfrac{b}{2R}$, $\sin C = \dfrac{c}{2R}$를 관계식에 대입한다.

　(ii) 코사인에 대한 식은 ⇨ 코사인법칙의 변형을 이용하여 a, b, c에 대한 식으로 나타낸다.

② a, b, c에 대한 식을 정리하여 삼각형의 모양을 판단한다.

21

$\triangle ABC$에서 $a\sin^2 A = b\sin^2 B$가 성립할 때, $\triangle ABC$는 어떤 삼각형인가? [3점]

① 정삼각형

② $a=b$인 이등변삼각형

③ $b=c$인 이등변삼각형

④ a를 빗변의 길이로 하는 직각삼각형

⑤ b를 빗변의 길이로 하는 직각삼각형

22

$\triangle ABC$에서 $\sin^2 A + \sin^2 B = \sin^2 C$가 성립할 때, $\triangle ABC$는 어떤 삼각형인가? [3점]

① $A=90°$인 직각삼각형   ② $C=90°$인 직각삼각형

③ $a=b$인 이등변삼각형   ④ $a=c$인 이등변삼각형

⑤ $C=90°$인 직각이등변삼각형

23

$\triangle ABC$에서 $\sin A = 2\cos B \sin C$가 성립할 때, $\triangle ABC$는 어떤 삼각형인가? [3점]

① $a=b$인 이등변삼각형   ② $b=c$인 이등변삼각형

③ $A=90°$인 직각삼각형   ④ $B=90°$인 직각삼각형

⑤ 정삼각형

24

$\triangle ABC$에서 $a\cos C - c\cos A = b$가 성립할 때, $\triangle ABC$는 어떤 삼각형인가? [3점]

① $A=90°$인 직각삼각형   ② $B=90°$인 직각삼각형

③ $C=90°$인 직각삼각형   ④ $a=b$인 이등변삼각형

⑤ $a=c$인 이등변삼각형

△ABC에서 $A=120°$, $\overline{AB}=2$, $\overline{BC}=\sqrt{19}$일 때, △ABC의 넓이는? [3점]

① $\dfrac{3\sqrt{3}}{2}$ ② $2\sqrt{5}$ ③ $\dfrac{3\sqrt{6}}{2}$

④ $2\sqrt{6}$ ⑤ $\dfrac{3\sqrt{5}}{2}$

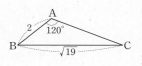

Act ❶
코사인법칙을 이용하여 $\overline{AC}$의 길이를 구한 다음
$△ABC=\dfrac{1}{2}bc\sin A$를 이용한다.

해결의 실마리

삼각형 ABC의 넓이를 S라 하면

(1) 두 변의 길이와 그 끼인각의 크기를 알 때 $\Rightarrow S=\dfrac{1}{2}ab\sin C=\dfrac{1}{2}bc\sin A=\dfrac{1}{2}ca\sin B$

(2) 세 변의 길이 a, b, c를 알 때 $\Rightarrow S=\sqrt{s(s-a)(s-b)(s-c)}$ $\left(단, s=\dfrac{a+b+c}{2}\right)$ ← 헤론의 공식

(3) 내접원의 반지름의 길이 r를 알 때 $\Rightarrow S=\dfrac{1}{2}r(a+b+c)$

(4) 외접원의 반지름의 길이 R를 알 때 $\Rightarrow S=\dfrac{abc}{4R}=2R^2\sin A\sin B\sin C$

25

△ABC의 넓이가 $2\sqrt{3}$이고, $\overline{AC}=2\overline{BC}$, $C=120°$일 때, $\overline{BC}$의 길이는? [3점]

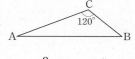

① $\dfrac{1}{2}$ ② 1 ③ $\dfrac{3}{2}$

④ 2 ⑤ $\dfrac{5}{2}$

27

△ABC에서 $\overline{AB}=12$, $\overline{AC}=8$, $\angle CAB=120°$이고 $\angle A$의 이등분선이 변 BC와 만나는 점을 D라 할 때, 선분 AD의 길이는? [3점]

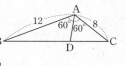

① $\dfrac{23}{5}$ ② $\dfrac{24}{5}$ ③ 5

④ $\dfrac{26}{5}$ ⑤ $\dfrac{27}{5}$

26

△ABC에서 $a=5$, $b=6$, $c=7$일 때, △ABC에 내접하는 내접원의 반지름의 길이 r의 값은? [3점]

① $\dfrac{2\sqrt{6}}{3}$ ② $\dfrac{\sqrt{6}}{3}$ ③ $\dfrac{\sqrt{3}}{3}$

④ $\dfrac{5\sqrt{6}}{6}$ ⑤ $\dfrac{\sqrt{6}}{6}$

28

[2002학년도 교육청]

△ABC에서 $\overline{AB}=2\sqrt{2}$, $\overline{BC}=16$이고 그 넓이가 16일 때, 이 삼각형의 외접원의 반지름의 길이를 구하시오. (단, $A>90°$) [3점]

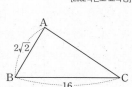

기출유형 08 사각형의 넓이

그림과 같이 두 대각선의 길이가 각각 6, 8이고 두 대각선이 이루는 각의 크기가 θ인 사각형 ABCD에서 $\cos\theta=\dfrac{1}{4}$일 때, 사각형 ABCD의 넓이는? [3점]

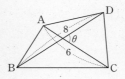

두 대각선의 길이가 a, b이고 그 끼인각의 크기가 θ인 사각형의 넓이 S는 $S=\dfrac{1}{2}ab\sin\theta$ 임을 이용한다.

① $4\sqrt{15}$ ② $5\sqrt{15}$ ③ $6\sqrt{15}$

④ $7\sqrt{15}$ ⑤ $8\sqrt{15}$

해결의 실마리

(1) 이웃하는 두 변의 길이가 a, b이고 그 끼인각의 크기가 θ인 평행사변형의 넓이 S는 ⇨ $S=ab\sin\theta$

(2) 두 대각선의 길이가 a, b이고 그 끼인각의 크기가 θ인 사각형의 넓이 S는 ⇨ $S=\dfrac{1}{2}ab\sin\theta$

(3) 일반 사각형의 넓이는 ⇨ 사각형을 여러 개의 삼각형으로 나누어 각각의 넓이를 구하여 더한다.

29

그림의 평행사변형 ABCD에서 $\overline{AB}=8$, $\overline{BC}=10$, $C=60°$일 때, $\square$ABCD 의 넓이는? [3점]

① $40\sqrt{3}$ ② $40\sqrt{2}$

③ 40 ④ $80\sqrt{2}$

⑤ $80\sqrt{3}$

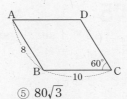

31

그림과 같이 $\overline{AB}=3$, $\overline{AD}=3$, $\overline{BC}=1$, $\angle ABC=120°$인 사각형 ABCD가 한 원에 내접한다. 사각형 ABCD의 넓이를 $\dfrac{q\sqrt{3}}{p}$이라 할 때, 상수 p, q의 합 $p+q$의 값을 구하시오. (단, p, q는 서로소인 자연수이다.) [3점]

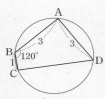

30

그림과 같이 두 대각선이 이루는 각의 크기가 $60°$이고 넓이가 $6\sqrt{3}$인 사각형 ABCD에서 $\overline{BD}$의 길이를 구하시오. [3점]

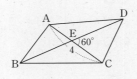

32

그림과 같이 원에 내접하는 사각형 ABCD에서 $\overline{AB}=4$, $\overline{BC}=6$, $\overline{CD}=2$, $\overline{DA}=2$이다. 사각형 ABCD의 넓이를 $m\sqrt{3}$이라 할 때, 상수 m의 값을 구하시오. [3점]

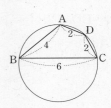

01

△ABC에서 $A=30°$, $a=10$일 때, △ABC의 외접원의 반지름의 길이 R의 값을 구하시오. [3점]

02

$A=75°$, $C=45°$, $\overline{AC}=2\sqrt{3}$인 △ABC의 외접원의 반지름의 길이는? [3점]

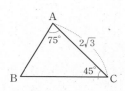

① $\sqrt{6}$　　　　② $\sqrt{3}$

③ 3　　　　④ 2　　　　⑤ 1

03

그림과 같은 사각형 ABCD에서 $B=D=90°$, $A=45°$, $\overline{AC}=2\sqrt{2}$일 때, $\overline{BD}$의 길이를 구하시오. [3점]

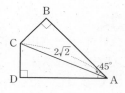

04

그림과 같이 원 위의 세 점 A, B, C 에 대하여 $\overline{AB}=3$, $\overparen{AB} : \overparen{BC} : \overparen{CA}=3 : 4 : 5$일 때, $\overline{BC}$의 길이는? [3점]

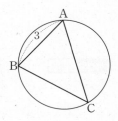

① $\dfrac{3\sqrt{2}}{2}$　　　　② $\dfrac{3\sqrt{3}}{2}$

③ $\dfrac{3\sqrt{5}}{2}$　　　　④ $\dfrac{3\sqrt{6}}{2}$　　　　⑤ $\dfrac{3\sqrt{7}}{2}$

05

△ABC에서 $\sin^2 A=\sin^2 B+\sin^2 C$가 성립할 때, △ABC 는 어떤 삼각형인가? [3점]

① 정삼각형　　　　② $a=b$인 이등변삼각형

③ $c=a$인 이등변삼각형　　　　④ $B=90°$인 직각삼각형

⑤ $A=90°$인 직각삼각형

06

△ABC에서 $\overline{AB}=\sqrt{2}$, $\overline{BC}=\sqrt{5}$, $\overline{CA}=\sqrt{7}$일 때, $\cos A$의 값은? [3점]

① $\dfrac{\sqrt{12}}{7}$　　　　② $\dfrac{\sqrt{13}}{7}$　　　　③ $\dfrac{\sqrt{14}}{7}$

④ $\dfrac{\sqrt{15}}{7}$　　　　⑤ $\dfrac{\sqrt{16}}{7}$

07

그림과 같이 반지름의 길이가 R인 원 O에 내접하는 △ABC가 있다. $\overline{AB}=5$, $\overline{AC}=6$, $\cos A=\dfrac{3}{5}$일 때, $16R$의 값을 구하시오. [3점]

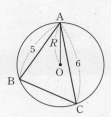

08

그림과 같이 길이가 5인 선분 AB 를 지름으로 하는 원에 내접하는 삼각형 ABC에서 $2\sin A=\sin B$ 가 성립할 때, 삼각형 ABC의 넓이 를 구하시오. [3점]

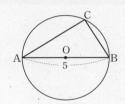

09

그림과 같이 세 변의 길이가 5, 6, 7인 삼각형 ABC에 내접하는 반원 의 반지름의 길이는? [3점]

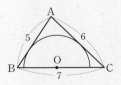

① $\dfrac{12\sqrt{2}}{11}$ ② $\dfrac{12\sqrt{3}}{11}$

③ $\dfrac{24}{11}$ ④ $\dfrac{12\sqrt{5}}{11}$ ⑤ $\dfrac{12\sqrt{6}}{11}$

10

그림과 같이 $\overline{AB}=\sqrt{3}$, $\overline{AC}=\sqrt{7}$, $B=30°$인 평행사변형 ABCD의 넓이는? [3점]

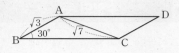

① $2\sqrt{2}$ ② $2\sqrt{3}$ ③ 4
④ $2\sqrt{5}$ ⑤ $2\sqrt{7}$

11

그림과 같이 원 O에 내접하는 사각 형 ABCD에서 $\overline{AB}=6$, $\overline{BC}=10$, $\overline{CD}=5$, $\overline{DA}=4$, $\angle ABC=45°$일 때, □ABCD의 넓이는? [3점]

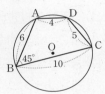

① $16\sqrt{2}$ ② $20\sqrt{2}$
③ $24\sqrt{2}$ ④ $28\sqrt{2}$
⑤ $32\sqrt{2}$

12

그림과 같은 사각형 ABCD에서 $\overline{AB}=6$, $\overline{BC}=\overline{CD}=8$, $B=D=60°$이고 사각형의 넓이를 $m\sqrt{3}$이라 할 때, 상수 m의 값을 구 하시오. (단, $\overline{AD}>4$) [3점]

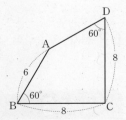

Ⅲ. 수열

08 등차수열과 등비수열

출제경향 매년 빠지지 않고 출제되는 단원으로 개념을 묻는 쉬운 문제들이 출제된다. 수열, 등차수열, 등비수열의 뜻을 이해하고, 일반항, 첫째항부터 제n항까지의 합을 구할 수 있어야 한다. 또한, 수열의 합과 일반항 사이의 관계를 이용하여 특정한 항을 구하는 방법도 익혀 두어야 한다.

핵심개념 1 수열의 뜻

(1) 차례로 늘어놓은 수의 열을 **수열**이라 하고, 수열을 이루고 있는 각각의 수를 그 수열의 **항**이라 한다. 이때 앞에서부터 차례로 제1항, 제2항, 제3항, …, 제n항, …이라 한다.

(2) 일반적으로 수열을 나타낼 때에는 각 항에 번호를 붙여 a_1, a_2, a_3, …, a_n, …과 같이 나타낸다. 이때 n에 대한 식으로 나타낸 제n항 a_n을 그 수열의 **일반항**이라 하고, 일반항이 a_n인 수열을 간단히 기호로 $\{a_n\}$과 같이 나타낸다.

01 수열 2, 4, 6, 8, 10, …, $2n$, …에서 첫째항은 [(가)]이고 제5항은 [(나)], 제10항은 [(다)]이다. (가), (나), (다)에 들어갈 수의 합을 구하시오. [2점]

핵심개념 2 등차수열

(1) 수열의 첫째항에 차례로 일정한 수를 더하여 각 항이 얻어질 때, 이 수열을 **등차수열**이라 하고 그 일정한 수를 **공차**라 한다.

(2) 등차수열의 일반항

첫째항이 a, 공차가 d인 등차수열 $\{a_n\}$의 일반항은

$$a_n = a + (n-1)d \ (n = 1, 2, 3, \cdots)$$

(3) 등차중항

세 수 a, b, c가 이 순서로 등차수열을 이룰 때, b를 a와 c의 **등차중항**이라 한다.

이때 $b - a = c - b$이므로 $b = \dfrac{a+c}{2}$가 성립한다.

$$a_1, \ a_2, \ a_3, \ a_4, \ \cdots$$
$$\underset{+d \ \ +d \ \ +d}{\quad} \leftarrow \text{공차}$$

공차가 d인 등차수열 $\{a_n\}$에서 제n항에 d를 더하면 제$(n+1)$항이 되므로
$$a_{n+1} = a_n + d \ (n = 1, 2, 3, \cdots)$$

[2014학년도 교육청]

02 첫째항이 2이고, 공차가 3인 등차수열 $\{a_n\}$에 대하여 a_6의 값은? [2점]

① 14   ② 15   ③ 16   ④ 17   ⑤ 18

[2017학년도 교육청]

03 등차수열 $\{a_n\}$에 대하여 $a_2 = 8$, $a_6 = 16$일 때, a_4의 값을 구하시오. [3점]

핵심개념 3 등차수열의 합

등차수열의 첫째항부터 제n항까지의 합 S_n은

① 첫째항이 a, 제n항이 l일 때, $S_n = \dfrac{n(a+l)}{2}$ ② 첫째항이 a, 공차가 d일 때, $S_n = \dfrac{n\{2a+(n-1)d\}}{2}$

[2011학년도 수능 모의고사]

04 1과 2 사이에 n개의 수를 넣어 만든 등차수열 1, a_1, a_2, …, a_n, 2의 합이 24일 때, n의 값은? [3점]

① 11   ② 12   ③ 13   ④ 14   ⑤ 15

핵심개념 4　　**수열의 합과 일반항 사이의 관계**

수열 $\{a_n\}$의 첫째항부터 제n항까지의 합을 S_n이라 하면

$$a_1 = S_1, \quad a_n = S_n - S_{n-1} \ (n=2, 3, 4, \cdots)$$

$$\overbrace{a_1 + a_2 + \cdots + a_{n-1} + a_n}^{S_n}$$
$$\underbrace{\phantom{a_1 + a_2 + \cdots + a_{n-1}}}_{S_{n-1}}$$

[2015학년도 교육청]

05 수열 $\{a_n\}$의 첫째항부터 제n항까지의 합 S_n이 $S_n = n^2$일 때, a_{50}의 값을 구하시오. [3점]

핵심개념 5　　**등비수열**

(1) 수열의 첫째항에 차례로 일정한 수를 곱하여 각 항이 얻어질 때,

　이 수열을 **등비수열**이라 하고 그 일정한 수를 **공비**라 한다.

(2) 등비수열의 일반항

　첫째항이 a, 공비가 r인 등비수열 $\{a_n\}$의 일반항은

$$a_n = ar^{n-1} \ (n=1, 2, 3, \cdots)$$

(3) 등비중항

　0이 아닌 세 수 a, b, c가 이 순서로 등비수열을 이룰 때, b를 a와 c의 **등비중항**이라 한다.

　이때 $\dfrac{b}{a} = \dfrac{c}{b}$이므로 $b^2 = ac$가 성립한다.

공비가 r인 등비수열 $\{a_n\}$에서 제n항에 r를 곱하면 제$(n+1)$항이 되므로
$$a_{n+1} = ra_n \ (n=1, 2, 3, \cdots)$$

[2017학년도 교육청]

06 첫째항이 2 이고 공비가 3 인 등비수열 $\{a_n\}$에 대하여 a_3의 값은? [3점]

① 9　　　　　② 12　　　　　③ 15　　　　　④ 18　　　　　⑤ 21

[2016학년도 교육청]

07 등비수열 $\{a_n\}$에 대하여 $a_2 = 4$, $a_4 = 8$일 때, a_6의 값은? [2점]

① 10　　　　　② 12　　　　　③ 14　　　　　④ 16　　　　　⑤ 18

핵심개념 6　　**등비수열의 합**

첫째항이 a, 공비가 r인 등비수열의 첫째항부터 제n항까지의 합 S_n은

① $r \neq 1$일 때, $S_n = \dfrac{a(1-r^n)}{1-r} = \dfrac{a(r^n-1)}{r-1}$

② $r = 1$일 때, $S_n = na$

08 첫째항이 3, 공비가 2 인 등비수열에 대하여 제10항까지의 합은? [2점]

① 3000　　　　② 3024　　　　③ 3069　　　　④ 3090　　　　⑤ 3120

유형따라잡기

[2019학년도 수능 모의평가]

등차수열 $\{a_n\}$에 대하여 $a_5=5$, $a_{15}=25$일 때, a_{20}의 값을 구하시오. [3점]

> **Act ①**
> 두 개의 항이 주어진 등차수열의 일반항은 주어진 항을 첫째항 a와 공차 d에 대한 식으로 나타낸 후 두 식을 연립하여 구한다.

해결의 실마리

(1) 첫째항이 a, 공차가 d인 등차수열의 일반항은 ⇨ $a_n=a+(n-1)d$ $(n=1, 2, 3, \cdots)$

(2) 항 사이의 관계가 주어진 등차수열의 일반항은 ⇨ 주어진 항 또는 항의 관계를 첫째항 a와 공차 d에 대한 식으로 나타낸 후 두 식을 연립하여 일반항을 구한다.

01

[2013학년도 교육청]

수열 $\{a_n\}$은 $a_1=1$이고,

$$a_{n+1}=a_n+3 \ (n=1, 2, 3, \cdots)$$

을 만족시킨다. a_{30}의 값을 구하시오. [3점]

03

[2017학년도 수능 모의평가]

등차수열 $\{a_n\}$에 대하여 $a_8=a_2+12$, $a_1+a_2+a_3=15$일 때, a_{10}의 값은? [3점]

① 17　　　　② 19　　　　③ 21

④ 23　　　　⑤ 25

02

[2019학년도 수능]

첫째항이 4인 등차수열 $\{a_n\}$에 대하여 $a_{10}-a_7=6$일 때, a_4의 값은? [3점]

① 10　　　　② 11　　　　③ 12

④ 13　　　　⑤ 14

04

[2012학년도 교육청]

수열 $\{a_n\}$은 첫째항이 1, 공차가 3인 등차수열이고, 수열 $\{b_n\}$은 첫째항이 1000, 공차가 -6인 등차수열이다. 이때 $a_k=b_k$를 만족시키는 자연수 k의 값은? [3점]

① 112　　　　② 115　　　　③ 118

④ 121　　　　⑤ 124

기출유형 02 등차중항

다섯 개의 수 4, a, 12, 16, b가 이 순서대로 등차수열을 이룰 때, 실수 a, b에 대하여 $a+b$의 값은?
[3점]

① 21   ② 23   ③ 25   ④ 28   ⑤ 31

Act ①
a는 4와 12의 등차중항이고, 16은 12와 b의 등차중항임을 이용한다.

해결의 실마리
세 수 a, b, c가 이 순서대로 등차수열을 이룰 때, b는 a와 c의 등차중항
$\Rightarrow b=\dfrac{a+c}{2}$

05
[2008학년도 교육청]

세 수 $1-a$, 10, $2+2a$가 이 순서로 등차수열을 이룰 때, a의 값을 구하시오. [3점]

07
[2008학년도 교육청]

등차수열 $\{a_n\}$에 대하여
$$a_1=1,\ a_1-a_2+a_3+a_4-a_5+a_6=17$$
일 때, a_8+a_9의 값을 구하시오. [3점]

06

이차방정식 $x^2-8x-4=0$의 두 근을 α, β라 할 때, m은 α, β의 등차중항이고 n은 $\dfrac{1}{\alpha}$, $\dfrac{1}{\beta}$의 등차중항이다. 이때 mn의 값은? [3점]

① -7 ② -4 ③ -1
④ 2   ⑤ 5

08

다항식 $f(x)=x^2+ax+5$를 $x-1$, x, $x+2$로 나누었을 때의 나머지가 이 순서대로 등차수열을 이룰 때, 상수 a의 값은? [3점]

① 3   ② 5   ③ 7
④ 9   ⑤ 11

[2017학년도 교육청]

첫째항이 3이고 공차가 2인 등차수열 $\{a_n\}$의 첫째항부터 제10항까지의 합은? [3점]

① 80 ② 90 ③ 100 ④ 110 ⑤ 120

Act ❶
첫째항과 공차가 주어질 때 제n항까지의 합은
$$S_n = \frac{n\{2a+(n-1)d\}}{2}$$ 를 이용한다.

해결의 실마리

첫째항이 a, 제n항이 l, 공차가 d인 등차수열의 첫째항부터 제n항까지의 합을 S_n이라 할 때

① 첫째항과 제n항이 주어지면 $\Rightarrow S_n = \dfrac{n(a+l)}{2}$

② 첫째항과 공차가 주어지면 $\Rightarrow S_n = \dfrac{n\{2a+(n-1)d\}}{2}$

---

09 [2015학년도 교육청]

등차수열 $\{a_n\}$에서 $a_1 + 2a_{10} = 34$, $a_1 - a_{10} = -14$일 때, 첫째항부터 제10항까지의 합을 구하시오. [3점]

11

등차수열 $\{a_n\}$에서 $a_6 = 44$, $a_{18} = 116$이고
$$a_1 + a_2 + a_3 + \cdots + a_n = 280$$
일 때, n의 값은? [3점]

① 8 ② 9 ③ 10
④ 11 ⑤ 12

---

10 [2014학년도 교육청]

등차수열 $\{a_n\}$에서 $a_2 = 4$, $a_5 = 13$일 때,
$$a_1 + a_2 + a_3 + a_4 + a_5$$
의 값을 구하시오. [3점]

12

첫째항부터 제3항까지의 합이 51, 첫째항부터 제10항까지의 합이 65인 등차수열 $\{a_n\}$에서 첫째항부터 제 몇 항까지의 합이 최대가 되는가? [3점]

① 제7항 ② 제8항 ③ 제9항
④ 제10항 ⑤ 제11항

기출유형 04 등비수열

[2013학년도 교육청]

공비가 실수인 등비수열 $\{a_n\}$에 대하여 $\dfrac{a_5}{a_2}=2$, $a_4+a_7=12$일 때, a_{13}의 값은? [3점]

① 30　　　　② 32　　　　③ 34　　　　④ 36　　　　⑤ 38

> **Act ❶**
> 항 사이의 관계가 주어진 등비수열의 일반항은 주어진 항의 관계를 첫째항 a와 공비 r에 대한 식으로 나타낸 후 두 식을 연립하여 구한다.

해결의 실마리

(1) 첫째항이 a, 공비가 r인 등비수열의 일반항은 ⇨ $a_n=ar^{n-1}$ $(n=1, 2, 3, \cdots)$

(2) 항 사이의 관계가 주어진 등비수열의 일반항은 ⇨ 주어진 항 또는 항의 관계를 첫째항 a와 공비 r에 대한 식으로 나타낸 후 두 식을 연립하여 일반항을 구한다.

13
[2017학년도 수능 모의평가]

첫째항이 1이고 공비가 양수인 등비수열 $\{a_n\}$에 대하여 $\dfrac{a_7}{a_5}=4$일 때, a_4의 값은? [3점]

① 6　　　　② 8　　　　③ 10

④ 12　　　　⑤ 14

15
[2017학년도 교육청]

첫째항이 양수인 등비수열 $\{a_n\}$이
$$a_1=4a_3, \quad a_2+a_3=-12$$
를 만족시킬 때, a_5의 값은? [3점]

① 3　　　　② 4　　　　③ 5

④ 6　　　　⑤ 7

14
[2018학년도 교육청]

공비가 양수인 등비수열 $\{a_n\}$이 $a_1=\dfrac{1}{2}$, $a_3\times a_4=a_5$를 만족시킬 때, a_7의 값을 구하시오. [3점]

16
[2016학년도 교육청]

첫째항이 0이 아닌 등비수열 $\{a_n\}$에 대하여
$$a_3=4a_1, \quad a_7=(a_6)^2$$
일 때, 첫째항 a_1의 값은? [3점]

① $\dfrac{1}{16}$　　　　② $\dfrac{1}{8}$　　　　③ $\dfrac{3}{16}$

④ $\dfrac{1}{4}$　　　　⑤ $\dfrac{5}{16}$

세 수 $\dfrac{9}{4}$, a, 4가 이 순서대로 등비수열을 이룰 때, 양수 a의 값은? [3점]

① $\dfrac{8}{3}$　　　② 3　　　③ $\dfrac{10}{3}$　　　④ $\dfrac{11}{3}$　　　⑤ 4

Act ❶
a는 $\dfrac{9}{4}$와 4의 등비중항임을 이용한다.

해결의 실마리

세 수 a, b, c가 이 순서대로 등비수열을 이룰 때, b는 a와 c의 등비중항
$\Rightarrow b^2 = ac$

17
[2013학년도 교육청]

세 수 3, 12, a가 이 순서대로 등비수열을 이룰 때, a의 값은? [3점]

① 24　　　② 36　　　③ 48
④ 60　　　⑤ 72

19
[2012학년도 교육청]

수직선 위의 두 점 $A(x)$, $B(6)$에 대하여 선분 AB를 $1 : 2$로 내분하는 점을 $C(y)$라 하자. x, y, 6이 이 순서대로 등비수열을 이룰 때, x의 값은? (단, $x < 6$) [3점]

① $\dfrac{1}{2}$　　　② 1　　　③ $\dfrac{3}{2}$
④ 2　　　⑤ $\dfrac{5}{2}$

18
[2016학년도 교육청]

모든 항이 양수인 등비수열 $\{a_n\}$에 대하여 $a_2 = 2$, $a_4 = 18$일 때, a_3의 값은? [3점]

① 3　　　② 6　　　③ 9
④ 12　　　⑤ 15

20
[2018학년도 교육청]

x에 대한 다항식 $x^3 - ax + b$를 $x - 1$로 나눈 나머지가 57이다. 세 수 1, a, b가 이 순서대로 공비가 양수인 등비수열을 이룰 때, $\dfrac{b}{a}$의 값은? (단, a와 b는 상수이다.)

[4점]

① 2　　　② 4　　　③ 8
④ 16　　　⑤ 32

기출유형 **06** 등비수열의 합

공비가 2, 제 k 항이 400인 등비수열의 첫째항부터 제 k 항까지의 합이 750이다. 이때 k 의 값은? [3점]

① 4   ② 6   ③ 8   ④ 9   ⑤ 10

Act ①
주어진 조건을 첫째항 a 와 공비 r 에 대한 식으로 나타낸 후 두 식을 연립하여 푼다.

해결의 실마리

첫째항이 a, 공비가 r 인 등비수열의 첫째항부터 제 n 항까지의 합을 S_n 이라 하면

① $r \neq 1$ 일 때 $\Rightarrow S_n = \dfrac{a(1-r^n)}{1-r} = \dfrac{a(r^n-1)}{r-1}$

② $r = 1$ 일 때 $\Rightarrow S_n = na$

21
[2017학년도 교육청]

등비수열 $\{a_n\}$ 의 첫째항부터 제 n 항까지의 합 S_n 에 대하여 $S_3 = 21$, $S_6 = 189$ 일 때, a_5 의 값은? [3점]

① 45   ② 48   ③ 51

④ 54   ⑤ 57

23

공비가 양수인 등비수열 $\{a_n\}$ 에 대하여 $a_2 + a_4 = 4$, $a_4 + a_6 = 16$ 일 때, 첫째항부터 제6항까지의 합은? [3점]

① $\dfrac{116}{5}$ ② $\dfrac{121}{5}$ ③ $\dfrac{126}{5}$

④ $\dfrac{131}{5}$ ⑤ $\dfrac{136}{5}$

22
[2012학년도 교육청]

첫째항이 3이고 공비가 2인 등비수열 $\{a_n\}$ 에 대하여 $a_1 + a_3 + a_5 + a_7 + a_9$ 의 값은? [3점]

① 1019   ② 1021   ③ 1023

④ 1025   ⑤ 1027

24
[2008학년도 교육청]

등비수열 $\{a_n\}$ 에서 첫째항부터 제5항까지의 합이 $\dfrac{31}{2}$ 이고 곱이 32일 때, $\dfrac{1}{a_1} + \dfrac{1}{a_2} + \dfrac{1}{a_3} + \dfrac{1}{a_4} + \dfrac{1}{a_5}$ 의 값은? [3점]

① $\dfrac{31}{4}$ ② $\dfrac{31}{8}$ ③ $\dfrac{31}{12}$

④ $\dfrac{8}{31}$ ⑤ $\dfrac{4}{31}$

수열 $\{a_n\}$의 첫째항부터 제n항까지의 합 S_n이 $S_n=2^n+1$일 때, a_1+a_8의 값은? [3점]

① 130   ② 131   ③ 132   ④ 133   ⑤ 134

Act ①
$a_1=S_1$, $a_n=S_n-S_{n-1}$ ($n\geq2$)
임을 이용한다.

해결의 실마리

수열 $\{a_n\}$의 첫째항부터 제n항까지의 합을 S_n이라 하면
⇨ $a_1=S_1$, $a_n=S_n-S_{n-1}$ ($n\geq2$)

---

25   [2016학년도 교육청]

수열 $\{a_n\}$의 첫째항부터 제n항까지의 합 S_n이
$S_n=n^2+2n$일 때, a_{10}의 값을 구하시오. [3점]

27   [2014학년도 교육청]

수열 $\{a_n\}$의 첫째항부터 제n항까지의 합 S_n이 $S_n=5^n-1$

일 때, $\dfrac{a_5}{a_3}$의 값은? [3점]

① 10   ② 15   ③ 20
④ 25   ⑤ 30

26   [2019학년도 수능]

첫째항이 7인 등비수열 $\{a_n\}$의 첫째항부터 제n항까지의
합을 S_n이라 하자.
$$\frac{S_9-S_5}{S_6-S_2}=3$$
일 때, a_7의 값을 구하시오. [3점]

28   [2018학년도 교육청]

등차수열 $\{a_n\}$의 첫째항부터 제n항까지의 합을 S_n이라 하
자. $a_2=7$, $S_7-S_5=50$일 때, a_{11}의 값을 구하시오. [3점]

기출유형 08 등비수열의 활용

철수가 농구공을 1.5 m 높이에서 떨어뜨렸더니 1 m 튀어 올랐다. 이 공의 떨어진 높이에 대한 튀어 오른 높이의 비율이 일정하다고 할 때, 튀어 오른 높이가 $\dfrac{16}{81}$ m가 되는 것은 제 몇 회인가? [3점]

Act ①
일정한 비율로 변하는 문제는 처음 몇 개의 항을 나열하여 규칙성을 파악한다.

① 제3회 　　② 제4회 　　③ 제5회 　　④ 제6회 　　⑤ 제7회

해결의 실마리

(1) 처음에 a만큼 있었던 양이 매시간(또는 매년) 일정한 비율 r로 증가(또는 감소)할 때,

　① n시간(또는 n년) 후의 양은 ⇨ ar^{n-1}　　② n시간(또는 n년) 동안의 합은 ⇨ $a+ar+ar^2+\cdots+ar^{n-1}=\dfrac{a(1-r^n)}{1-r}=\dfrac{a(r^n-1)}{r-1}$

(2) 도형의 길이, 넓이 등이 일정한 비율로 변하는 문제는 처음 몇 개의 항을 나열하여 규칙성을 파악한다.

29
[2015학년도 교육청]

어느 음악 사이트에서는 매달 말에 그 달 A노래의 다운로드 건수를 발표한다. 2015년 1월부터 5월까지 이 사이트에서 발표한 A노래의 다운로드 건수는 매달 일정한 비율로 감소하였다. 2015년 발표한 A노래의 '1월 다운로드 건수'는 480건이었고, '5월 다운로드 건수'가 30건이었다. 2015년 '3월 다운로드 건수'를 구하시오. [3점]

30

어느 지역의 연간 자동차 휘발유 소비량은 768톤이고, 매년 이 지역의 연간 자동차 휘발유 소비량은 전년도에 비하여 일정한 비율로 감소하여 4년 후에는 48톤이 된다고 한다. 그 이후에도 이와 같은 비율로 계속 감소한다고 할 때, 이 지역에서 올해부터 8년 동안 사용되는 자동차 휘발유 소비량의 총합은? [3점]

① 1520톤 　　② 1530톤 　　③ 1540톤
④ 1550톤 　　⑤ 1560톤

31

한 변의 길이가 1인 정사각형 모양의 종이가 있다. 이 정사각형을 오른쪽 그림과 같이 9등분하여 중앙의 정사각형을 제거한다. 또 나머지 정사각형의 각각을 다시 9등분하여 중앙의 정사각형을 제거한다. 이와 같은 시행을 계속할 때, 10회 시행 후 남아 있는 종이의 넓이를 $\left(\dfrac{q}{p}\right)^r$이라 한다. $p+q+r$의 값은? (단, p, q는 서로소인 자연수이다.) [3점]

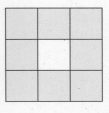

① 27 　　② 28 　　③ 29
④ 30 　　⑤ 31

32

한 변의 길이가 8인 정삼각형 모양의 종이가 있다. 오른쪽 그림과 같이 1회의 시행에서 각 변의 중점을 이어서 만든 정삼각형을 오려낸다. 2회 시행에서는 1회 시행 후 남은 3개의 작은 정삼각형에서 같은 방법으로 만든 정삼각형을 오려낸다. 이와 같은 시행을 계속할 때, 10회 시행 후 남아 있는 종이의 넓이가 $p\sqrt{3}\times q^r$이라 한다. pqr의 값을 구하시오. (단, p는 자연수, q는 정수가 아닌 양의 유리수, r은 최대일 때) [3점]

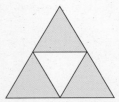

01

등차수열 $\{a_n\}$에 대하여 $a_3=6$, $a_4+a_6=20$일 때, a_8의 값은? [3점]

① 12 ② 13 ③ 14
④ 15 ⑤ 16

02

등차수열 $\{a_n\}$에 대하여 $a_5=4a_3$, $a_2+a_4=4$일 때, a_6의 값은? [3점]

① 5 ② 8 ③ 11
④ 13 ⑤ 16

03

첫째항과 공차가 같은 등차수열 $\{a_n\}$의 첫째항부터 제n항까지의 합을 S_n이라 할 때, $S_n=ka_n$을 만족하는 k가 한 자리 자연수가 되게 하는 n의 최댓값은? (단, $a_1\neq0$)

[3점]

① 11 ② 13 ③ 15
④ 17 ⑤ 19

04

등비수열 $\{a_n\}$에 대하여 $a_2=4$, $a_6=16$일 때, a_{10}의 값을 구하시오. [3점]

05

모든 항이 양수인 등비수열 $\{a_n\}$에 대하여 $a_2=4$, $a_{10}=64$일 때, $\dfrac{a_5}{a_1}$의 값은? [3점]

① $\sqrt{2}$ ② 2 ③ $2\sqrt{2}$
④ 4 ⑤ $4\sqrt{2}$

06

모든 항이 양수인 등비수열 $\{a_n\}$에서 $a_3+a_5=18$, $a_2a_4=36$일 때, a_9의 값은? [3점]

① 48 ② 50 ③ 52
④ 54 ⑤ 56

07

세 수 4, -8, a가 이 순서대로 등비수열을 이룰 때, a의 값은? [3점]

① 8   ② 10   ③ 12
④ 14   ⑤ 16

08

등비수열 $\{a_n\}$의 첫째항부터 제4항까지의 합이 45, 첫째항과 제4항의 합이 27일 때, 이 등비수열의 첫째항은? (단, 공비는 1보다 크다.) [3점]

① 1   ② 2   ③ 3
④ 4   ⑤ 5

09

세 수 8, a, b가 이 순서대로 등차수열을 이루고, 세 수 a, b, 36이 이 순서대로 등비수열을 이룰 때, $b-a$의 값을 구하시오 (단, $b>0$) [3점]

10

수열 $\{a_n\}$의 첫째항부터 제n항까지의 합 S_n이 $S_n=2^n-3$일 때, a_1+a_6의 값은? [3점]

① 31   ② 33   ③ 35
④ 37   ⑤ 39

11

어느 공장에서 생산되는 제품의 수가 매년 일정한 비율로 증가하고 있다. 10년 후에는 10만 개, 20년 후에는 50만 개가 될 것으로 예상된다. 이때 30년 후의 제품의 수는 몇 개가 될 것으로 예상되는가? [3점]

① 150만 개   ② 200만 개   ③ 250만 개
④ 300만 개   ⑤ 350만 개

12

한 변의 길이가 8인 정사각형을 4등분한 후 한 조각을 버리고, 나머지 3개의 정사각형을 다시 4등분한 후 각각 한 조각씩을 버린다. 이와 같은 과정을 20회 반복하였을 때, 남은 조각들의 넓이는? [3점]

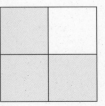

① $32\times\left(\dfrac{3}{4}\right)^{20}$ ② $32\times\left(\dfrac{3}{4}\right)^{19}$ ③ $48\times\left(\dfrac{3}{4}\right)^{20}$

④ $64\times\left(\dfrac{3}{4}\right)^{19}$ ⑤ $64\times\left(\dfrac{3}{4}\right)^{20}$

09 수열의 합

출제경향 매년 빠지지 않고 출제되는 단원으로 Σ의 뜻과 성질을 이해하고, 이를 활용한 간단한 계산과 여러 가지 수열의 첫째항부터 제n항까지의 합을 구할 수 있어야 한다.

핵심개념 **1**	합의 기호 Σ의 뜻

수열 $\{a_n\}$의 첫째항부터 제n항까지의 합

$$a_1+a_2+a_3+\cdots+a_n$$

을 합의 기호 Σ를 사용하여 다음과 같이 나타낸다.

$$a_1+a_2+a_3+\cdots+a_n=\sum_{k=1}^{n} a_k$$

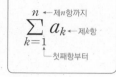

즉 $\sum_{k=1}^{n} a_k$는 수열 $\{a_k\}$의 일반항의 k에 1, 2, 3, $\cdots$, n을 차례로 대입하여 얻은 n개의 항 a_1, a_2, a_3, $\cdots$, a_n의 합을 뜻한다.

[2018학년도 교육청]

01 등식 $\sum_{k=1}^{5} \dfrac{1}{k}=a+\sum_{k=1}^{5} \dfrac{1}{k+1}$을 만족시키는 a의 값은? [3점]

① $\dfrac{1}{6}$ 　　② $\dfrac{1}{3}$ 　　③ $\dfrac{1}{2}$ 　　④ $\dfrac{2}{3}$ 　　⑤ $\dfrac{5}{6}$

핵심개념 **2**	합의 기호 Σ의 성질

① $\sum_{k=1}^{n} (a_k+b_k)=\sum_{k=1}^{n} a_k+\sum_{k=1}^{n} b_k$

② $\sum_{k=1}^{n} (a_k-b_k)=\sum_{k=1}^{n} a_k-\sum_{k=1}^{n} b_k$

③ $\sum_{k=1}^{n} ca_k=c\sum_{k=1}^{n} a_k$ (단, c는 상수)

④ $\sum_{k=1}^{n} c=cn$ (단, c는 상수)

[2017학년도 교육청]

02 두 수열 $\{a_n\}$, $\{b_n\}$에 대하여 $\sum_{n=1}^{10} a_n=9$, $\sum_{n=1}^{10} b_n=7$일 때, $\sum_{n=1}^{10} (3a_n+b_n-2)$의 값은? [3점]

① 11 　　② 12 　　③ 13 　　④ 14 　　⑤ 15

핵심개념 3   자연수의 거듭제곱의 합

(1) $\displaystyle\sum_{k=1}^{n} k = 1 + 2 + 3 + \cdots + n = \dfrac{n(n+1)}{2}$

(2) $\displaystyle\sum_{k=1}^{n} k^2 = 1^2 + 2^2 + 3^2 + \cdots + n^2 = \dfrac{n(n+1)(2n+1)}{6}$

(3) $\displaystyle\sum_{k=1}^{n} k^3 = 1^3 + 2^3 + 3^3 + \cdots + n^3 = \left\{ \dfrac{n(n+1)}{2} \right\}^2$

[2016학년도 교육청]

03 $\displaystyle\sum_{k=1}^{6} (k^2 + 5)$의 값을 구하시오. [3점]

04 수열 $1^2 - 1$, $2^2 - 2$, $3^2 - 3$, $4^2 - 4$, $\cdots$의 첫째항부터 제10항까지의 합은? [3점]

① 240   ② 270   ③ 300   ④ 330   ⑤ 360

핵심개념 4   분수 꼴인 수열의 합

(1) 분모가 다항식의 곱으로 표현된 수열의 합

일반항이 $\dfrac{1}{AB}$ 꼴인 수열의 합은 각 항을

$$\dfrac{1}{AB} = \dfrac{1}{B-A}\left(\dfrac{1}{A} - \dfrac{1}{B} \right) \ (A \neq B)$$

과 같이 부분분수로 변형한 후 식을 정리하여 수열의 합을 구할 수 있다.

$$\Rightarrow \sum_{k=1}^{n} \dfrac{1}{(k+a)(k+b)} = \dfrac{1}{b-a} \sum_{k=1}^{n} \left(\dfrac{1}{k+a} - \dfrac{1}{k+b} \right)$$

$$\dfrac{1}{AB} = \dfrac{1}{B-A} \cdot \dfrac{B-A}{AB}$$
$$= \dfrac{1}{B-A}\left(\dfrac{B}{AB} - \dfrac{A}{AB} \right)$$
$$= \dfrac{1}{B-A}\left(\dfrac{1}{A} - \dfrac{1}{B} \right)$$

(2) 분모가 무리식인 수열의 합

분모를 유리화하여 수열의 합을 구한다.

$$\Rightarrow \sum_{k=1}^{n} \dfrac{1}{\sqrt{k+1}+\sqrt{k}} = \sum_{k=1}^{n} \dfrac{\sqrt{k+1}-\sqrt{k}}{(\sqrt{k+1}+\sqrt{k})(\sqrt{k+1}-\sqrt{k})} = \sum_{k=1}^{n} (\sqrt{k+1}-\sqrt{k})$$

> 일반항을 부분분수로 변형하거나 분모를 유리화하면
> ⇨ 수열의 합에서 이웃한 항끼리 소거할 수 있게 된다.

[2016학년도 교육청]

05 $\displaystyle\sum_{k=1}^{7} \dfrac{1}{(k+1)(k+2)}$의 값은? [3점]

① $\dfrac{1}{6}$ ② $\dfrac{2}{9}$ ③ $\dfrac{5}{18}$ ④ $\dfrac{1}{3}$ ⑤ $\dfrac{7}{18}$

06 $\displaystyle\sum_{k=1}^{15} \dfrac{1}{\sqrt{k+1}+\sqrt{k}}$의 값은? [3점]

① 1   ② 2   ③ 3   ④ 4   ⑤ 5

[2016학년도 교육청]

수열 $\{a_n\}$에 대하여 $\sum\limits_{k=1}^{5} a_k = 12$, $\sum\limits_{k=1}^{5} a_k^2 = 40$일 때, $\sum\limits_{k=1}^{5} (a_k+2)^2$의 값은? [3점]

① 88   ② 98   ③ 108   ④ 118   ⑤ 128

Act ❶
$\sum$ 안을 전개한 다음 주어진 조건을 이용한다.

해결의 실마리

(1) $\sum$의 성질을 이용한 계산

⇨ 주어진 조건과 $\sum$의 성질을 이용할 수 있도록 식을 정리한다.

(2) 수열 일부분의 합

제m항부터의 수열의 합은 ⇨ $\sum\limits_{k=m}^{n} a_k = \sum\limits_{k=1}^{n} a_k - \sum\limits_{k=1}^{m-1} a_k$를 이용한다.

01
[2017학년도 수능 모의평가]

수열 $\{a_n\}$이 $\sum\limits_{k=1}^{7} a_k = \sum\limits_{k=1}^{6} (a_k+1)$을 만족시킬 때, a_7의 값은? [3점]

① 6   ② 7   ③ 8

④ 9   ⑤ 10

03
[2017학년도 교육청]

수열 $\{a_n\}$에 대하여 $\sum\limits_{k=1}^{n} a_k = n^2-2n$일 때, $\sum\limits_{k=6}^{10} a_k$의 값을 구하시오. [3점]

02
[2019학년도 수능 모의평가]

수열 $\{a_n\}$에 대하여 $\sum\limits_{k=1}^{10} a_k = 3$, $\sum\limits_{k=1}^{10} a_k^2 = 7$일 때,

$\sum\limits_{k=1}^{10} (2a_k^2 - a_k)$의 값은? [3점]

① 8   ② 9   ③ 10

④ 11   ⑤ 12

04

$\sum\limits_{k=1}^{10} a_k = 10$, $\sum\limits_{k=1}^{20} a_k = 40$일 때, $\sum\limits_{k=11}^{20} 2a_k$의 값은? [3점]

① 50   ② 60   ③ 70

④ 80   ⑤ 90

기출유형 02 자연수의 거듭제곱의 합

[2017학년도 교육청]

$\sum\limits_{k=1}^{10}(k+1)^2-\sum\limits_{k=1}^{10}(k-1)^2$의 값을 구하시오. [3점]

Act ❶
Σ의 성질을 이용하여 주어진 식을 간단히 하고 자연수의 거듭제곱의 합을 이용한다.

해결의 실마리

(1) $\sum\limits_{k=1}^{n}k=1+2+3+\cdots+n=\dfrac{n(n+1)}{2}$

(2) $\sum\limits_{k=1}^{n}k^2=1^2+2^2+3^2+\cdots+n^2=\dfrac{n(n+1)(2n+1)}{6}$

(3) $\sum\limits_{k=1}^{n}k^3=1^3+2^3+3^3+\cdots+n^3=\left\{\dfrac{n(n+1)}{2}\right\}^2$

05

[2017학년도 교육청]

$\sum\limits_{k=1}^{5}(k+1)^2-\sum\limits_{k=1}^{5}(k^2+k)$의 값은? [3점]

① 12　　　　② 14　　　　③ 16

④ 18　　　　⑤ 20

07

[2017학년도 수능]

함수 $f(x)=\dfrac{1}{2}x+2$에 대하여 $\sum\limits_{k=1}^{15}f(2k)$의 값을 구하시오. [3점]

06

[2016학년도 수능 모의평가]

$\sum\limits_{k=1}^{10}(2k+a)=300$일 때, 상수 a의 값을 구하시오. [3점]

08

[2016학년도 교육청]

x에 대한 이차방정식 $nx^2-(2n^2-n)x-5=0$의 두 근의 합을 a_n(n은 자연수)이라 하자. $\sum\limits_{k=1}^{10}a_k$의 값은? [3점]

① 88　　　　② 91　　　　③ 94

④ 97　　　　⑤ 100

[2016학년도 교육청]

수열 $\{a_n\}$이 $\sum\limits_{k=1}^{n} a_k = 2n-1$을 만족시킬 때, a_{10}의 값을 구하시오. [3점]

Act ❶

수열의 합과 일반항 사이의 관계에서

$$a_{10} = S_{10} - S_9 = \sum_{k=1}^{10} a_k - \sum_{k=1}^{9} a_k$$

임을 이용한다.

해결의 실마리

$\sum\limits_{k=1}^{n} a_k = S_n$ 꼴로 주어진 수열에서 일반항은

⇨ $a_n = S_n - S_{n-1} = \sum\limits_{k=1}^{n} a_k - \sum\limits_{k=1}^{n-1} a_k$ $(n \geq 2)$, $a_1 = S_1$을 이용한다.

09

[2018학년도 고]

수열 $\{a_n\}$에 대하여 $\sum\limits_{k=1}^{n} a_k = 2^{n+1}-2$ 일 때, a_5의 값은? [3점]

① 30   ② 32   ③ 34
④ 36   ⑤ 38

11

수열 $\{a_n\}$에서 $\sum\limits_{k=1}^{n} a_k = \dfrac{n}{n+1}$ 일 때, $\sum\limits_{k=1}^{5} \dfrac{1}{a_k}$의 값은? [3점]

① 65   ② 70   ③ 75
④ 80   ⑤ 85

10

[2012학년도 교육청]

수열 $\{a_n\}$의 첫째항부터 제n항까지의 합 S_n이 $S_n = \dfrac{n^2+3n}{2}$일 때, $\sum\limits_{n=1}^{7} 2^{a_n}$의 값을 구하시오. [3점]

12

[2017학년도 교육청]

수열 $\{a_n\}$에 대하여 $\sum\limits_{k=1}^{n} a_k = \log_2(n^2+n)$일 때, $\sum\limits_{n=1}^{15} a_{2n+1}$의 값을 구하시오. [3점]

기출유형 04 · 분수 꼴로 주어진 수열의 합

[2015학년도 수능 모의평가]

$\sum_{k=1}^{n} \dfrac{4}{k(k+1)} = \dfrac{15}{4}$ 일 때, n의 값은? [3점]

① 11 ② 12 ③ 13 ④ 14 ⑤ 15

Act❶

부분분수로의 변형
$\dfrac{1}{AB} = \dfrac{1}{B-A}\left(\dfrac{1}{A} - \dfrac{1}{B}\right)$ 을 이용하여 이웃한 항끼리 소거한다.

해결의 실마리

(1) 분모가 다항식의 곱으로 표현된 수열의 합은

⇨ 부분분수로의 변형 $\dfrac{1}{AB} = \dfrac{1}{B-A}\left(\dfrac{1}{A} - \dfrac{1}{B}\right)$ 을 이용하여 이웃한 항끼리 소거한다.

(2) 분모가 무리식인 수열의 합은 ⇨ 분모를 유리화하여 이웃한 항끼리 소거한다.

13

수열 $\dfrac{1}{2^2-2}$, $\dfrac{1}{3^2-3}$, $\dfrac{1}{4^2-4}$, $\cdots$의 첫째항부터 제20항까지의 합은? [3점]

① $\dfrac{19}{20}$ ② $\dfrac{20}{21}$ ③ $\dfrac{21}{22}$

④ $\dfrac{22}{23}$ ⑤ $\dfrac{23}{24}$

15

[2013학년도 교육청]

수열 $\{a_n\}$의 첫째항부터 제n항까지의 합 S_n이 $S_n = \dfrac{n(n+3)}{2}$ 일 때, $\sum_{n=1}^{20} \dfrac{1}{a_n a_{n+1}}$의 값은? [3점]

① $\dfrac{1}{11}$ ② $\dfrac{2}{11}$ ③ $\dfrac{3}{11}$

④ $\dfrac{4}{11}$ ⑤ $\dfrac{5}{11}$

14

[2017학년도 수능 모의평가]

첫째항이 4이고 공차가 1인 등차수열 $\{a_n\}$에 대하여 $\sum_{k=1}^{12} \dfrac{1}{\sqrt{a_{k+1}} + \sqrt{a_k}}$의 값은? [4점]

① 1 ② 2 ③ 3

④ 4 ⑤ 5

16

[2018학년도 교육청]

n이 자연수일 때, x에 대한 다항식 $x^3 + (1-n)x^2 + n$을 $x-n$으로 나눈 나머지를 a_n이라 하자. $\sum_{n=1}^{10} \dfrac{1}{a_n}$의 값은? [3점]

① $\dfrac{7}{8}$ ② $\dfrac{8}{9}$ ③ $\dfrac{9}{10}$

④ $\dfrac{10}{11}$ ⑤ $\dfrac{11}{12}$

01

$\sum\limits_{k=1}^{10} a_k = 8$, $\sum\limits_{k=1}^{10} b_k = 10$일 때, $\sum\limits_{k=1}^{10} (2a_k - b_k + 1)$의 값은? [3점]

① 4　　　　　② 7　　　　　③ 10

④ 13　　　　　⑤ 16

02

$\sum\limits_{k=1}^{10} a_k = 3$, $\sum\limits_{k=1}^{10} a_k^2 = 6$일 때, $\sum\limits_{k=1}^{10} (4a_k - 2)^2$의 값은? [3점]

① 49　　　　　② 58　　　　　③ 88

④ 99　　　　　⑤ 121

03

수열 $\{a_n\}$에 대하여 $a_1 = 10$, $a_{20} = 30$일 때,

$\sum\limits_{k=1}^{19} a_{k+1} - \sum\limits_{k=2}^{20} a_{k-1}$의 값은? [3점]

① 12　　　　　② 16　　　　　③ 19

④ 20　　　　　⑤ 22

04

$\sum\limits_{k=1}^{n} (k^2 + 1) - \sum\limits_{k=3}^{n-1} (k^2 - 1)$을 n에 대한 식으로 나타내면?

[3점]

① $n^2 + 2n - 1$　　② $2n + 3$　　③ $n^2 + 8$

④ $2(n^2 + n + 1)$　　⑤ $n^2 + 2n + 2$

05

$\sum\limits_{k=1}^{20} a_k = 100$, $\sum\limits_{k=1}^{30} a_k = 200$일 때, $\sum\limits_{k=21}^{30} (2a_k + 5)$의 값을 구하시오. [3점]

06

수열의 합 $1 \cdot 2 + 2 \cdot 3 + 3 \cdot 4 + \cdots + 20 \cdot 21$의 값은? [3점]

① 3040　　　　② 3080　　　　③ 3120

④ 3160　　　　⑤ 3200

07

첫째항이 2인 등차수열 $\{a_n\}$에 대하여 $a_4-a_2=4$일 때, $\sum\limits_{k=11}^{20} a_k$의 값을 구하시오. [3점]

08

x에 대한 이차방정식 $x^2-2kx+3k=0$의 두 근을 α_k, β_k라 할 때, $\sum\limits_{k=1}^{8}\{(\alpha_k)^2+(\beta_k)^2\}$의 값을 구하시오. (단, k는 자연수) [3점]

09

$\dfrac{1}{1\cdot3}+\dfrac{1}{3\cdot5}+\dfrac{1}{5\cdot7}+\cdots+\dfrac{1}{(2n-1)(2n+1)}$을 간단히 하면? [3점]

① $\dfrac{1}{2n+1}$　　　② $\dfrac{n}{2n+1}$　　　③ $\dfrac{n^2}{2n+1}$

④ $\dfrac{1}{2n-1}$　　　⑤ $\dfrac{n}{2n-1}$

10

x에 대한 이차방정식
$$nx^2-x+n(n+1)=0 \ (n=1, 2, 3, \cdots)$$
의 두 근을 α_n, β_n이라 할 때, $\sum\limits_{k=1}^{10}\left(\dfrac{1}{\alpha_k}+\dfrac{1}{\beta_k}\right)$의 값은? [3점]

① $\dfrac{8}{9}$　　　② $\dfrac{9}{10}$　　　③ $\dfrac{10}{11}$

④ $\dfrac{10}{9}$　　　⑤ $\dfrac{11}{10}$

11

일반항이 $a_n=\dfrac{1}{\sqrt{2n+1}+\sqrt{2n-1}}$인 수열 $\{a_n\}$의 첫째항부터 제40항까지의 합은? [3점]

① 1　　　② 2　　　③ 3

④ 4　　　⑤ 5

12

$a_n=\dfrac{2}{\sqrt{n+1}+\sqrt{n}}$일 때, $\sum\limits_{k=1}^{48} a_k$의 값을 구하시오. [3점]

Young people should
strive towards their ideals.

Ⅲ. 수열

10 수학적 귀납법

출제경향 귀납적으로 정의된 복잡한 수열의 일반항을 구하는 문제는 교육과정에서 다루지 않도록 권고하고 있으므로 출제되지 않으며, n 대신 1, 2, 3, …을 차례로 대입하여 귀납적 추론을 통해 규칙성을 찾는 문제가 출제된다. 수열의 귀납적 정의, 수학적 귀납법의 원리를 이해하고 수학적 귀납법을 이용하여 명제를 증명할 수 있어야 한다.

핵심개념 1　　수열의 귀납적 정의

(ⅰ) 처음 몇 개의 항의 값과

(ⅱ) 이웃하는 여러 항 사이의 관계식

으로 수열 $\{a_n\}$을 정의하는 것을 수열의 **귀납적 정의**라 한다.

> 귀납적으로 정의된 수열 $\{a_n\}$의 각 항을 구하는 방법은
> ⇨ 관계식에 $n=1$, 2, 3, …을 대입

01 $a_1=3$, $a_{n+1}=a_n+2$로 정의된 수열 $\{a_n\}$의 제5항은? (단, $n=1, 2, 3, \cdots$) [3점]

① 7 　　　　② 8 　　　　③ 9 　　　　④ 10 　　　　⑤ 11

핵심개념 2　　등차수열과 등비수열의 귀납적 정의

(1) 등차수열의 귀납적 정의

첫째항이 a, 공차가 d인 등차수열 $\{a_n\}$에서 $n=1, 2, 3, \cdots$일 때

① $a_{n+1}=a_n+d \Leftrightarrow a_{n+1}-a_n=d$ 　　　② $2a_{n+1}=a_n+a_{n+2} \Leftrightarrow a_{n+2}-a_{n+1}=a_{n+1}-a_n$

(2) 등비수열의 귀납적 정의

첫째항이 a, 공비가 r인 등비수열 $\{a_n\}$에서 $n=1, 2, 3, \cdots$일 때

① $a_{n+1}=ra_n \Leftrightarrow \dfrac{a_{n+1}}{a_n}=r$ 　　　② $a_{n+1}^2=a_na_{n+2} \Leftrightarrow \dfrac{a_{n+2}}{a_{n+1}}=\dfrac{a_{n+1}}{a_n}$

02 자연수 n에 대하여 수열 $\{a_n\}$을 $a_1=2$, $a_{n+1}=a_n+3$과 같이 귀납적으로 정의할 때, a_8의 값은? [3점]

① 23 　　　　② 24 　　　　③ 25 　　　　④ 26 　　　　⑤ 27

핵심개념 3　　수학적 귀납법

자연수 n에 대한 명제 $p(n)$이 모든 자연수 n에 대하여 성립함을 증명하려면 다음 두 가지를 보이면 된다.

> ① $n=1$일 때, 명제 $p(n)$이 성립한다.
> ② $n=k$일 때 명제 $p(n)$이 성립한다고 가정하면 $n=k+1$일 때에도 명제 $p(n)$이 성립한다.

이와 같이 증명하는 방법을 **수학적 귀납법**이라 한다.

03 명제 $p(n)$이 모든 홀수에 대하여 성립함을 수학적 귀납법으로 증명하려고 한다. [보기]에서 반드시 증명해야 하는 것만을 있는 대로 고른 것은? (단, k는 자연수) [3점]

┌**보기**┐
ㄱ. $p(1)$이 참이다. 　　　ㄴ. $p(k)$가 참이면 $p(k+1)$이 참이다. 　　　ㄷ. $p(2k-1)$이 참이면 $p(2k+1)$이 참이다.

① ㄱ 　　　② ㄱ, ㄴ 　　　③ ㄱ, ㄷ 　　　④ ㄴ, ㄷ 　　　⑤ ㄱ, ㄴ, ㄷ

유형따라잡기

기출유형 01 등차수열의 귀납적 정의

수열 $\{a_n\}$이 $a_1=3$, $a_{n+1}-a_n=5$ $(n=1, 2, 3, \cdots)$로 정의될 때, a_4의 값은? [3점]

① 12 　　② 14 　　③ 16 　　④ 18 　　⑤ 20

Act ❶
이웃하는 두 항의 차가 일정하면 등차수열이다.

해결의 실마리

수열 $\{a_n\}$에서 이웃하는 항 사이의 관계식이 다음과 같으면 등차수열이다.

① $a_{n+1}-a_n=d$ (일정) $\Leftrightarrow a_{n+1}=a_n+d$

② $a_{n+2}-a_{n+1}=a_{n+1}-a_n \Leftrightarrow 2a_{n+1}=a_n+a_{n+2} \Leftrightarrow a_{n+1}=\dfrac{a_n+a_{n+2}}{2}$

01

수열 $\{a_n\}$이 $a_1=1$, $a_{n+1}=a_n+3$ $(n=1, 2, 3, \cdots)$으로 정의될 때, a_{10}의 값은? [3점]

① 22 　　② 24 　　③ 26
④ 28 　　⑤ 30

02

수열 $\{a_n\}$이 $a_1=30$, $a_{n+1}=a_n-2$ $(n=1, 2, 3, \cdots)$으로 정의될 때, a_8의 값을 구하시오. [3점]

03

수열 $\{a_n\}$이 $a_1=2$, $a_2=4$, $a_{n+2}-2a_{n+1}+a_n=0$ $(n=1, 2, 3, \cdots)$으로 정의될 때, a_6의 값은? [3점]

① 12 　　② 14 　　③ 16
④ 18 　　⑤ 20

04

수열 $\{a_n\}$이 $a_{n+2}-2a_{n+1}+a_n=0$ $(n=1, 2, 3, \cdots)$으로 정의되고 $a_3=4$, $a_5=9$일 때, $a_k=9$를 만족시키는 자연수 k의 값은? [3점]

① 2 　　② 3 　　③ 4
④ 5 　　⑤ 6

[2017학년도 교육청]

수열 $\{a_n\}$이 모든 자연수 n에 대하여 $a_{n+1}=3a_n$을 만족시킨다. $a_2=2$일 때, a_4의 값은? [3점]

① 6 　　　② 9 　　　③ 12 　　　④ 15 　　　⑤ 18

Act ❶
이웃하는 두 항의 비가 일정하면 등비수열이다.

해결의 실마리

수열 $\{a_n\}$에서 이웃하는 항 사이의 관계식이 다음과 같으면 등비수열이다.

① $\dfrac{a_{n+1}}{a_n}=r$ (일정) $\Longleftrightarrow a_{n+1}=ra_n$

② $\dfrac{a_{n+2}}{a_{n+1}}=\dfrac{a_{n+1}}{a_n} \Longleftrightarrow a_{n+1}{}^2=a_n a_{n+2} \Longleftrightarrow a_{n+1}=\pm\sqrt{a_n a_{n+2}}$

05

수열 $\{a_n\}$이 $a_1=3$, $a_{n+1}=2a_n$ $(n=1, 2, 3, \cdots)$으로 정의될 때, a_6의 값을 구하시오. [3점]

06

수열 $\{a_n\}$이 모든 자연수 n에 대하여 $a_{n+1}{}^2=a_n a_{n+2}$를 만족시킨다. $a_1=3$, $a_2=12$일 때, $\sum\limits_{k=1}^{4} a_k$의 값은? [3점]

① 254 　　　② 255 　　　③ 256
④ 257 　　　⑤ 258

07

수열 $\{a_n\}$이 모든 자연수 n에 대하여

$$a_1=1,\ \frac{a_{n+2}}{a_{n+1}}=\frac{a_{n+1}}{a_n}$$

로 정의되고 $\dfrac{a_{12}}{a_2}+\dfrac{a_{14}}{a_4}=6$일 때, $\dfrac{a_{30}}{a_{10}}$의 값은? [3점]

① 3 　　　② 6 　　　③ 9
④ 12 　　　⑤ 15

08

수열 $\{a_n\}$이

$$a_1=\frac{2}{3},\ a_2=2,\ \frac{a_{n+2}}{a_{n+1}}=\frac{a_{n+1}}{a_n}\ (n=1, 2, 3, \cdots)$$

로 정의될 때, $\sum\limits_{k=1}^{4} a_k=\dfrac{q}{p}$이다. $p+q$의 값은? (단, p, q는 서로소인 자연수) [3점]

① 81 　　　② 82 　　　③ 83
④ 84 　　　⑤ 85

기출유형 03 $a_{n+1}=a_n+f(n)$ 꼴로 정의된 수열

수열 $\{a_n\}$이 $a_1=2$이고 $a_{n+1}=a_n+2^{n-1}$일 때, a_5의 값은? [3점]

① 15　　② 16　　③ 17　　④ 18　　⑤ 19

Act①
n 대신 1, 2, 3, $\cdots$, $n-1$을 차례로 대입하여 변끼리 더한다.

해결의 실마리

$a_{n+1}=a_n+f(n)$ 또는 $a_{n+1}-a_n=f(n)$ 꼴로 정의된 수열은
⇨ n 대신 1, 2, 3, $\cdots$, $n-1$을 차례로 대입한 후 변끼리 더하면
⇨ 양변에 있는 a_2 항부터 a_{n-1} 항까지 소거된다.
⇨ $a_n=a_1+f(1)+f(2)+\cdots+f(n-1)$
$\qquad =a_1+\sum\limits_{k=1}^{n-1}f(k)$

$a_2=a_1+f(1)$
$a_3=a_2+f(2)$
$a_4=a_3+f(3)$
$\vdots$
$+)\,a_n=a_{n-1}+f(n-1)$
$a_n=a_1+f(1)+f(2)+f(3)+\cdots+f(n-1)$

$a_{n+1}=a_n+f(n)$ 꼴로 정의된 수열 $\{a_n\}$에서
① $f(n)$이 상수이면 수열 $\{a_n\}$은 (공차)$=f(n)$인 등차수열이다.
② $f(n)$이 변수이면 n 대신 1, 2, 3, $\cdots$, $n-1$을 차례로 대입하여 변끼리 더한다.

09

수열 $\{a_n\}$이 $a_1=1$이고 $a_{n+1}=a_n+2n-1$일 때, a_5의 값은? [3점]

① 13　　② 14　　③ 15
④ 16　　⑤ 17

10

[2013학년도 교육청]

수열 $\{a_n\}$이 $a_1=2$이고 $a_{n+1}-a_n=2n+3$일 때, a_5의 값을 구하시오. [3점]

11

수열 $\{a_n\}$이 $a_1=3$이고 $a_{n+1}-a_n=2^n$일 때, a_5의 값은? [3점]

① 31　　② 32　　③ 33
④ 34　　⑤ 35

12

[2014학년도 교육청]

수열 $\{a_n\}$이 모든 자연수 n에 대하여 $a_{n+1}=a_n+3n$을 만족시킨다. $2a_1=a_2+3$일 때, a_{10}의 값은? [3점]

① 135　　② 138　　③ 141
④ 144　　⑤ 147

[2013학년도 수능]

수열 $\{a_n\}$이 $a_1=1$이고, 모든 자연수 n에 대하여 $a_{n+1}=\dfrac{2n}{n+1}a_n$을 만족시킬 때, a_4의 값은? [3점]

① $\dfrac{3}{2}$ ② 2   ③ $\dfrac{5}{2}$ ④ 3   ⑤ $\dfrac{7}{2}$

Act ❶

$a_{n+1}=a_n f(n)$ 꼴로 정의된 수열은 n 대신 1, 2, 3, $\cdots$, $n-1$을 차례로 대입하여 변끼리 곱한다.

해결의 실마리

$a_{n+1}=a_n f(n)$ 또는 $\dfrac{a_{n+1}}{a_n}=f(n)$ 꼴로 정의된 수열은

⇨ n 대신 1, 2, 3, $\cdots$, $n-1$을 차례로 대입한 후 변끼리 곱하면

⇨ 양변에 있는 a_2 항부터 a_{n-1} 항까지 약분된다.

⇨ $a_n=a_1\times f(1)f(2)\cdots f(n-1)$

$$\begin{aligned}
a_2 &= a_1 f(1)\\
a_3 &= a_2 f(2)\\
a_4 &= a_3 f(3)\\
&\vdots\\
\times)\; a_n &= a_{n-1} f(n-1)\\
\hline
a_n &= a_1\times f(1)f(2)f(3)\cdots f(n-1)
\end{aligned}$$

$a_{n+1}=a_n f(n)$ 꼴로 정의된 수열 $\{a_n\}$
① $f(n)$이 상수이면 수열 $\{a_n\}$은 (공비)$=f(n)$인 등비수열이다.
② $f(n)$이 변수이면 n 대신 1, 2, 3, $\cdots$, $n-1$을 차례로 대입하여 변끼리 곱한다.

13

수열 $\{a_n\}$이 $a_1=10$이고, 모든 자연수 n에 대하여 $a_{n+1}=\dfrac{n}{n+1}a_n$을 만족시킬 때, a_5의 값을 구하시오. [3점]

14

[2017학년도 교육청]

수열 $\{a_n\}$이 모든 자연수 n에 대하여 $a_{n+1}=\dfrac{n+4}{2n-1}a_n$을 만족시킨다. $a_1=1$일 때, a_5의 값은? [3점]

① 16   ② 18   ③ 20
④ 22   ⑤ 24

15

수열 $\{a_n\}$이 $a_1=1$이고, 모든 자연수 n에 대하여 $a_{n+1}=\left(1+\dfrac{1}{n}\right)a_n$을 만족시킬 때, a_5의 값은? [3점]

① 1   ② 2   ③ 3
④ 4   ⑤ 5

16

수열 $\{a_n\}$이 $a_1=3$이고, 모든 자연수 n에 대하여 $(n+2)a_{n+1}=na_n$을 만족시킬 때, a_5의 값은? [3점]

① $\dfrac{1}{5}$ ② $\dfrac{2}{5}$ ③ 1
④ $\dfrac{5}{2}$ ⑤ 5

기출유형 05 · 귀납적으로 정의된 여러 가지 수열

[2019학년도 수능]

수열 $\{a_n\}$은 $a_1=2$이고, 모든 자연수 n에 대하여 $a_{n+1}=\begin{cases} \dfrac{a_n}{2-3a_n} & (n\text{이 홀수인 경우}) \\ 1+a_n & (n\text{이 짝수인 경우}) \end{cases}$를 만족시킨다.

Act ❶
n 대신 1, 2, 3, …을 차례로 대입하여 규칙성을 찾는다.

$\displaystyle\sum_{n=1}^{40} a_n$의 값은? [3점]

① 30   ② 35   ③ 40   ④ 45   ⑤ 50

해결의 실마리

귀납적으로 정의된 여러 가지 수열 문제는
⇨ n 대신 1, 2, 3, …, $n-1$을 차례로 대입하여 규칙성을 찾는다.

17
[2019학년도 수능 모의평가]

수열 $\{a_n\}$이 모든 자연수 n에 대하여
$$a_n a_{n+1}=2n \text{이고 } a_3=1$$
일 때, a_2+a_5의 값은? [3점]

① $\dfrac{13}{3}$ ② $\dfrac{16}{3}$ ③ $\dfrac{19}{3}$

④ $\dfrac{22}{3}$ ⑤ $\dfrac{25}{3}$

18
[2018학년도 수능]

수열 $\{a_n\}$은 $a_1=2$이고, 모든 자연수 n에 대하여
$$a_{n+1}=\begin{cases} a_n-1 & (a_n\text{이 짝수인 경우}) \\ a_n+n & (a_n\text{이 홀수인 경우}) \end{cases}$$
를 만족시킨다. a_7의 값은? [3점]

① 7   ② 9   ③ 11

④ 13   ⑤ 15

19
[2017학년도 교육청]

수열 $\{a_n\}$이 $a_1=2$이고, 모든 자연수 n에 대하여
$$a_{n+1}=2(a_n+2)$$
를 만족시킨다. a_5의 값을 구하시오. [3점]

20
[2016학년도 교육청]

첫째항이 $\dfrac{1}{5}$인 수열 $\{a_n\}$이 모든 자연수 n에 대하여
$$a_{n+1}=\begin{cases} 2a_n & (a_n\leq 1) \\ a_n-1 & (a_n>1) \end{cases}$$
을 만족시킬 때, $\displaystyle\sum_{n=1}^{20} a_n$의 값은? [3점]

① 13   ② 14   ③ 15

④ 16   ⑤ 17

[2013학년도 수능]

다음은 모든 자연수 n에 대하여 $1+3+5+\cdots+(2n-1)=n^2$이 성립함을 수학적 귀납법으로 증명한 것이다.

> (i) $n=1$일 때, (좌변)$=2-1=1$, (우변)$=1^2=1$
>   따라서 주어진 식이 성립한다.
> (ii) $n=k$일 때,
>   주어진 식이 성립한다고 가정하면 $1+3+5+\cdots+(2k-1)=k^2$
>   위 식의 양변에 $\boxed{\text{(가)}}$ 를 더하면
> $1+3+5+\cdots+(2k-1)+\boxed{\text{(가)}}=k^2+\boxed{\text{(가)}}=\boxed{\text{(나)}}$
>   따라서 $n=k+1$일 때에도 주어진 식이 성립한다.
> (i), (ii)에서 주어진 식은 모든 자연수 n에 대하여 성립한다.

위의 (가), (나)에 알맞은 식을 각각 $f(k)$, $g(k)$라 할 때, $f(1)+g(2)$의 값은? [3점]

① 3 ② 6 ③ 9 ④ 12 ⑤ 15

해결의 실마리

명제 $p(n)$이 성립할 때 명제 $p(n+1)$이 성립함을 보이는 방법은 ⇨ 주로 $p(n)$의 양변에 어떤 값을 더하거나 곱하는 방법을 이용한다.

Act①
수학적 귀납법을 이용한 등식의 증명 과정의 원리를 생각하며 빈칸에 알맞은 식을 구한다.

21

[2014학년도 수능 모의평가]

수열 $\{a_n\}$은 $a_1=3$이고 $na_{n+1}-2na_n+\dfrac{n+2}{n+1}=0$ $(n\geq 1)$을 만족시킨다. 다음은 일반항 a_n이

$$a_n=2^n+\frac{1}{n} \quad\cdots\cdots(*)$$

임을 수학적 귀납법을 이용하여 증명한 것이다.

> (i) $n=1$일 때, (좌변)$=a_1=3$, (우변)$=2^1+\dfrac{1}{1}=3$이므로 $(*)$이 성립한다.
> (ii) $n=k$일 때, $(*)$이 성립한다고 가정하면
> $a_k=2^k+\dfrac{1}{k}$이므로 $ka_{k+1}=2ka_k-\dfrac{k+2}{k+1}=\boxed{\text{(가)}}-\dfrac{k+2}{k+1}=k2^{k+1}+\boxed{\text{(나)}}$ 이다.
>   따라서 $a_{k+1}=2^{k+1}+\dfrac{1}{k+1}$이므로 $n=k+1$일 때도 $(*)$이 성립한다.
> (i), (ii)에 의하여 모든 자연수 n에 대하여 $a_n=2^n+\dfrac{1}{n}$이다.

위의 (가), (나)에 알맞은 식을 각각 $f(k)$, $g(k)$라 할 때, $f(3)\times g(4)$ 의 값은? [3점]

① 32 ② 34 ③ 36 ④ 38 ⑤ 40

기출유형 07 수학적 귀납법을 이용한 부등식의 증명

[2019학년도 수능]

Act 1
수학적 귀납법을 이용한 부등식의 증명 과정의 원리를 생각하며 빈칸에 알맞은 식을 구한다.

다음은 2 이상의 자연수 n에 대하여 $1+\dfrac{1}{2}+\dfrac{1}{3}+\cdots+\dfrac{1}{n}>\dfrac{2n}{n+1}$이 성립함을 수학적 귀납법으로 증명한 것이다.

(i) $n=2$일 때, (좌변)$=1+\dfrac{1}{2}=\dfrac{3}{2}$, (우변)$=\dfrac{2\cdot2}{2+1}=\dfrac{4}{3}$

따라서 주어진 식이 성립한다.

(ii) $n=k\,(k\geq2)$일 때, 주어진 식이 성립한다고 가정하면 $1+\dfrac{1}{2}+\dfrac{1}{3}+\cdots+\dfrac{1}{k}>\dfrac{2k}{k+1}$

위 식의 양변에 $\boxed{\text{(가)}}$ 를 더하면 $1+\dfrac{1}{2}+\dfrac{1}{3}+\cdots+\dfrac{1}{k}+\boxed{\text{(가)}}>\dfrac{2k}{k+1}+\boxed{\text{(가)}}$

이때 $\dfrac{2k}{k+1}+\boxed{\text{(가)}}=\dfrac{\boxed{\text{(나)}}}{k+1}$이므로 $\dfrac{\boxed{\text{(나)}}}{k+1}-\dfrac{2(k+1)}{k+2}=\dfrac{k}{(k+1)(k+2)}>0$

따라서 $n=k+1$일 때에도 주어진 식이 성립한다.

(i), (ii)에서 주어진 부등식은 2 이상의 자연수 n에 대하여 성립한다.

위의 (가), (나)에 알맞은 식을 각각 $f(k)$, $g(k)$라 할 때, $f(2)\times g(4)$의 값은? [3점]

① 3　　　　② 6　　　　③ 9　　　　④ 12　　　　⑤ 15

해결의 실마리

수학적 귀납법을 이용하여 부등식 $A<B$를 증명할 경우에는 ➡ $A<C$가 성립함을 알 때 $C<B$를 보여 $A<C<B$, 즉 $A<B$가 됨을 이용한다.

22

[2011학년도 교육청]

다음은 자연수 n에 대하여 부등식 $\left(1+\dfrac{1}{n}\right)^n<\left(1+\dfrac{1}{n+1}\right)^{n+1}$이 성립함을 $a^n-b^n=(a-b)(a^{n-1}+a^{n-2}b+\cdots+b^{n-1})$을 이용하여 증명하는 과정이다.

$\left(1+\dfrac{1}{n}\right)^{n+1}-\left(1+\dfrac{1}{n+1}\right)^{n+1}$

$=\boxed{\text{(가)}}\left\{\left(1+\dfrac{1}{n}\right)^n+\left(1+\dfrac{1}{n}\right)^{n-1}\left(1+\dfrac{1}{n+1}\right)+\left(1+\dfrac{1}{n}\right)^{n-2}\left(1+\dfrac{1}{n+1}\right)^2+\cdots+\left(1+\dfrac{1}{n+1}\right)^n\right\}$

$<\boxed{\text{(가)}}\left\{\left(1+\dfrac{1}{n}\right)^n+\left(1+\dfrac{1}{n}\right)^n+\cdots+\left(1+\dfrac{1}{n}\right)^n\right\}=\boxed{\text{(나)}}\left(1+\dfrac{1}{n}\right)^n$

즉 $\left(1+\dfrac{1}{n}\right)^{n+1}-\left(1+\dfrac{1}{n+1}\right)^{n+1}<\boxed{\text{(나)}}\left(1+\dfrac{1}{n}\right)^n$이다.

$\vdots$

따라서 $\left(1+\dfrac{1}{n}\right)^n<\left(1+\dfrac{1}{n+1}\right)^{n+1}$이다.

위의 (가), (나)에 알맞은 식을 각각 $f(n)$, $g(n)$이라 할 때, $\dfrac{g(5)}{f(10)}$의 값은? [3점]

① 10　　　　② 12　　　　③ 15　　　　④ 18　　　　⑤ 22

01

수열 $\{a_n\}$이 $a_1=5$, $a_{n+1}-a_n=6$ $(n=1,\ 2,\ 3,\ \cdots)$으로 정의될 때, a_5의 값은? [3점]

① 26   ② 27   ③ 28
④ 29   ⑤ 30

02

수열 $\{a_n\}$이 모든 자연수 n에 대하여 $a_{n+1}=2a_n$을 만족시킨다. $a_2=6$일 때, a_5의 값은? [3점]

① 18   ② 28   ③ 35
④ 48   ⑤ 63

03

수열 $\{a_n\}$이 $a_1=3$이고 $a_{n+1}=a_n+2^{n+1}$일 때, a_5의 값은? [3점]

① 60   ② 63   ③ 64
④ 65   ⑤ 66

04

수열 $\{a_n\}$이 $a_1=60$이고, 모든 자연수 n에 대하여 $a_{n+1}=\dfrac{n}{n+2}a_n$을 만족시킬 때, a_5의 값을 구하시오. [3점]

05

수열 $\{a_n\}$이 $a_1=10$이고, 모든 자연수 n에 대하여 $(n+3)a_{n+1}=na_n$을 만족시킬 때, a_5의 값은? [3점]

① $\dfrac{2}{7}$ ② $\dfrac{3}{7}$ ③ 1
④ $\dfrac{7}{3}$ ⑤ $\dfrac{7}{2}$

06

$a_1=1$, $a_{n+1}=2a_n+n^2$ ($n\geq2$인 자연수)로 정의되는 수열 $\{a_n\}$의 제5항은? [3점]

① 66   ② 68   ③ 70
④ 72   ⑤ 74

07

수열 $\{a_n\}$이 $a_1=1$이고, 모든 자연수 n에 대하여

$\dfrac{a_{n+1}}{a_n}=1-\dfrac{1}{(n+1)^2}$을 만족시킬 때, a_7의 값은? [3점]

① $\dfrac{2}{7}$ ② $\dfrac{3}{7}$ ③ $\dfrac{4}{7}$

④ $\dfrac{5}{7}$ ⑤ $\dfrac{6}{7}$

08

수열 $\{a_n\}$이 모든 자연수 n에 대하여 $a_1=1$, $a_{n+1}=\dfrac{k}{a_n+2}$

를 만족시킬 때, $a_3=\dfrac{9}{4}$가 되도록 하는 상수 k의 값은? [3점]

① 14   ② 15   ③ 16

④ 17   ⑤ 18

09

수열 $\{a_n\}$이 $a_1=2$이고, 모든 자연수 n에 대하여

$a_{n+1}=\dfrac{n+1}{1+a_n}+1$을 만족시킬 때, a_4의 값은? [3점]

① $\dfrac{57}{21}$ ② $\dfrac{57}{22}$ ③ $\dfrac{57}{23}$

④ $\dfrac{57}{24}$ ⑤ $\dfrac{57}{25}$

10

첫째항이 $\dfrac{2}{5}$인 수열 $\{a_n\}$은 모든 자연수 n에 대하여

$$a_{n+1}=\begin{cases} 2a_n & (a_n\le 1) \\ -a_n+2 & (a_n>1) \end{cases}$$

을 만족시킨다. a_3+a_{13}의 값을 구하시오. [3점]

11

자연수 n에 대하여 명제 $p(n)$이 참이면 명제 $p(2n)$이 참일 때, [보기]에서 옳은 것만을 있는 대로 고른 것은? [3점]

┃보기┃
ㄱ. $p(1)$이 참이면 $p(8)$도 참이다.
ㄴ. $p(2)$가 참이면 $p(10)$도 참이다.
ㄷ. $p(3)$이 참이면 $p(12)$도 참이다.

① ㄱ   ② ㄷ   ③ ㄱ, ㄷ

④ ㄴ, ㄷ   ⑤ ㄱ, ㄴ, ㄷ

12

다음은 모든 자연수 n에 대하여 n^3+5n이 6의 배수임을 수학적 귀납법으로 증명하는 과정이다.

(i) $n=1$일 때,
   $1+5=6$이므로 n^3+5n은 6의 배수이다.
(ii) $n=k$일 때,
   n^3+5n이 6의 배수라고 가정하면
   $k^3+5k=6m$ (m은 자연수)이므로
   $(k+1)^3+5(k+1)=\boxed{\ (가)\ }+3k(k+1)$
   이때 $3k(k+1)$은 6의 배수이므로 $n=\boxed{\ (나)\ }$일
   때에도 n^3+5n은 6의 배수이다.
(i), (ii)에서 n^3+5n은 모든 자연수 n에 대하여 6의 배수이다.

위의 (가), (나)에 알맞은 식을 각각 $f(m)$, $g(k)$라 할 때, $\dfrac{f(1)}{g(2)}$의 값은? [3점]

① 3   ② 4   ③ 5

④ 6   ⑤ 7

memo

조금이라도 달라지고 싶다면
지금 이 순간부터 변해야 한다.
－로버트 스미스

당신이 친구들이 보고 싶으면
친구들이 당신에게 관심을 가지게 하려 하지 말고
당신이 먼저 친구들에게 관심을 가져라.
－데일 카네기

좋은 기회를 만나지 못한 사람은 아무도 없다.
다만 그것을 붙잡지 못했을 뿐이다.
－앤드류 카네기

memo

조금이라도 달라지고 싶다면
지금 이 순간부터 변해야 한다.
-프레드 스미스

당신이 친구들이 보고 싶으면
친구들이 당신에게 관심을 가지게 하려 하지 말고
당신이 먼저 친구들에게 관심을 가져라.
- 데일 카네기

좋은 기회를 만나지 못한 사람은 아무도 없다.
다만 그것을 붙잡지 못했을 뿐이다.
- 앤드루 카네기

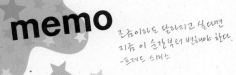

memo

조금이라도 달라지고 싶다면
지금 이 순간부터 변해야 한다.
-프레드 스미스

당신이 친구들이 보고 싶으면
친구들이 당신에게 관심을 갖게 하려 하지 말고
당신이 먼저 친구들에게 관심을 가져라.
- 데일 카네기

좋은 기회를 만나지 못한 사람은 아무도 없다.
다만 그것을 붙잡지 못했을 뿐이다.
-앤드류 카네기

참 쉬운 3점
정답과 해설

고등 **수학 I**

참 쉬운 3점

정답과 해설

고등 **수학 I**

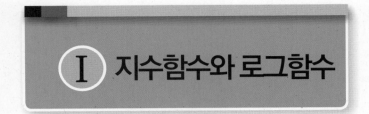

❶ 지수함수와 로그함수

01 지수

pp. 6~7

| 01. ⑤ | 02. ⑤ | 03. ① | 04. ② | 05. ④ |

01 $\dfrac{54^2 \times 21^3}{28} = \dfrac{(2 \times 3^3)^2 \times (3 \times 7)^3}{2^2 \times 7} = \dfrac{2^2 \times 3^9 \times 7^3}{2^2 \times 7} = 3^9 \times 7^2$

답 ⑤

02 ㄱ. 64의 제곱근은 $\pm\sqrt{64}$, 즉 ± 8이다.

ㄴ. $\sqrt[3]{-64} = \sqrt[3]{(-4)^3} = -4$

ㄷ. $-64 < 0$이므로 -64의 네제곱근 중 실수인 것은 존재하지 않는다.

따라서 옳은 것은 ㄱ, ㄴ, ㄷ이다.

답 ⑤

03 $\sqrt{4} \times \sqrt[3]{8} = \sqrt{2^2} \times \sqrt[3]{2^3} = 2 \times 2 = 4$

답 ①

04 $2^{-1} \times 16^{\frac{1}{2}} = \dfrac{1}{2} \times 4 = 2$

답 ②

05 $3^{\frac{1}{3}} \times \sqrt[3]{3^2} = 3^{\frac{1}{3} + \frac{2}{3}} = 3$

답 ④

유형따라잡기

pp. 8~13

기출유형 01 ①	01. ④	02. ①	03. 33	04. 252
기출유형 02 ③	05. ①	06. ③	07. ⑤	08. 7
기출유형 03 ②	09. ②	10. 8	11. ①	12. ③
기출유형 04 ④	13. ④	14. ①	15. ③	16. ④
기출유형 05 98	17. ④	18. ⑤	19. 27	20. 17
기출유형 06 ②	21. ②	22. ④		

기출유형 01

Act① 음수의 n제곱근 중 실수가 아닌 것은 n이 짝수인 경우이다.

ㄱ. -9의 제곱근을 x라 하면 $x^2 = -9$의 근이므로 실수인 것은 없다.

ㄴ. -8의 세제곱근을 x라 하면 $x^3 = -8$의 근이므로 실수인 것은 -2이다.

ㄷ. 16의 네제곱근을 x라 하면 $x^4 = 16$의 근이므로 실수인 것은 ± 2이다.

ㄹ. 0의 제곱근을 x라 하면 $x^2 = 0$의 근이므로 $x = 0$이다.

따라서 실수가 존재하지 않는 것은 ㄱ이다.

답 ①

01 **Act①** 음수의 n제곱근 중 실수가 아닌 것은 n이 짝수인 경우이다.

① 4의 세제곱근 중 실수인 것은 $\sqrt[3]{4}$

② -5의 세제곱근 중 실수인 것은 $\sqrt[3]{-5}$

③ 6의 네제곱근 중 실수인 것은 $\pm\sqrt[4]{6}$

④ -7의 네제곱근 중 실수인 것은 없다.

⑤ 8의 네제곱근 중 실수인 것은 $\pm\sqrt[4]{8}$

답 ④

02 **Act①** 거듭제곱근의 성질을 이해하여 조건을 만족시키는 자연수 n의 값의 합을 구한다.

$\sqrt[3n]{8^4} = 8^{\frac{4}{3n}} = 2^{\frac{12}{3n}} = 2^{\frac{4}{n}}$이 자연수이므로

$n = 1$ 또는 $n = 2$ 또는 $n = 4$

따라서 모든 자연수 n의 값의 합은 7

답 ①

03 **Act①** 거듭제곱근의 성질을 이해하여 조건을 만족시키는 정수 n의 개수를 구한다.

$\sqrt[3]{4^n} = 4^{\frac{n}{3}} = 2^{\frac{2n}{3}}$이 정수가 되기 위해서는 $\dfrac{2n}{3}$이 자연수이어야 하므로 n은 3의 배수이다. n은 100 이하의 자연수이고, 100 이하의 자연수 중 3의 배수의 개수는 33이다.

따라서 n의 개수는 33이다.

답 33

04 **Act①** 거듭제곱근의 성질을 이해하여 조건을 만족시키는 자연수 a, b를 구한다.

$\sqrt{a} + \sqrt[3]{b}$이 자연수가 되기 위해서는 a는 어떤 자연수의 제곱 꼴이고 b는 세제곱 꼴이다.

$5^2 < 30 \le a \le 40 < 7^2$이므로 $a = 6^2$

또, $5^3 < 150 = 5^2 \times 6 < 6^3$이고 $6^3 < 294 = 7^2 \times 6 < 7^3$

이므로 $5 < \sqrt[3]{b} < 7$, $b = 6^3$

따라서 $a + b = 36 + 216 = 252$

답 252

기출유형 02

Act① 거듭제곱근을 유리수인 지수로 바꾼 후 지수법칙을 이용한다.

$\sqrt{a} \times \dfrac{\sqrt[3]{a^2}}{a} = a^{\frac{1}{2}} \times \dfrac{a^{\frac{2}{3}}}{a} = a^{\frac{1}{2} + \frac{2}{3} - 1} = a^{\frac{1}{6}}$

한편 $\sqrt[n]{a} = a^{\frac{1}{n}}$이므로

$\dfrac{1}{6} = \dfrac{1}{n}$ ∴ $n = 6$

답 ③

05 **Act①** 거듭제곱근을 유리수인 지수로 바꾼 후 지수법칙을 이용한다.

$2^{\frac{2}{3}} \times 54^{\frac{1}{3}} = 2^{\frac{2}{3} + \frac{1}{3}} \times 3^{\frac{3}{3}} = 6$

답 ①

06 **Act①** 거듭제곱근을 유리수인 지수로 바꾼 후 지수법칙을 이용한다.

$(ab)^6 = (\sqrt{2} \times \sqrt[3]{3})^6 = \left(2^{\frac{1}{2}} \times 3^{\frac{1}{3}}\right)^6$

$= 2^3 \times 3^2 = 8 \times 9 = 72$

답 ③

07 Act① 거듭제곱근을 유리수인 지수로 바꾼 후 지수법칙을 이용한다.

$\sqrt{5} \times \sqrt[3]{5\sqrt{5}} = 5^{\frac{1}{2}+\frac{1}{3}+\frac{1}{6}} = 5$

답 ⑤

08 Act① 거듭제곱근을 유리수인 지수로 바꾼 후 지수법칙을 이용한다.

$a = \sqrt[3]{2}$, $b = \sqrt[4]{3}$을 등식 $6 = a^x b^y$에 대입하면

$6 = (\sqrt[3]{2})^x (\sqrt[4]{3})^y$

$= 2^{\frac{x}{3}} \times 3^{\frac{y}{4}}$

$6 = 2^1 \times 3^1$이므로 지수끼리 비교하면

$1 = \dfrac{x}{3}$, $1 = \dfrac{y}{4}$

따라서 $x = 3$, $y = 4$이므로

$x + y = 7$

답 7

기출유형 **03**

Act① 밑을 통일시켜 지수법칙을 이용하여 계산한다.

$2^{\frac{1}{3}} \times 4^{\frac{1}{3}} = 2^{\frac{1}{3}} \times (2^2)^{\frac{1}{3}} = 2^{\frac{1}{3}} \times 2^{\frac{2}{3}}$

$= 2^{\frac{1}{3}+\frac{2}{3}}$

$= 2^1 = 2$

답 ②

[다른 풀이]

$2^{\frac{1}{3}} \times 4^{\frac{1}{3}} = (2 \times 4)^{\frac{1}{3}} = 8^{\frac{1}{3}} = (2^3)^{\frac{1}{3}} = 2$

09 Act① 밑을 통일시켜 지수법칙을 이용하여 계산한다.

$27 \times 3^{-2} = 3^3 \times 3^{-2} = 3^{3+(-2)} = 3$

답 ②

10 Act① 밑을 통일시켜 지수법칙을 이용하여 계산한다.

$2^{\frac{1}{2}} \times 4^{\frac{5}{4}} = 2^{\frac{1}{2}} \times 2^{\frac{5}{2}} = 2^3 = 8$

답 8

11 Act① 거듭제곱근의 성질과 지수법칙을 이용하여 계산한다.

$\sqrt{2\sqrt[3]{4\sqrt[4]{8}}} = \sqrt{2} \times \sqrt[6]{4} \times \sqrt[24]{8}$

$= \sqrt{2} \times \sqrt[6]{2^2} \times \sqrt[24]{2^3}$

$= 2^{\frac{1}{2}} \times 2^{\frac{1}{3}} \times 2^{\frac{1}{8}} = 2^{\frac{1}{2}+\frac{1}{3}+\frac{1}{8}} = 2^{\frac{23}{24}}$

$\therefore n = \dfrac{23}{24}$

답 ①

12 Act① 거듭제곱근의 성질과 지수법칙을 이용하여 계산한다.

$\sqrt{\dfrac{\sqrt[5]{2}}{\sqrt[4]{4}}} \div \sqrt[3]{\dfrac{\sqrt{2}}{\sqrt[5]{8}}} \times \sqrt{\dfrac{\sqrt[3]{16}}{\sqrt{2}}}$

$= \dfrac{2^{\frac{1}{10}}}{2^{\frac{1}{4}}} \div \dfrac{2^{\frac{1}{6}}}{2^{\frac{1}{5}}} \times \dfrac{2^{\frac{2}{3}}}{2^{\frac{1}{4}}}$

$= \dfrac{2^{\frac{1}{10}+\frac{1}{5}+\frac{2}{3}}}{2^{\frac{1}{4}+\frac{1}{6}+\frac{1}{4}}} = \dfrac{2^{\frac{29}{30}}}{2^{\frac{2}{3}}}$

$= 2^{\frac{29}{30}-\frac{2}{3}} = 2^{\frac{3}{10}}$

$\therefore k = \dfrac{3}{10}$

답 ③

기출유형 **04**

Act① 관계식을 이용하여 12와 3을 2의 거듭제곱으로 나타낸 후 지수법칙을 이용한다.

$12 = 16^{\frac{1}{a}} = (2^4)^{\frac{1}{a}} = 2^{\frac{4}{a}}$, $3 = 2^{\frac{1}{b}}$이므로

$2^{\frac{4}{a}-\frac{1}{b}} = \dfrac{12}{3} = 4$

답 ④

13 Act① 관계식을 이용하여 4를 2의 거듭제곱으로 나타낸 후 지수법칙을 이용한다.

$2^{2a+b} = 27$이고,

$4^{a-3b} = \dfrac{1}{25}$에서 $2^{2(a-3b)} = \left(\dfrac{1}{5}\right)^2$이므로 $2^{a-3b} = \dfrac{1}{5}$

$\therefore 2^{3a-2b} = 2^{2a+b} \times 2^{a-3b} = \dfrac{27}{5}$

답 ④

14 Act① 관계식을 이용하여 75와 3을 5의 거듭제곱으로 나타낸 후 지수법칙을 이용한다.

$75 = 5^{\frac{1}{x}}$, $3 = 5^{\frac{2}{y}}$이므로 $5^{\frac{1}{x}} = \dfrac{1}{75}$, $5^{\frac{2}{y}} = 3$이다.

$5^{\frac{1}{x}+\frac{2}{y}} = 5^{\frac{1}{x}} \times 5^{\frac{2}{y}} = \dfrac{1}{75} \times 3 = \dfrac{1}{25} = 5^{-2}$

$\therefore \dfrac{1}{x} + \dfrac{2}{y} = -2$

답 ①

15 Act① 관계식을 이용하여 2와 3을 6의 거듭제곱으로 나타낸 후 지수법칙을 이용한다.

$2^x = 6$에서 $2 = 6^{\frac{1}{x}}$

$3^y = 6$에서 $3 = 6^{\frac{1}{y}}$

$2 \times 3 = 6^{\frac{1}{x}} \times 6^{\frac{1}{y}} = 6^{\frac{1}{x}+\frac{1}{y}}$

$\therefore \dfrac{1}{x} + \dfrac{1}{y} = 1$

답 ③

16 Act① 관계식을 이용하여 2와 20을 10의 거듭제곱으로 나타낸 후 지수법칙을 이용한다.

$2^a = 100$에서

$2 = 100^{\frac{1}{a}} = (10^2)^{\frac{1}{a}} = 10^{\frac{2}{a}}$ ······㉠

$20^b = 1000$에서

$20 = 1000^{\frac{1}{b}} = (10^3)^{\frac{1}{b}} = 10^{\frac{3}{b}}$ ······㉡

㉡÷㉠을 하면 $10 = 10^{\frac{3}{b}-\frac{2}{a}}$

$\dfrac{3}{b} - \dfrac{2}{a} = 1$

답 ④

기출유형 **05**

Act① $a + a^{-1} = \left(a^{\frac{1}{2}} + a^{-\frac{1}{2}}\right)^2 - 2$임을 이용한다.

$\left(a^{\frac{1}{2}} + a^{-\frac{1}{2}}\right)^2 = a + 2 + a^{-1}$이므로

$a + a^{-1} = \left(a^{\frac{1}{2}} + a^{-\frac{1}{2}}\right)^2 - 2$

$= 100 - 2 = 98$

답 98

17 Act① $8^a+8^{-a}=(2^a+2^{-a})(4^a-1+4^{-a})$임을 이용한다.

$$\frac{8^a+8^{-a}}{2^a+2^{-a}}=\frac{(2^a+2^{-a})(4^a-1+4^{-a})}{2^a+2^{-a}}$$
$$=(2^a+2^{-a})^2-3$$
$$=6$$

답 ④

18 Act① $x^{\frac{1}{2}}+x^{-\frac{1}{2}}$의 값을 구한 다음 세제곱하여 $x^{\frac{3}{2}}+x^{-\frac{3}{2}}$의 값을 구한다.

$x+x^{-1}=3$, $\left(x^{\frac{1}{2}}+x^{-\frac{1}{2}}\right)^2=x+x^{-1}+2=5$이므로
$$x^{\frac{1}{2}}+x^{-\frac{1}{2}}=\sqrt{5}$$
$$x^{\frac{3}{2}}+x^{-\frac{3}{2}}=\left(x^{\frac{1}{2}}+x^{-\frac{1}{2}}\right)^3-3\left(x^{\frac{1}{2}}+x^{-\frac{1}{2}}\right)$$
$$=5\sqrt{5}-3\sqrt{5}=2\sqrt{5}$$

답 ⑤

19 Act① 분자, 분모를 인수분해하여 공통인수를 약분한다.

$$\sqrt{\frac{3^{14}+3^{10}}{3^8+3^4}}=\sqrt{\frac{3^{10}(3^4+1)}{3^4(3^4+1)}}=3^3=27$$

답 27

20 Act① $2^{-a}+2^{-b}=\frac{2^a+2^b}{2^{a+b}}=\frac{9}{4}$임을 이용하여 2^{a+b}의 값을 구한다.

$$2^{-a}+2^{-b}=\frac{1}{2^a}+\frac{1}{2^b}$$
$$=\frac{2^a+2^b}{2^{a+b}}$$
$$=\frac{9}{4} \quad \cdots\cdots \text{㉠}$$

그런데 $2^a+2^b=2$이므로 이 값을 ㉠에 대입하면
$$\frac{2}{2^{a+b}}=\frac{9}{4}$$
$$2^{a+b}=2\times\frac{4}{9}=\frac{8}{9}$$

따라서 $p=9$, $q=8$이므로
$$p+q=17$$

답 17

기출유형 05

Act① 식이 주어진 경우에는 주어진 식에 알맞은 값을 대입한다.

$$\frac{Q_A}{Q_B}=\frac{0.01\,t^{1.25}\,w^{0.25}}{0.05\,t^{0.75}\,w^{0.30}}=\frac{t^{0.5}}{5w^{0.05}}$$

이므로 이 식에 $t=20$, $w=8$을 대입하면
$$\frac{Q_A}{Q_B}=\frac{20^{0.5}}{5\times8^{0.05}}=\frac{(4\times5)^{0.5}}{5\times2^{0.15}}=2^{-0.85}\times5^{-0.5}$$

따라서 $a=0.85$, $b=-0.5$이므로
$a+b=0.35$

답 ②

21 Act① 식이 주어진 경우에는 주어진 식에 알맞은 값을 대입한다.

$$P_1=\frac{72-65}{14}\times(1.05)^{10}$$
$$=\frac{1}{2}\times1.05^{10} \quad \cdots\cdots \text{㉠}$$

$$4P_1=\frac{79-65}{14}\times(1.05)^x$$
$$=1.05^x \quad \cdots\cdots \text{㉡}$$

㉠, ㉡에서
$$4\times\frac{1}{2}\times1.05^{10}=1.05^x$$
$$1.05^{x-10}=2$$
$1.05^{14}=2$이므로
$$1.05^{x-10}=1.05^{14}$$
$$x-10=14$$
$$\therefore x=24$$

답 ②

22 Act① 식이 주어진 경우에는 주어진 식에 알맞은 값을 대입한다.

$r=10^{2.7}$, $m=1.3$이므로
$$\left(\frac{10^{2.7}}{10}\right)^2=100^{\frac{1}{5}(1.3-M)}, \quad 10^{3.4}=10^{\frac{2}{5}(1.3-M)}$$
$$3.4=\frac{2}{5}(1.3-M), \quad 2M=-14.4$$
$$\therefore M=-7.2$$

답 ④

VIT Very Important Test pp. 14~15

01. ③	02. ⑤	03. ③	04. ②	05. ③
06. ⑤	07. ③	08. ④	09. 4	10. ②
11. ①	12. ②			

01

$$\sqrt{3}\times27^{\frac{1}{2}}=3^{\frac{1}{2}}\times(3^3)^{\frac{1}{2}}=3^{\frac{1}{2}}\times3^{\frac{3}{2}}=3^{\frac{1}{2}+\frac{3}{2}}=9$$

답 ③

02

a는 3의 세제곱근이므로
$$a^3=3$$
$\sqrt{3}$은 b의 네제곱근이므로
$$(\sqrt{3})^4=b$$
$$\therefore \left(\frac{b}{a}\right)^3=\frac{b^3}{a^3}=\frac{9^3}{3}=243$$

답 ⑤

03

ㄱ. 3의 세제곱근을 x라 하면 $x^3=3$이므로 3의 세제곱근 중 실수인 것은 $\sqrt[3]{3}$이다.

ㄴ. $a<0$이면 a의 네제곱근 중 실수인 것은 존재하지 않는다.

ㄷ. 실수 a의 다섯제곱근을 x라 하면 x는 방정식 $x^5=a$의 근이므로 집합 $\{x\,|\,x^5=a,\ x$는 복소수$\}$의 원소이다.

따라서 옳은 것은 ㄱ, ㄷ이다.

답 ③

04

$$a=\sqrt{\sqrt[3]{4}}=\sqrt[6]{4}=\sqrt[6]{2^2}=\sqrt[3]{2}$$
$$b=\sqrt[3]{16}=\sqrt[3]{2^3\cdot2}=2\sqrt[3]{2}$$

$$\therefore b-a=2\sqrt[3]{2}-\sqrt[3]{2}=\sqrt[3]{2}$$ 답 ②

05

-1의 거듭제곱근 중 실수는 없으므로
$$f_2(-1)=0$$
-2의 세제곱근 중 실수는 $\sqrt[3]{-2}$ 오직 한 개이므로
$$f_3(-2)=1$$
3의 네제곱근 중 실수는 $\sqrt[4]{3}$, $-\sqrt[4]{3}$으로 두 개이므로
$$f_4(3)=2$$
$$\therefore f_2(-1)+f_3(-2)+f_4(3)=3$$ 답 ③

06

$$\begin{aligned}\sqrt{3\sqrt{3\sqrt{3\sqrt{3}}}}&=\sqrt{3}\times\sqrt[4]{3}\times\sqrt[8]{3}\times\sqrt[16]{3}\\&=3^{\frac{1}{2}}\times3^{\frac{1}{4}}\times3^{\frac{1}{8}}\times3^{\frac{1}{16}}\\&=3^{\frac{1}{2}+\frac{1}{4}+\frac{1}{8}+\frac{1}{16}}\\&=3^{\frac{15}{16}}\end{aligned}$$
$$\therefore k=\frac{15}{16}$$ 답 ⑤

07

$$\begin{aligned}(5^{\sqrt{2}})^{2\sqrt{3}}\div5^{3\sqrt{6}}\times(\sqrt[3]{5})^{6\sqrt{6}}&=5^{2\sqrt{6}}\div5^{3\sqrt{6}}\times5^{2\sqrt{6}}\\&=5^{2\sqrt{6}-3\sqrt{6}+2\sqrt{6}}=5^{\sqrt{6}}\end{aligned}$$
$$\therefore k=\sqrt{6}$$ 답 ③

08

$3^a=2$이므로 이 식을 $2^b=\sqrt{3}$에 대입하면
$$(3^a)^b=\sqrt{3}$$
이 식을 정리하면 $3^{ab}=3^{\frac{1}{2}}$이므로 $ab=\dfrac{1}{2}$ 답 ④

09

$2^{a-1}=3$에서 $2^a=6$
$$5=6^{2b}=(2^a)^{2b}=2^{2ab}$$
$$\therefore 5^{\frac{1}{ab}}=(2^{2ab})^{\frac{1}{ab}}=2^2=4$$ 답 4

10

관계식을 이용하여 a, b, c를 각각 3, 7, 11의 거듭제곱으로 나타낸 후 지수법칙을 이용한다.
$a^6=3$에서 $a=3^{\frac{1}{6}}$
$b^5=7$에서 $b=7^{\frac{1}{5}}$
$c^2=11$에서 $c=11^{\frac{1}{2}}$
$$\therefore (abc)^n=(3^{\frac{1}{6}}\cdot7^{\frac{1}{5}}\cdot11^{\frac{1}{2}})^n$$
이때 $(abc)^n$, 즉 $3^{\frac{n}{6}}\cdot7^{\frac{n}{5}}\cdot11^{\frac{n}{2}}$이 자연수가 되려면 $\dfrac{n}{6}$, $\dfrac{n}{5}$, $\dfrac{n}{2}$이 모두 자연수이어야 한다.
따라서 최소의 자연수 n은 2, 5, 6의 최소공배수이므로 $n=30$이다. 답 ②

11

관계식을 이용하여 184와 23을 각각 32와 8의 거듭제곱으로 나타낸 후 지수법칙을 이용한다.

$184^m=32$, 즉 $184^m=2^5$에서
$$184=(2^5)^{\frac{1}{m}}=2^{\frac{5}{m}}\quad\cdots\cdots\ \unicode{x1D4F3}$$
$23^n=8$, 즉 $23^n=2^3$에서
$$23=(2^3)^{\frac{1}{n}}=2^{\frac{3}{n}}\quad\cdots\cdots\ \unicode{x1D4F4}$$
$\unicode{x1D4F3}\div\unicode{x1D4F4}$을 하면
$$184\div23=2^{\frac{5}{m}}\div2^{\frac{3}{n}}=2^{\frac{5}{m}-\frac{3}{n}}$$
이때 $184\div23=8=2^3$이므로 $2^3=2^{\frac{5}{m}-\frac{3}{n}}$
$$\therefore \frac{5}{m}-\frac{3}{n}=3$$ 답 ①

12

식이 주어진 경우에는 주어진 식에 알맞은 값을 대입한다.
10년 후의 세계 인구가 현재의 1.5배가 되므로
$$65\left(1+\frac{a}{100}\right)^{10}=65\times1.5$$
$$\left(1+\frac{a}{100}\right)^{10}=1.5$$
$$1+\frac{a}{100}=1.5^{\frac{1}{10}}\quad\cdots\cdots\ \unicode{x1D4F3}$$
n년 후의 세계 인구가 현재의 2배가 된다고 하면
$$65\left(1+\frac{a}{100}\right)^n=65\times2$$
$$\left(1+\frac{a}{100}\right)^n=2\quad\cdots\cdots\ \unicode{x1D4F4}$$
$\unicode{x1D4F3}$, $\unicode{x1D4F4}$에서 $1.5^{\frac{n}{10}}=2$
이때 $1.5^{1.7}=2$에서 $\dfrac{n}{10}=1.7$이므로
$$n=10\times1.7=17$$ 답 ②

02 로그

pp. 16~17

01. 128	**02.** ①	**03.** ③	**04.** ③	**05.** ②
06. 17	**07.** 147			

01 로그의 정의에 의해 $a=4^{\frac{7}{2}}=(2^2)^{\frac{7}{2}}=2^7=128$이다. 답 128

02 $\log_{15}3+\log_{15}5=\log_{15}(3\times5)=\log_{15}15=1$ 답 ①

03 $\log_2 24-\log_2 3=\log_2 8=\log_2 2^3=3\log_2 2=3$ 답 ③

04 $$\begin{aligned}\log_5 27\times\log_3 5&=\frac{\log 27}{\log 5}\times\frac{\log 5}{\log 3}\\&=\frac{3\log 3}{\log 5}\times\frac{\log 5}{\log 3}=3\end{aligned}$$ 답 ③

05 $$\begin{aligned}\log\sqrt{419}&=\frac{1}{2}\log 419\\&=\frac{1}{2}\log(4.19\times100)\end{aligned}$$

$$=\frac{1}{2}(\log 4.19+\log 100)$$

$$=\frac{1}{2}(\log 4.19+2)$$이고

상용로그표에서 $\log 4.19=0.6222$

$$\therefore \log \sqrt{419}=\frac{1}{2}(0.6222+2)=1.3111 \qquad \text{답 ②}$$

06 $\log 10<\log 16<\log 100$이므로

$\log 16$의 정수 부분은 1이고 소수 부분은 $\log 16-1$이다.

$$\therefore a+b=17 \qquad \text{답 17}$$

07 $\log A=2.1673=2+0.1673$

$\qquad =\log 100+\log 1.47=\log 147$

$$\therefore A=147 \qquad \text{답 147}$$

기출유형 01

Act① 로그의 정의에서 밑은 1이 아닌 양수이고, 진수는 양수이어야 한다.

밑의 조건에서 $a>0$, $a\neq 1$ $\qquad\cdots\cdots\bigcirc$

진수의 조건에서

모든 실수 x에 대하여 $x^2+2ax+5a>0$이어야 한다.

판별식 $D=4a^2-20a=4a(a-5)<0$에서

$0<a<5$ $\qquad\cdots\cdots\bigcirc$

$\bigcirc$, $\bigcirc$에서 $0<a<5$, $a\neq 1$

따라서 정수 a는 2, 3, 4이므로 합은 9 $\qquad$ 답 ①

01 **Act①** 로그의 정의에서 밑은 1이 아닌 양수이고, 진수는 양수이어야 한다.

밑의 조건에서

$x-1>0$, $x-1\neq 1$

$x>1$, $x\neq 2$ $\qquad\cdots\cdots\bigcirc$

진수의 조건에서

$-x^2+4x+5>0$

$x^2-4x-5<0$

$(x+1)(x-5)<0$

$-1<x<5$ $\qquad\cdots\cdots\bigcirc$

$\bigcirc$, $\bigcirc$에서 $1<x<5$, $x\neq 2$

따라서 정수 x는 3, 4이므로 합은 7 $\qquad$ 답 ③

02 **Act①** 로그의 정의에서 밑은 1이 아닌 양수이고, 진수는 양수이어야 한다.

밑의 조건에서

$x-3>0$, $x-3\neq 1$

$x>3$, $x\neq 4$ $\qquad\cdots\cdots\bigcirc$

진수의 조건에서

$-x^2+11x-24>0$

$x^2-11x+24<0$

$(x-3)(x-8)<0$

$3<x<8$ $\qquad\cdots\cdots\bigcirc$

$\bigcirc$, $\bigcirc$에서 $3<x<8$, $x\neq 4$

따라서 정수 x는 5, 6, 7이므로 합은

$5+6+7=18 \qquad$ 답 18

03 **Act①** 로그의 정의에서 밑은 1이 아닌 양수이고, 진수는 양수이어야 한다.

밑의 조건에서

$x-2>0$, $x-2\neq 1$

$x>2$, $x\neq 3$ $\qquad\cdots\cdots\bigcirc$

진수 조건에서

$5-x>0$

$x<5$ $\qquad\cdots\cdots\bigcirc$

$\bigcirc$, $\bigcirc$에서 $2<x<5$, $x\neq 3$

따라서 정수 x는 4로 그 개수는 1이다. $\qquad$ 답 1

04 **Act①** 로그의 정의에서 밑은 1이 아닌 양수이고, 진수는 양수이어야 한다.

ㄱ. 밑의 조건 $a^2-a+2=\left(a-\frac{1}{2}\right)^2+\frac{7}{4}>1$

진수의 조건 $a^2+1\geq 1$

따라서 항상 로그를 정의할 수 있다.

ㄴ. [반례] $a=0$일 때 밑은 $2|a|+1=1$

이므로 로그를 정의할 수 없다.

ㄷ. [반례] $a=1$일 때 진수는 $a^2-2a+1=0$

이므로 로그를 정의할 수 없다.

따라서 항상 로그를 정의할 수 있는 것은 ㄱ뿐이다. $\qquad$ 답 ①

기출유형 02

Act① 밑이 같은 로그의 계산은 로그의 기본 성질을 이용하여 식을 간단히 한다.

$$\log_3\left(\frac{9}{2}\times 6\right)=\log_3 3^3=3 \qquad \text{답 3}$$

05 **Act①** 밑이 같은 로그의 계산은 로그의 기본 성질을 이용하여 식을 간단히 한다.

$$\log_3 9 + \log_3 \sqrt{3} = 2 + \frac{1}{2} = \frac{5}{2}$$

답 ⑤

06 **Act①** 밑이 같은 로그의 계산은 로그의 기본 성질을 이용하여 식을 간단히 한다.

$$\log_3 18 - \frac{1}{2}\log_3 4 = \log_3 18 - \log_3 2$$
$$= \log_3 \frac{18}{2}$$
$$= \log_3 9$$
$$= 2$$

답 2

07 **Act①** 두 점 (x_1, y_1), (x_2, y_2)를 지나는 직선의 기울기는 $\dfrac{y_2 - y_1}{x_2 - x_1}$임을 이용한다.

두 점 $(1, \log_2 5)$, $(2, \log_2 10)$을 지나는 직선의 기울기는

$$\frac{\log_2 10 - \log_2 5}{2 - 1} = \log_2 \frac{10}{5} = \log_2 2 = 1$$

답 ①

08 **Act①** 이차방정식 $ax^2 + bx + c = 0$의 두 근을 α, β라 할 때, 두 근의 합은 $-\dfrac{b}{a}$, 두 근의 곱은 $\dfrac{c}{a}$임을 이용한다.

이차방정식의 근과 계수의 관계에서
$\alpha + \beta = 18$, $\alpha\beta = 6$
이므로

$$\log_2 (\alpha + \beta) - 2\log_2 \alpha\beta = \log_2 18 - \log_2 6^2$$
$$= \log_2 \frac{18}{36}$$
$$= \log_2 \frac{1}{2}$$
$$= -1$$

답 ⑤

기출유형 03

Act① 로그의 밑이 같지 않을 때에는 로그의 밑의 변환 공식을 이용하여 밑을 같게 한 후 식을 간단히 한다.

$$\frac{1}{\log_4 18} + \frac{2}{\log_9 18} = \log_{18} 4 + 2\log_{18} 9$$
$$= \log_{18} 2^2 + 2\log_{18} 3^2$$
$$= \log_{18} 2^2 + \log_{18} (3^2)^2$$
$$= \log_{18} 2^2 + \log_{18} 3^4$$
$$= \log_{18} (2^2 \times 3^4)$$
$$= \log_{18} (2 \times 3^2)^2$$
$$= \log_{18} 18^2$$
$$= 2\log_{18} 18 = 2$$

답 ②

09 **Act①** 로그의 밑의 변환 공식을 이용하여 $\log_b a$의 밑을 2로 변형한다.

$$\log_b a = \frac{\log_2 a}{\log_2 b} = \frac{54}{9} = 6$$

답 ②

10 **Act①** $\log_9 b$의 밑을 a로 변형한다.

$$\log_a 3 \times \log_9 b = \log_a 3 \times \frac{\log_a b}{\log_a 9}$$
$$= \log_a 3 \times \frac{\log_a b}{2\log_a 3}$$
$$= \frac{1}{2}\log_a b = 10$$
$$\therefore \log_a b = 20$$

답 20

11 **Act①** $\log_a 8 = 2$의 좌변의 밑을 2로 변형한다.

$$\log_a 8 = \log_a 2^3 = 3\log_a 2 = 2$$
$$\log_a 2 = \frac{2}{3}, \ \log_2 a = \frac{3}{2}$$
$$\therefore 10 \times \log_2 a = 10 \times \frac{3}{2} = 15$$

답 15

12 **Act①** 이차방정식 $ax^2 + bx + c = 0$의 두 근을 α, β라 할 때, 두 근의 합은 $-\dfrac{b}{a}$, 두 근의 곱은 $\dfrac{c}{a}$임을 이용한다.

이차방정식의 근과 계수의 관계에서
$\log_{10} a + \log_{10} b = 4$, $\log_{10} a \times \log_{10} b = 2$

$$\log_a b + \log_b a = \frac{\log_{10} b}{\log_{10} a} + \frac{\log_{10} a}{\log_{10} b}$$
$$= \frac{(\log_{10} a)^2 + (\log_{10} b)^2}{\log_{10} a \times \log_{10} b}$$
$$= \frac{(\log_{10} a + \log_{10} b)^2 - 2\log_{10} a \times \log_{10} b}{\log_{10} a \times \log_{10} b}$$
$$= \frac{4^2 - 2 \times 2}{2}$$
$$= 6$$

답 6

기출유형 04

Act① $\log_{a^m} b^n = \dfrac{n}{m}\log_a b$임을 이용한다.

$$\log_4 \sqrt{8} - \log_{\frac{1}{2}} 4 = \log_{2^2} 2^{\frac{3}{2}} - \log_{2^{-1}} 2^2$$
$$= \frac{\frac{3}{2}}{2}\log_2 2 - \frac{2}{-1}\log_2 2$$
$$= \frac{3}{4}\log_2 2 + 2\log_2 2$$
$$= \frac{11}{4}$$

답 ⑤

13 **Act①** $a^{\log_c b} = b^{\log_c a}$임을 이용하여 주어진 식을 간단히 한다.

$3^{\log_2 5} = 5^{\log_2 3}$이므로

$$3^{\log_2 5} \times \left(\frac{4}{5}\right)^{\log_2 3} = 5^{\log_2 3} \times \frac{4^{\log_2 3}}{5^{\log_2 3}}$$
$$= 4^{\log_2 3} = 2^{2\log_2 3}$$
$$= (2^{\log_2 3})^2 = 3^2 = 9$$

답 ⑤

$3^{\log_2 5}=k$라 하면

$\log_2 k=\log_2 3^{\log_2 5}$

$\qquad=\log_2 3\times\log_2 5$

$\qquad=\log_2 5^{\log_2 3}$

$\therefore 3^{\log_2 5}=5^{\log_2 3}$

---

14 Act❶ $\log_{a^m} b^n=\dfrac{n}{m}\log_a b$임을 이용한다.

$\log_{\sqrt{2}} 9^{\log_3 8}=\log_{2^{\frac{1}{2}}} 3^{2\log_3 8}=2\log_2 2^6=12$

답 12

15 Act❶ $\log_{a^m} b^n=\dfrac{n}{m}\log_a b$임을 이용한다.

$\left(\log_5 2+\log_{25}\dfrac{1}{2}\right)\left(\log_2 5+\log_4 \dfrac{1}{5}\right)$

$=(\log_5 2+\log_{5^2} 2^{-1})(\log_2 5+\log_{2^2} 5^{-1})$

$=\left(\log_5 2-\dfrac{1}{2}\log_5 2\right)\left(\log_2 5-\dfrac{1}{2}\log_2 5\right)$

$=\dfrac{1}{2}\log_5 2\times\dfrac{1}{2}\log_2 5$

$=\dfrac{1}{4}$

답 ③

16 Act❶ 로그의 여러 가지 성질을 이용하여 참, 거짓을 판단한다.

ㄱ. $2^{\log_2 1+\log_2 2+\log_2 3+\cdots+\log_2 10}$

$\qquad=2^{\log_2 (1\times2\times3\times\cdots\times10)}=2^{\log_2 10!}=(10!)^{\log_2 2}$

$\qquad=(10!)^1=10!$ (참)

ㄴ. $\log_2 (2^1\times2^2\times2^3\times\cdots\times2^{10})^2$

$\qquad=\log_2 2^{2(1+2+3+\cdots+10)}=\log_2 2^{110}=110$ (거짓)

ㄷ. $(\log_2 2^1)(\log_2 2^2)(\log_2 2^3)\cdots(\log_2 2^{10})$

$\qquad=1\times2\times3\times\cdots\times10=10!$ (거짓)

답 ①

Act❶ 로그의 정의를 이용하여 관계식을 지수로 나타낸 다음 식에 대입한다.

로그의 정의에서 $2^a=5$이고 $5^b=7$이므로

$(2^a)^b=5^b=7$

답 ①

[다른 풀이]

$ab=\log_2 5\times\log_5 7$

$\quad=\dfrac{\log_{10} 5}{\log_{10} 2}\times\dfrac{\log_{10} 7}{\log_{10} 5}$

$\quad=\dfrac{\log_{10} 7}{\log_{10} 2}=\log_2 7$

$\therefore (2^a)^b=2^{ab}=2^{\log_2 7}=7$

17 Act❶ 로그의 정의를 이용하여 관계식을 지수로 나타낸 다음 식에 대입한다.

로그의 정의를 이용하여 $\log_2 \dfrac{a}{4}=b$를 지수로 나타내면

$\dfrac{a}{4}=2^b$, 즉 $a=4\times2^b$

$\therefore \dfrac{2^b}{a}=\dfrac{2^b}{4\times2^b}=\dfrac{1}{4}$

답 ③

18 Act❶ 지수의 관계식을 이용하여 로그의 밑과 진수를 같은 문자에 대하여 정리한다.

$b=a^{\frac{1}{2}}$, $c=b^{\frac{2}{3}}$, $a=c^3$이므로

$\log_a b+\log_b c+\log_c a$

$=\log_a a^{\frac{1}{2}}+\log_b b^{\frac{2}{3}}+\log_c c^3$

$=\dfrac{1}{2}+\dfrac{2}{3}+3=\dfrac{25}{6}$

답 ②

19 Act❶ 로그의 정의를 이용하여 [보기]의 참, 거짓을 판단한다.

로그의 정의에서 $a=\log_2 c$, $b=\log_2 d$이므로

ㄱ. $c^b=c^{\log_2 d}=d^{\log_2 c}=d^a$ (참)

ㄴ. $a+b=\log_2 c+\log_2 d=\log_2 cd$ (참)

ㄷ. $\dfrac{a}{b}=\dfrac{\log_2 c}{\log_2 d}=\log_d c$ (거짓)

답 ③

20 Act❶ 로그의 정의를 이용하여 관계식을 로그로 나타낸 다음 방정식에 대입한다.

로그의 정의를 이용하여 $2^a=5$를 로그로 나타내면 $a=\log_2 5$이므로

$\log_2 (\log_5 x)+\log_2 (\log_2 5)=2$

$\log_2 (\log_5 x\cdot\log_2 5)=2$

로그의 정의에서

$\log_5 x\cdot\log_2 5=2^2=4$

양변에 $\log_5 2$를 곱하면

$\log_5 x=4\log_5 2=\log_5 2^4$

따라서 $x=2^4$이므로

$\log_2 \beta=\log_2 2^4=4$

답 ⑤

Act❶ $n\leq\log_a M<n+1$의 정수 부분은 n, 소수 부분은 $\log_a M-n$임을 이용한다.

$\log_3 3^2<\log_3 10<\log_3 3^3$이므로

$2<\log_3 10<3$

$\log_3 10$의 정수 부분은 2이므로 소수 부분은

$\alpha=\log_3 10-2=\log_3 \dfrac{10}{9}$

$\therefore 3^\alpha=3^{\log_3 \frac{10}{9}}=\dfrac{10}{9}$

답 ②

21 Act❶ $n\leq\log_a M<n+1$의 정수 부분은 n, 소수 부분은 $\log_a M-n$임을 이용한다.

$\log_3 3<\log_3 5<\log_3 9$이므로

$1 < \log_3 5 < 2$

따라서 $a=1$, $b=\log_3 5-1$이므로

$a-b=1-(\log_3 5-1)=2-\log_3 5$

$\quad\quad =\log_3 9-\log_3 5=\log_3 \dfrac{9}{5}$ 　　　　답 ③

22 Act❶ 로그의 성질을 이용하여 주어진 식을 간단히 한다.

$\dfrac{1}{4}\log 2^{2n}+\dfrac{1}{2}\log 5^n=\dfrac{n}{2}\log 2+\dfrac{n}{2}\log 5$

$\quad\quad\quad\quad\quad\quad\quad =\dfrac{n}{2}\log 10=\dfrac{n}{2}$

이다. $\dfrac{n}{2}$이 정수이므로 n은 2의 배수이다.

따라서 50 이하의 자연수 n의 개수는 25이다. 　　답 ②

23 Act❶ 조건 (가), (나)에서 $10^5 \le k < 10^6$, $\log \dfrac{\sqrt{k}}{7}=n$ (n은 정수)임을 이용한다.

(가)에서 $5 \le \log k < 6$이므로

$10^5 \le k < 10^6$ ······ ㉠

(나)에서 $\log \dfrac{\sqrt{k}}{7}$의 소수 부분이 0이므로

$\log \dfrac{\sqrt{k}}{7}=n$ (n은 정수)

따라서 $\dfrac{\sqrt{k}}{7}=10^n$이므로

$k=49 \times 10^{2n}$ ······ ㉡

㉠, ㉡에서 $n=2$이므로

$k=49 \times 10^4=490000$

$\therefore \dfrac{k}{1000}=490$ 　　　　　　　답 490

24 Act❶ $\log x$의 소수 부분을 α라 하면 $\log x=3+\alpha$ $(0 \le \alpha < 1)$임을 이용한다.

$\log x$의 소수 부분을 α라 하면

$\log x=3+\alpha$ $(0 \le \alpha < 1)$

$\log \sqrt{x}=\dfrac{1}{2}\log x=\dfrac{3+\alpha}{2}=1+\dfrac{1+\alpha}{2}$

$\dfrac{1}{2} \le \dfrac{1+\alpha}{2} < 1$

이고 문제의 조건에서

$\alpha+\dfrac{1+\alpha}{2}=\dfrac{3}{4}$

$\therefore \alpha=\dfrac{1}{6}$

따라서 $\log \sqrt{x}$의 소수 부분은 $\dfrac{1+\alpha}{2}=\dfrac{7}{12}$ 　답 ④

기출유형 07

Act❶ 양수 N에 대하여 $\log N$의 정수 부분이 n이면 N은 $(n+1)$자리의 수임을 이용한다.

A^{100}이 234자리의 수이므로

$233 \le \log A^{100} < 234$

$2.33 \le \log A < 2.34$

$46.6 \le 20\log A < 46.8$

$\log A^{20}$의 정수 부분이 46이므로 A^{20}은 47자리의 수이다.
　　　　　　　　　　　　　　　　　　　　　답 ②

25 Act❶ 양수 N에 대하여 $\log N$의 정수 부분이 n이면 N은 $(n+1)$자리의 수임을 이용한다.

$\log 2^{2005}=2005 \times 0.3010=603.505$이므로 2^{2005}은 604자리의 수이다.

$\log 5^{2005}=2005 \times (1-0.3010)=1401.495$이므로 5^{2005}은 1402자리의 수이다.

따라서 $m=604$, $n=1402$이므로

$m+n=2006$ 　　　　　　　　　　　답 ⑤

26 Act❶ 양수 N에 대하여 $\log N$의 정수 부분이 n이면 N은 $(n+1)$자리의 수임을 이용한다.

$\log \left(\dfrac{5}{2}\right)^{100}=100(\log 5-\log 2)$

$\quad\quad\quad\quad =100(0.6990-0.3010)=100 \times 0.3980$

$\quad\quad\quad\quad =39+0.8$

정수 부분이 39이므로 정수 부분은 40자리의 수이다. 답 ③

27 Act❶ 상용로그의 값이 음수인 경우 $0 \le$ (소수 부분) < 1이어야 함에 주의하여 푼다.

$\log 20^{10}=10\log 20=10(1+\log 2)$

$\quad\quad\quad\quad =10(1+0.3010)=13.010$

이므로 20^{10}은 14자리의 정수이다.

$\log \left(\dfrac{1}{\sqrt{2}}\right)^{40}=\log \left(2^{-\frac{1}{2}}\right)^{40}=\log 2^{-20}$

$\quad\quad\quad\quad\quad =-20\log 2=-6.020=-7+0.980$

이므로 $\left(\dfrac{1}{2}\right)^{40}$은 소수점 아래 7번째 자리에서 처음으로 0이 아닌 수가 나타난다.

따라서 $m=14$, $n=7$이므로

$m+n=14+7=21$ 　　　　　　　　답 ①

28 Act❶ 상용로그의 값이 음수인 경우 $0 \le$ (소수 부분) < 1이어야 함에 주의하여 푼다.

$\log 3^{10}=10\log 3=4.771$

이므로 3^{10}은 5자리의 정수이다.

$\log \left(\dfrac{3}{10}\right)^{10}=10\log 3-10=-6+0.771$

이므로 $\left(\dfrac{3}{10}\right)^{10}$은 소수점 아래 6번째 자리에서 처음으로 0이 아닌 수가 나타난다.

따라서 $m=5$, $n=6$이므로

$5+6=11$ 　　　　　　　　　　　　답 ①

Act① 식이 주어진 경우 식에 알맞은 문자 또는 값을 대입한 다음 로그의 정의 및 성질을 이용한다.

도로 구간의 교통량이 도로 용량의 2배이므로 $\dfrac{V}{C}=2$,

통행 시간은 기준 통행 시간의 $\dfrac{7}{2}$배이므로 $\dfrac{t}{t_0}=\dfrac{7}{2}$

$\therefore \log\left(\dfrac{7}{2}-1\right)=k+4\log 2$

$\therefore k=1-6\log 2$ 　　　　　　　답 ④

29 **Act①** 식이 주어진 경우 식에 알맞은 문자 또는 값을 대입한 다음 로그의 정의 및 성질을 이용한다.

$10=C\log\dfrac{10(30-6)}{6(30-10)}$에서 $C=\dfrac{10}{\log 2}$

$T=\dfrac{10}{\log 2}\cdot\log\dfrac{15(30-6)}{6(30-15)}=20$ 　　　답 ②

30 **Act①** 식이 주어진 경우 식에 알맞은 문자 또는 값을 대입한 다음 로그의 정의 및 성질을 이용한다.

$80=10\left(12+\log\dfrac{I}{1^2}\right)=120+10\log I$에서 $\log I=-4$

$\therefore a=10\left(12+\log\dfrac{I}{10^2}\right)$

$\quad=120+10\log I-20$

$\quad=60$ 　　　　　　　답 ③

VIT　Very Important Test　　pp. 26~27

01. 48	**02.** ①	**03.** ①	**04.** 67	**05.** ③
06. ③	**07.** 9	**08.** ④	**09.** ③	**10.** ③
11. ③	**12.** ①			

01

$\left(\dfrac{1}{4}\right)^{-2}\times\log_3 27=(2^{-2})^{-2}\times\log_3 3^3=16\times 3=48$ 　　답 48

02

밑의 조건에서

$x-2>0,\ x-2\neq 1$

$x>2,\ x\neq 3$ 　　　　……㉠

진수의 조건에서

$-x^2+8x-7>0$

$x^2-8x+7<0$

$(x-1)(x-7)<0$

$1<x<7$ 　　　　……㉡

㉠, ㉡에서 $2<x<7,\ x\neq 3$

따라서 정수 x는 4, 5, 6의 3개이다. 　　답 ①

03

$\log_2 125\times\log_5 49\times\log_7 8$

$=\log_2 5^3\times\log_5 7^2\times\log_7 2^3$

$=3\log_2 5\times 2\log_5 7\times 3\log_7 2$

$=18\log_2 5\times\log_5 7\times\log_7 2$

$=18$ 　　　　　　　답 ①

04

$\log_3(a+b)=2$에서

$a+b=3^2=9$

$\log_7 a+\log_7 b=1$에서 $\log_7 ab=1$,

즉 $ab=7$

$\therefore a^2+b^2=(a+b)^2-2ab=9^2-2\cdot 7=67$ 　　답 67

05

$\log_{10}144=\log_{10}(2^4\cdot 3^2)$

$\qquad\quad=4\log_{10}2+2\log_{10}3=4a+2b$ 　　답 ③

06

$\log_2 a+\log_2 b=6,\ \log_2 a\cdot\log_2 b=6$이므로

$\log_a b+\log_b a=\dfrac{\log_2 b}{\log_2 a}+\dfrac{\log_2 a}{\log_2 b}$

$\qquad\qquad\qquad=\dfrac{(\log_2 a)^2+(\log_2 b)^2}{\log_2 a\cdot\log_2 b}$

$\qquad\qquad\qquad=\dfrac{(\log_2 a+\log_2 b)^2-2\log_2 a\cdot\log_2 b}{\log_2 a\cdot\log_2 b}$

$\qquad\qquad\qquad=\dfrac{6^2-2\times 6}{6}$

$\qquad\qquad\qquad=\dfrac{24}{6}=4$ 　　　　답 ③

07

직선 AB는 직선 $y=-x+5$에 수직이므로 직선 AB의 기울기는 1이다.

$\dfrac{\log_3 b-\log_3 a}{4-2}=1$

$\log_3 b-\log_3 a=\log_3\dfrac{b}{a}=2$

$\therefore \dfrac{b}{a}=3^2=9$ 　　　　　　答 9

08

$f(n)=2^n-\log_2 n$이므로

ㄱ. $f(4)=2^4-\log_2 4=16-2=14$ (참)

ㄴ. $f(8)=2^8-\log_2 8=2^8-3$

$\quad -f(\log_2 8)=-f(3)=-(2^3-\log_2 3)=-8+\log_2 3$ (거짓)

ㄷ. $f(2^n)+n=2^{2^n}-\log_2 2^n+n$

$\qquad\qquad\quad=2^{2^n}-n+n=2^{2^n}$

$\quad f(2^{n-1})+n-1=2^{2^{n-1}}-\log_2 2^{n-1}+n-1$

$\qquad\qquad\qquad\quad=2^{2^{n-1}}-(n-1)+n-1$

$\qquad\qquad\qquad\quad=2^{2^{n-1}}$

$\quad\{f(2^{n-1})+n-1\}^2=(2^{2^{n-1}})^2$

$\qquad\qquad\qquad\qquad=2^{2^{n-1}\times 2}$

$$=2^{2^{(n-1)+1}}$$
$$=2^{2^n} \text{ (참)}$$

답 ④

09

$4^a \times 8^b = 2^{2a} \times 2^{3b} = 2^{2a+3b} = 5$

$\therefore 2a+3b = \log_2 5$

답 ③

10

$\log 25400 = \log(2.54 \times 10^4)$
$= \log 2.54 + \log 10^4 = 0.4048 + 4 = 4.4048$

답 ③

11

$\log_2 2^2 < \log_2 7 < \log_2 2^3$이므로

$2 < \log_2 7 < 3$

$\log_2 7$의 정수 부분은 2이므로 $x=2$

소수 부분 y는

$y = \log_2 7 - 2 = \log_2 7 - \log_2 4 = \log_2 \dfrac{7}{4}$

$2^x + 4 \cdot 2^y = 2^2 + 4 \cdot 2^{\log_2 \frac{7}{4}}$

$= 4 + 4 \cdot \left(\dfrac{7}{4}\right)^{\log_2 2}$

$= 4 + 4 \cdot \left(\dfrac{7}{4}\right) = 4 + 7 = 11$

답 ③

12

한계 등급이 M일 때 망원경의 구경을 D mm, 한계 등급이 $M+1$일 때 망원경의 구경을 D' mm라 하면

$M = 1.77 + 5\log D$

$M+1 = 1.77 + 5\log D'$

두 식을 연립하여 풀면

$1 = 5(\log D' - \log D)$

$\log \dfrac{D'}{D} = \dfrac{1}{5}$ $\therefore \dfrac{D'}{D} = 10^{\frac{1}{5}}$

따라서 한계 등급을 1등급 올리려면 망원경의 구경은 현재의 $10^{\frac{1}{5}}$배로 늘여야 하므로

$x = \dfrac{1}{5}$

답 ①'

03 지수함수

pp. 28~29

| 01. ① | 02. ③ | 03. ② | 04. ③ |

01
ㄱ. 점근선의 방정식은 x축, 즉 $y=0$이다. (참)

ㄴ. $y = \left(\dfrac{1}{4}\right)^x$에 $x=0$을 대입하면 $y = \left(\dfrac{1}{4}\right)^0 = 1$

따라서 $y = \left(\dfrac{1}{4}\right)^x$의 그래프는 점 $(0, 1)$을 지난다. (참)

ㄷ. $y = \left(\dfrac{1}{4}\right)^x$의 그래프는 $y=4^x$의 그래프와 y축에 대하여 대칭이다. (거짓)

ㄹ. 함수 $y = \left(\dfrac{1}{4}\right)^x$은 감소함수이므로 x의 값이 증가하면 y의 값은 감소한다. (거짓)

따라서 옳은 것은 ㄱ, ㄴ이다.

답 ①

02
지수함수 $y = \dfrac{1}{3}\left(\dfrac{3}{4}\right)^x$에서 밑 $\dfrac{3}{4}$이 $0 < \dfrac{3}{4} < 1$이므로 감소함수이다.

$-1 \le x \le 1$에서 $y = \dfrac{1}{3}\left(\dfrac{3}{4}\right)^x$의 그래프는 그림과 같으므로 y의 값은 $x=-1$일 때 최대, $x=1$일 때 최소이다.

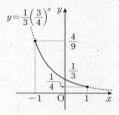

따라서 $M = \dfrac{4}{9}$, $m = \dfrac{1}{4}$이므로

$Mm = \dfrac{4}{9} \cdot \dfrac{1}{4} = \dfrac{1}{9}$

답 ③

03
$2^{2x} - 2^{x+1} - 8 = 0$

$(2^x - 4)(2^x + 2) = 0$

$2^x + 2 > 0$이므로 $2^x - 4 = 0$

$\therefore x = 2$

답 ②

04
$3^{2x} \le 3^{x+4}$에서 $2x \le x+4$

$\therefore x \le 4$

따라서 자연수 x는 1, 2, 3, 4이므로 x의 값의 합은 10

답 ③

기출유형 01

Act ① 그래프의 평행이동과 대칭이동의 성질을 이용하여 [보기]의 참, 거짓을 판단한다.

ㄱ. $y=2^x$의 그래프를 x축에 대하여 대칭이동하면 $-y=2^x$,
즉 $y=-2^x$이다. (거짓)

ㄴ. $y=2^x$을 x축 방향으로 1만큼 평행이동하면 $y=2^{x-1}$이고
그 그래프는 $y=2^x$보다 아래에 놓인다. (참)

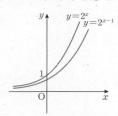

ㄷ. $y=\sqrt{2}\cdot 2^x=2^{\frac{1}{2}}\cdot 2^x=2^{x+\frac{1}{2}}$이므로 그 그래프는 $y=2^x$의 그래
프를 x축 방향으로 $-\dfrac{1}{2}$만큼 평행이동한 것이다. (참)

따라서 옳은 것은 ㄴ, ㄷ이다.   답 ③

01 **Act①** **두 점의 좌표를 대입하여 a, b의 값을 구한다.**

$y=a\times 2^x$에 $(0,4)$를 대입하면

$4=a\times 2^0=a\times 1=a$, $a=4$

$y=4\times 2^x$에 $(b,16)$을 대입하면

$16=4\times 2^b$, $b=2$

$\therefore a+b=4+2=6$ 답 ①

02 **Act①** **$y=a\cdot 3^x$이 이동된 후의 그래프의 식에 점 $(1,-6)$을 대입한다.**

$y=a\cdot 3^x$의 그래프를 원점에 대하여 대칭이동시킨 그래프의
식은 $y=-a\cdot 3^{-x}$이다.

이것을 다시 x축의 방향으로 2만큼, y축의 방향으로 3만큼
평행이동하면

$y=-a\cdot 3^{-x+2}+3$

이 그래프가 점 $(1,-6)$을 지나므로

$-6=-a\cdot 3^{-1+2}+3$

$\therefore a=3$ 답 ③

03 **Act①** **$y=a^x$이 이동된 후의 그래프의 식에 점 $(1, 4)$를 대입한다.**

$y=a^x$을 y축에 대하여 대칭이동시킨 그래프의 식은

$y=a^{-x}$

이것을 다시 x축의 방향으로 3만큼, y축의 방향으로 2만큼
평행이동하면

$y=a^{-(x-3)}+2$

이 그래프가 $(1, 4)$를 지나므로

$4=a^{-(1-3)}+2$

$\therefore a^2=2$

a는 양수이므로 $a=\sqrt{2}$ 답 ①

04 **Act①** **조건 (가) $f(2)=g(2)$와 조건 (나)를 이용하여 a, b의 값을 구한다.**

$f(x)=a^{bx-1}$의 그래프와 $g(x)=a^{1-bx}$의 그래프는 직선 $x=2$

에 대하여 대칭이므로 $f(2)=g(2)$가 성립한다.

따라서 $a^{2b-1}=a^{1-2b}$에서 $2b-1=1-2b$, $4b=2$

$\therefore b=\dfrac{1}{2}$

$f(4)=g(0)$, $g(4)=f(0)$이므로

$f(4)+g(4)=g(0)+f(0)=\dfrac{5}{2}$

$a+a^{-1}=\dfrac{5}{2}$

$2a^2-5a+2=0$, $(a-2)(2a-1)=0$

$0<a<1$이므로 $a=\dfrac{1}{2}$

$\therefore a+b=\dfrac{1}{2}+\dfrac{1}{2}=1$ 답 ①

기출유형 02

Act① **밑을 3으로 통일시키고 지수함수의 성질을 이용하여 대소를 판단한다.**

$A=\left(\dfrac{1}{3}\right)^{-2}=(3^{-1})^{-2}=3^2$

$B=9^{0.75}=(3^2)^{\frac{3}{4}}=3^{\frac{3}{2}}$

$C=\sqrt[4]{27}=(3^3)^{\frac{1}{4}}=3^{\frac{3}{4}}$

이때 $y=3^x$의 그래프는 x의 값이 증가하면 y의 값도 증가하고, $\dfrac{3}{4}<\dfrac{3}{2}<2$이므로

$3^{\frac{3}{4}}<3^{\frac{3}{2}}<3^2$

따라서 $\sqrt[4]{27}<9^{0.75}<\left(\dfrac{1}{3}\right)^{-2}$이므로 $C<B<A$ 답 ⑤

05 **Act①** **밑을 3으로 통일시키고 지수함수의 성질을 이용하여 대소를 판단한다.**

주어진 조건에서

$A=3^{\frac{2}{5}}$, $B=3^{\frac{1}{2}}$, $C=3^{\frac{5}{8}}$

지수함수의 성질에 의하여

밑이 1보다 크고 $\dfrac{2}{5}<\dfrac{1}{2}<\dfrac{5}{8}$이므로

$3^{\frac{2}{5}}<3^{\frac{1}{2}}<3^{\frac{5}{8}}$

$\therefore A<B<C$ 답 ①

06 **Act①** **밑을 2로 통일시키고 지수함수의 성질을 이용하여 대소를 판단한다.**

주어진 조건에서

$A=\sqrt{2^3}=2^{\frac{3}{2}}$

$B=0.5^{-\frac{1}{3}}=(2^{-1})^{-\frac{1}{3}}=2^{\frac{1}{3}}$

$C=\sqrt[3]{4}=4^{\frac{1}{3}}=(2^2)^{\frac{1}{3}}=2^{\frac{2}{3}}$

지수함수의 성질에 의하여

밑이 1보다 크고 $\dfrac{1}{3}<\dfrac{2}{3}<\dfrac{3}{2}$이므로

$2^{\frac{1}{3}}<2^{\frac{2}{3}}<2^{\frac{3}{2}}$

$\therefore B<C<A$ 답 ③

07 Act1 밑을 3으로 통일시키고 지수함수의 성질을 이용하여 대소를 판단한다.

주어진 조건에서

$a=3$, $b=\sqrt[3]{9}=3^{\frac{2}{3}}$

지수함수의 성질에 의하여

$\frac{2}{3}<1$이므로 $3^{\frac{2}{3}}<3^1$

따라서 $b=3^{\frac{2}{3}}<3^1=a$ $\therefore b<a$ ······ ㉠

또, $0<\frac{2}{3}$이므로 $3^0<3^{\frac{2}{3}}$, 즉 $1<b$

따라서 $3^1<3^b$이므로 $a<a^b$ ······ ㉡

㉠, ㉡에 의해 $b<a<a^b$ 답 ③

[다른 풀이]

함수 $y=a^x$의 그래프와 $y=x$의 그래프를 이용하여 a, b, a^b의 대소 관계를 나타내면 다음과 같다.

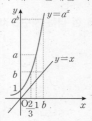

$\therefore b<a<a^b$

08 Act1 밑이 같으면 지수함수의 성질을 이용하고 밑이 다르면 주어진 수를 거듭제곱하여 대소를 비교한다.

$A=2^{\sqrt{3}}$, $B=\sqrt[3]{81}=3^{\frac{4}{3}}$, $C=\sqrt[4]{256}=2^2$

지수함수의 성질에서 $A<C$

$B=\sqrt[3]{81}=3^{\frac{4}{3}}$, $C=\sqrt[4]{256}=2^2$의 양변을 세제곱하면

$B^3=81$, $C^3=64$이므로 $C<B$

따라서 $A<C<B$ 답 ②

기출유형 **03**

Act1 $f(x)=4^x$은 (밑)>1이므로 x가 최대일 때 $f(x)$도 최대이고, $g(x)=\left(\frac{1}{2}\right)^x$은 $0<$(밑)<1이므로 x가 최대일 때 $g(x)$는 최소가 된다.

$f(x)$는 (밑)>1이므로 증가함수이다.

따라서 $x=3$일 때 최댓값 $4^3=64$를 가지므로 $M=64$

$g(x)$는 $0<$(밑)<1이므로 감소함수이다.

따라서 $x=3$일 때 최솟값 $\left(\frac{1}{2}\right)^3=\frac{1}{8}$을 가지므로 $m=\frac{1}{8}$

$\therefore Mm=64\times\frac{1}{8}=8$ 답 ①

09 Act1 $f(x)=2\times\left(\frac{2}{3}\right)^x$은 $0<\frac{2}{3}<1$이므로 x가 최대일 때 $f(x)$는 최소, x가 최소일 때 $f(x)$는 최대이다.

함수 $f(x)=2\times\left(\frac{2}{3}\right)^x$은 x의 값이 증가함에 따라 $f(x)$의 값

이 감소하므로

$x=-1$일 때, 최댓값 $M=3$

$x=2$일 때, 최솟값 $m=\frac{8}{9}$

$\therefore \frac{M}{m}=\frac{27}{8}$ 답 ④

10 Act1 $y=\left(\frac{1}{2}\right)^x-3$은 $0<\frac{1}{2}<1$이므로 x가 최대일 때 $f(x)$는 최소, x가 최소일 때 $f(x)$는 최대이다.

함수 $y=\left(\frac{1}{2}\right)^x-3$은 밑이 $\frac{1}{2}$이므로 x가 증가할 때, y는 감소한다.

$-2\leq x\leq 1$에서

$x=-2$일 때, 최댓값 $M=1$,

$x=1$일 때, 최솟값 $m=-\frac{5}{2}$

$\therefore M-m=\frac{7}{2}$ 답 ①

11 Act1 $y=\left(\frac{1}{2}\right)^{f(x)}$에서 $0<\frac{1}{2}<1$이므로 $f(x)$가 최대일 때 y는 최소, $f(x)$가 최소일 때 y는 최대이다.

함수 $y=\left(\frac{1}{2}\right)^{x^2-4x+2}$에서 $f(x)=x^2-4x+2$라 하자.

밑이 $\frac{1}{2}$이므로 $f(x)$가 최소일 때 $\left(\frac{1}{2}\right)^{f(x)}$의 값은 최대이고,

$f(x)$가 최대일 때, $\left(\frac{1}{2}\right)^{f(x)}$의 값은 최소이다.

$f(x)=x^2-4x+2=(x-2)^2-2$

이므로 $1\leq x\leq 4$에서

$x=2$일 때 $f(x)$의 최솟값은 -2이고

$x=4$일 때 $f(x)$의 최댓값은 2이다.

따라서 $x=2$일 때 함수 $y=\left(\frac{1}{2}\right)^{x^2-4x+2}$의 최댓값은 4이고

$x=4$일 때 최솟값은 $\frac{1}{4}$이다.

즉 $M=4$, $m=\frac{1}{4}$이므로

$Mm=4\times\frac{1}{4}=1$ 답 ④

12 Act1 $y=5^{f(x)}$에서 $5>1$이므로 $f(x)$가 최대일 때 y도 최대, $f(x)$가 최소일 때 y도 최소이다.

$y=5^{x^2-4x-2}=5^{(x-2)^2-6}$은 밑이 1보다 크므로 증가함수이고 $-1\leq x\leq 4$에서 지수 $(x-2)^2-6$은 $x=-1$일 때 최대가 된다.

따라서 최댓값은 $y=5^{(-1-2)^2-6}=5^3=125$ 답 125

기출유형 **04**

Act1 밑을 같게 한 다음 지수를 비교한다.

$\left(\dfrac{9}{4}\right)^x=\left(\dfrac{2}{3}\right)^{1+x}$에서 $\left(\dfrac{3}{2}\right)^{2x}=\left(\dfrac{3}{2}\right)^{-x-1}$이므로

$2x=-x-1$ $\therefore x=-\dfrac{1}{3}$ 답 ②

13 **Act①** 밑을 같게 한 다음 지수를 비교한다.

$\left(\dfrac{1}{3}\right)^{x^2-x}=\left(\dfrac{1}{27}\right)^{x-1}$에서 $\left(\dfrac{1}{3}\right)^{x^2-x}=\left(\dfrac{1}{3}\right)^{3x-3}$이므로

$x^2-x=3x-3$

$x^2-4x+3=0$

근과 계수의 관계에 의하여 $\alpha+\beta=4$, $\alpha\beta=3$

$\therefore \alpha^2+\beta^2=(\alpha+\beta)^2-2\alpha\beta=10$ 답 10

14 **Act①** $2^x=t$ $(t>0)$로 치환하여 t에 대한 방정식으로 푼다.

$4^x+2^{x+3}-128=0$에서

$(2^x)^2+8\cdot2^x-128=0$

$2^x=t$ $(t>0)$라 하면

$t^2+8t-128=0$

$(t-8)(t+16)=0$

$t>0$이므로 $t=8$

즉 $2^x=8$에서 $x=3$ 답 3

15 **Act①** $2^x=t$ $(t>0)$로 치환하여 t에 대한 방정식으로 푼다.

$2^{2x+1}-9\cdot2^x+4=0$에서

$2\cdot(2^x)^2-9\cdot2^x+4=0$

$2^x=t$ $(t>0)$라 하면

$2t^2-9t+4=0$

$(t-4)(2t-1)=0$

$\therefore t=4$ 또는 $t=\dfrac{1}{2}$

$2^x=4=2^2$ 또는 $2^x=\dfrac{1}{2}=2^{-1}$

$\therefore x=2$ 또는 $x=-1$

따라서 모든 실근의 곱은 $2\times(-1)=-2$ 답 ①

16 **Act①** $3^x=t$ $(t>0)$로 치환하여 t에 대한 방정식으로 푼다.

$3^{2x}-2\cdot3^{x+1}-3k=0$에서

$(3^x)^2-6\cdot3^x-3k=0$

$3^x=t$ $(t>0)$라 하면

$t^2-6t-3k=0$

이 방정식이 서로 다른 두 양의 실근 α, β를 갖기 위해서는

(i) $D=36+12k>0$ $\therefore k>-3$

(ii) $\alpha\beta=-3k>0$ $\therefore k<0$

(i), (ii)에서 $-3<k<0$ 답 ④

기출유형 05

Act① 밑을 같게 한 다음 지수를 비교한다.

$\left(\dfrac{1}{\sqrt{3}}\right)^{2x+6}\leq27^{2-x}$에서 $3^{-x-3}\leq3^{-3x+6}$

밑이 1보다 크므로 $-x-3\leq-3x+6$ $\therefore x\leq\dfrac{9}{2}$

따라서 주어진 부등식을 만족시키는 자연수 x는 1, 2, 3, 4 이므로 그 합은 10이다. 답 ②

17 **Act①** 밑을 같게 한 다음 지수를 비교한다.

$\left(\dfrac{1}{2}\right)^{2x+1}\leq\left(\dfrac{1}{8}\right)^{x-1}$에서 $\left(\dfrac{1}{2}\right)^{2x+1}\leq\left(\dfrac{1}{2}\right)^{3x-3}$

밑 $\dfrac{1}{2}$이 1보다 작으므로

$2x+1\geq3x-3$

$\therefore x\leq4$

따라서 주어진 부등식을 만족시키는 자연수 x는 1, 2, 3, 4 이므로 그 합은 10이다. 답 ③

18 **Act①** 주어진 식을 정리하여 밑을 같게 한 다음 지수를 비교한다.

$4^x\times5^{2x-1}\leq2\times10^{x+3}$에서

$2^{2x}\times5^{2x-1}\leq2\times10^{x+3}$

$2^{2x}\times5^{2x}\leq10\times10^{x+3}$

$10^{2x}\leq10^{x+4}$

$2x\leq x+4$

$\therefore x\leq4$

따라서 주어진 부등식을 만족시키는 자연수 x는 1, 2, 3, 4 이므로 그 개수는 4이다. 답 ②

19 **Act①** $2^x=t$ $(t>0)$로 치환하여 t에 대한 부등식으로 푼다.

$4^x-10\cdot2^x+16\leq0$에서

$(2^x)^2-10\cdot2^x+16\leq0$

$2^x=t$ $(t>0)$라 하면

$t^2-10t+16\leq0$

$(t-2)(t-8)\leq0$

$\therefore 2\leq t\leq8$

즉 $2\leq2^x\leq2^3$이므로 $1\leq x\leq3$

따라서 주어진 부등식을 만족시키는 정수 x는 1, 2, 3이므로 그 합은 6이다. 답 ③

20 **Act①** $2^a=t$ $(t>0)$로 치환하여 t에 대한 부등식으로 푼다.

$f(x)=x^2-2^{a+1}x+9\cdot2^a$이라 하자.

$f(x)\geq0$이려면 방정식 $f(x)=0$의 판별식을 D라 할 때

$\dfrac{D}{4}=(2^a)^2-9\cdot2^a\leq0$

이어야 한다.

$2^a=t$ $(t>0)$라 하면

$t^2-9t\leq0$, $t(t-9)\leq0$

$t>0$이므로 $0<t\leq9$, 즉 $0<2^a\leq9$

따라서 주어진 부등식을 만족시키는 자연수 a는 1, 2, 3이 므로 그 합은 6이다. 답 6

Act❶ 날개의 넓이의 비가 $1:3$, 필요마력의 비가 $1:\sqrt{3}$임을 이용하여 P_B를 P_A로 나타낸 다음 $\dfrac{P_A}{P_B}$에서 $\dfrac{V_A}{V_B}$의 값을 구한다.

두 비행기 A, B의 날개의 넓이를 각각 S_A, S_B, 필요마력을 각각 P_A, P_B라 하자.

$S_A:S_B=1:3$에서 $S_B=3S_A$이고

$P_A=\dfrac{1}{150}kC(V_A)^3 S_A$,

$P_B=\dfrac{1}{150}kC(V_B)^3 S_B=\dfrac{1}{150}kC(V_B)^3(3S_A)$

$P_A:P_B=1:\sqrt{3}$에서 $P_B=\sqrt{3}P_A$이므로

$\dfrac{P_A}{P_B}=\dfrac{1}{\sqrt{3}}=\dfrac{(V_A)^3 S_A}{(V_B)^3(3S_A)}=\dfrac{1}{3}\left(\dfrac{V_A}{V_B}\right)^3$

$\left(\dfrac{V_A}{V_B}\right)^3=3^{\frac{1}{2}}$

$\therefore \dfrac{V_A}{V_B}=3^{\frac{1}{6}}$ 답 ①

21 **Act❶** 주어진 식을 이용하여 D_A를 D_B로 나타내어 D_B의 값을 구한다.

$D_A=k\left(\dfrac{\frac{2}{3}Q_B}{\frac{8}{27}V_B}\right)^{\frac{1}{2}}=k\times\dfrac{3}{2}\left(\dfrac{Q_B}{V_B}\right)^{\frac{1}{2}}=\dfrac{3}{2}D_B$

$D_A-D_B=\dfrac{1}{2}D_B=60$

$\therefore D_B=120$ 답 ①

22 **Act❶** 주어진 부등식에 P, G의 값을 대입하여 S의 최댓값을 구한다.

$P=6400$, $G=5120$이므로

$S\leq 0.215\left(\dfrac{6400}{100}\right)^{\frac{1}{3}}\left(\dfrac{5120}{10}\right)^{\frac{2}{3}}$

$\quad=0.215(2^6)^{\frac{1}{3}}(2^9)^{\frac{2}{3}}$

$\quad=0.215\times 2^2\times 2^6$

$\quad=55.04$

따라서 메달 가치의 최댓값은 55이다.   답 ③

Very **I**mportant **T**est   pp. 36~37

01. ④	**02.** ②	**03.** 2	**04.** ②	**05.** ④
06. ④	**07.** ①	**08.** ①	**09.** ③	**10.** ①
11. ⑤	**12.** ①			

01

두 점 $(1, 2)$, $(2, 16)$을 지나므로

$f(1)=2^{a+b}=2$, 즉 $a+b=1$ ……㉠

$f(2)=2^{2a+b}=16$, 즉 $2a+b=4$ ……㉡

㉠, ㉡에서

$a=3$, $b=-2$

$\therefore a-b=3-(-2)=5$ 답 ④

02

함수 $y=3^x$의 그래프를 x축의 방향으로 2만큼 평행이동하면 $y=3^{x-2}$이고, 이것을 y축에 대하여 대칭이동하면 $y=3^{-x-2}$이다.

이 그래프가 점 $(-4, k)$를 지나므로

$k=3^{-(-4)-2}=3^2$

$\therefore k=9$ 답 ②

03

$y=2^{a-x}+b$, $y=2^{-(x-a)}+b$, $y-b=\left(\dfrac{1}{2}\right)^{x-a}$

따라서 $y=2^{a-x}+b$의 그래프는 $y=\left(\dfrac{1}{2}\right)^x$의 그래프를 x축의 방향으로 a만큼, y축의 방향으로 b만큼 평행이동한 것이다.

이때 $y=\left(\dfrac{1}{2}\right)^x$의 그래프의 점근선의 방정식은 $y=0$이고, 주어진 함수 $y=2^{a-x}+b$의 그래프의 점근선의 방정식이 $y=2$이므로 $b=2$

또한, $y=2^{a-x}+2$의 그래프가 점 $(-1, 4)$를 지나므로 $4=2^{a+1}+2$

$2^{a+1}=2$이므로 $a=0$

$\therefore a+b=0+2=2$ 답 2

04

$y=2^x$의 그래프를 x축에 대하여 대칭이동한 그래프의 식은 $y=-2^x$이고, 이 그래프를 x축의 방향으로 a만큼, y축의 방향으로 b만큼 평행이동한 그래프의 식은

$y=-2^{x-a}+b$ ……㉠

㉠에서 점근선의 방정식이 $y=3$이므로 $b=3$

㉠이 점 $(2, 1)$을 지나므로

$1=-2^{2-a}+3$에서

$2^{2-a}=2$ $\therefore a=1$

$f(x)=-2^{x-1}+3$이므로

$f(4)=-2^3+3=-5$ 답 ②

05

$P(k, 3^k)$, $Q\left(k, -\left(\dfrac{1}{3}\right)^k\right)$

$\overline{PQ}=3^k+\left(\dfrac{1}{3}\right)^k\geq 2\sqrt{3^k\times\left(\dfrac{1}{3}\right)^k}=2$

$\left(등호는\ 3^k=\left(\dfrac{1}{3}\right)^k일\ 때\ 성립\right)$

$\therefore$ 최솟값은 2   답 ④

06

$y=a^{-x^2+2x+3}$에서

$f(x)=-x^2+2x+3$이라 하면

$-x^2+2x+3=-(x-1)^2+4$이므로

$f(x) \leq 4$이다.

즉, $f(x)=t$로 치환하면 $t \leq 4$이다.

$y=a^t$에서 밑 a가 $0<a<1$이므로 함수 $y=a^t$은 감소함수이다.

따라서 $t \leq 4$에서 함수 $y=a^t$은 $t=4$일 때 최소이므로

$$a^4 = \frac{16}{81} = \left(\frac{2}{3}\right)^4$$

문제의 조건에서 a는 양수이므로 $a=\frac{2}{3}$ 　　　답 ④

07

$\left(\frac{1}{2}\right)^{x^2-3} = \left(\frac{1}{4}\right)^x$

$\left(\frac{1}{2}\right)^{x^2-3} = \left(\frac{1}{2}\right)^{2x}$

양변의 지수를 비교하면

$x^2-3=2x$

$x^2-2x-3=0$

$(x-3)(x+1)=0$

$\therefore x=3$ 또는 $x=-1$

따라서 모든 근의 합은 2이다. 　　　답 ①

[다른 풀이]

이차방정식 $x^2-2x-3=0$에서 근과 계수의 관계에 의하여 두 근의 합은 2이다.

08

$(3^{x-5} \cdot 9^{x+4})^x = 27^{x+5}$에서 양변의 밑을 3으로 같게 변형하면

$\{3^{x-5} \cdot 3^{2(x+4)}\}^x = 3^{3(x+5)}$

$(3^{3x+3})^x = 3^{3(x+5)}$

$3^{3x^2+3x} = 3^{3x+15}$

양변의 지수를 비교하면

$3x^2+3x=3x+15$

$3x^2=15$, $x^2-5=0$

따라서 근과 계수의 관계에 의하여 모든 근의 곱은 -5이다.
　　　답 ①

09

$2^{2x}-9 \cdot 2^x - 22 < 0$

$(2^x+2)(2^x-11)<0$, $2^x+2>0$이므로

$2^x<11$을 만족시키는 자연수 x의 개수는 3 　　　답 ③

10

$4^{x^2} < \left(\frac{1}{2}\right)^{4x-6}$의 양변의 밑을 2로 같게 변형하면

$2^{2x^2} < 2^{-(4x-6)}$

$2x^2 < -(4x-6)$

$2x^2+4x-6<0$, $x^2+2x-3<0$

$(x-1)(x+3)<0$

따라서 $-3<x<1$이므로 주어진 부등식을 만족하는 정수 x는 -2, -1, 0으로 3개이다. 　　　답 ①

11

부등식 $\left(\frac{1}{2}\right)^{f(x)} > \left(\frac{1}{2}\right)^{g(x)}$에서 밑 $\frac{1}{2}$이 $0<\frac{1}{2}<1$이므로

$f(x)<g(x)$이다.

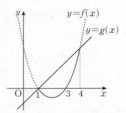

그림에서 이를 만족하는 x의 값의 범위는 $1<x<4$이다.

따라서 이차부등식 $x^2+ax+b<0$의 해가 $1<x<4$이므로 이차방정식 $x^2+ax+b=0$의 해는 $x=1$ 또는 $x=4$이다.

따라서 근과 계수의 관계에서 $a=-5$, $b=4$이므로

$a+b=(-5)+4=-1$ 　　　답 ⑤

12

보관함의 온도가 28℃이므로

$f(t)=28+(A-28)p^{-kt}$

$f(5)=28+(A-28)p^{-5k}=13$이므로

$(A-28)p^{-5k}=-15$ 　　　······㉠

$f(10)=28+(A-28)p^{-10k}=19$이므로

$(A-28)p^{-10k}=-9$ 　　　······㉡

㉠, ㉡에서 $p^{-5k}=\frac{3}{5}$

$p^{-5k}=\frac{3}{5}$을 ㉠에 대입하면

$(A-28) \cdot \frac{3}{5} = -15$ 　　$\therefore A=3$

$f(15)=28+(A-28)p^{-15k}$

$\qquad = 28-25 \times \frac{27}{125} = \frac{113}{5} = 22.6$

즉 15분 후의 음료수의 온도는 22.6℃이다. 　　　답 ①

04 로그함수

01. ③ 　　**02.** ① 　　**03.** ⑤ 　　**04.** 26

01

ㄱ. 정의역은 $\{x|x>1\}$이다. (거짓)

ㄴ. $y=\log_{\frac{1}{3}}(x-1)-2$를 x축에 대하여 대칭이동하면

$-y=\log_{\frac{1}{3}}(x-1)-2$

$y=-\log_{\frac{1}{3}}(x-1)+2$

$y=\log_3(x-1)+2$

따라서 $y=\log_3(x-1)+2$의 그래프는 $y=\log_{\frac{1}{3}}(x-1)-2$의 그래프와 x축에 대하여 대칭이다. (참)

ㄷ. 함수 $y=\log_3(x-1)+2$는 (밑)>1이므로 증가함수이다. (참)

ㄹ. $y=\log_3(x-1)+2$의 그래프는 $y=\log_3 x$의 그래프를 x축의 방향으로 1만큼, y축의 방향으로 2만큼 평행이동한 것이다. (거짓)

따라서 옳은 것은 ㄴ, ㄷ이다.　　　　　　　　　답 ③

02 함수 $y=\log_3(x-a)+2$는 증가함수이므로 $3\le x\le 10$에서 함수 $y=\log_3(x-a)+2$는 $x=3$일 때 최소이다.

$x=3$을 대입하면 $\log_3(3-a)+2=4$

$\log_3(3-a)=2$, $3-a=3^2$

$\therefore a=-6$　　　　　　　　　답 ①

03 진수의 조건에 의하여

$x-1>0$, $x+2>0$이므로 $x>1$

$\log_2(x-1)+\log_2(x+2)=2$에서

$\log_2(x-1)(x+2)=2$, $\log_2(x^2+x-2)=2$

로그의 정의에 의하여 $x^2+x-2=2^2$

$x^2+x-6=0$, $(x+3)(x-2)=0$

따라서 $x=-3$ 또는 $x=2$이고, 진수의 조건에서 $x>1$이므로 주어진 방정식의 해는 $x=2$　　　　　답 ⑤

04 $(\log_3 x)^2-2\log_3 x-3<0$, $(\log_3 x+1)(\log_3 x-3)<0$

$-1<\log_3 x<3$

$\therefore \dfrac{1}{3}<x<27$

따라서 자연수 x의 개수는 26　　　　　　답 26

기출유형 01

Act ❶ 로그의 성질을 이용하여 $y=\log_3\left(\dfrac{x}{9}-1\right)$을 $y=\log_3(x-m)+n$ 꼴로 정리한다.

$y=\log_3\left(\dfrac{x}{9}-1\right)$

$\quad =\log_3\dfrac{x-9}{9}$

$\quad =\log_3(x-9)-\log_3 9$

$\quad =\log_3(x-9)-2$

즉 함수 $y=\log_3\left(\dfrac{x}{9}-1\right)$의 그래프는 함수 $y=\log_3 x$의 그래프를 x축의 방향으로 9만큼, y축의 방향으로 -2만큼 평

행이동시킨 것이다.

따라서 $m=9$, $n=-2$이므로

$10(m+n)=70$　　　　　　　　　답 70

01 **Act ❶** 평행이동 후의 그래프의 식에 두 점 $(4, b)$, $(13, 11)$의 좌표를 대입한다.

함수 $y=\log x$의 그래프를 x축의 방향으로 a, y축의 방향으로 b만큼 평행이동시킨 그래프의 식은

$y=\log(x-a)+b$

함수 $y=\log(x-a)+b$의 그래프는 점 $(4, b)$를 지나므로

$\log(4-a)+b=b$

$\log(4-a)=0$

$4-a=1$, $a=3$

함수 $y=\log(x-3)+b$의 그래프는 점 $(13,11)$을 지나므로

$\log 10+b=11$, $b=10$

$\therefore ab=30$　　　　　　　　　답 30

02 **Act ❶** $y=a+\dfrac{1}{2}\log_3(x-b)$의 그래프는 $y=\dfrac{1}{2}\log_3 x$의 그래프를 x축 방향으로 b만큼, y축 방향으로 a만큼 평행이동시킨 것이므로 점근선은 $x=b$이다.

$y=a+\dfrac{1}{2}\log_3(x-b)$의 그래프는 $y=\dfrac{1}{2}\log_3 x$의 그래프를 x축 방향으로 b만큼, y축 방향으로 a만큼 평행이동시킨 것이므로 점근선의 방정식은 $x=b=4$

함수의 그래프가 점 $(13, 2)$를 지나므로

$2=a+\dfrac{1}{2}\log_3(13-4)$

$a=2-\dfrac{1}{2}\log_3 3^2$, $a=1$

$\therefore 5(a+b)=25$　　　　　　　　답 25

03 **Act ❶** 로그함수의 그래프에서 A, B의 좌표를 구하고 삼각형 BCD와 삼각형 ACB의 넓이를 p로 나타낸다.

$A(p, \log_2 p)$, $B(2p, \log_2 2p)$이므로

$\triangle BCD=\dfrac{1}{2}\cdot(2p-p)\cdot\log_2 2p=\dfrac{p}{2}\cdot\log_2 2p$

$\triangle ACB=\dfrac{1}{2}\cdot(2p-p)\cdot\log_2 p=\dfrac{p}{2}\cdot\log_2 p$

$\dfrac{p}{2}\cdot\log_2 2p-\dfrac{p}{2}\cdot\log_2 p=8$이므로

$\dfrac{p}{2}(\log_2 2p-\log_2 p)=8$, $\dfrac{p}{2}\cdot\log_2 2=8$

$\therefore p=16$　　　　　　　　　답 ④

[다른 풀이]

선분 CD를 삼각형 BCD와 삼각형 ACB의 높이라 하면, 그 길이는 $2p-p=p$로 같다.

(삼각형 BCD와 삼각형 ACB의 넓이의 차)

$=\dfrac{p}{2}\times$(선분 BD와 선분 AC의 길이의 차)

$=8$

삼각형 BCD의 밑변인 선분 BD의 길이는 $\log_2 2p$이고, 삼각형 ACB의 밑변인 선분 AC의 길이는 $\log_2 p$이다.
따라서 $\log_2 2p - \log_2 p = \log_2 2 = 1$
$\therefore p = 16$

04 **Act1** 점 C의 좌표를 $(a, 0)$이라 놓고 A, B, D의 좌표를 a로 나타낸 후 AB의 기울기가 $\dfrac{1}{2}$임을 이용하여 a의 값을 구한다.

점 C의 좌표를 $(a, 0)$이라 하면
$A(a, \log_3 a)$, $B(9a, \log_3 9a)$, $D(9a, 0)$
이고 $\overline{CD}$의 길이는 $8a$이다.

직선 AB의 기울기가 $\dfrac{1}{2}$이므로

$$\frac{1}{2} = \frac{\log_3 9a - \log_3 a}{9a - a} = \frac{2}{8a} = \frac{1}{4a}$$

$a = \dfrac{1}{2}$이므로 $8a = 4$
따라서 $\overline{CD}$의 길이는 4　　　　　　　　　답 4

기출유형 02

Act1 $y = a^{x-m}$과 역함수의 교점은 $y = a^{x-m}$과 $y = x$의 교점이다.

$y = a^{x-m}$과 역함수의 교점은 $y = a^{x-m}$과 $y = x$의 교점이므로 교점의 x좌표는
$a^{x-m} = x$
교점의 x좌표가 1과 3이므로
$a^{1-m} = 1$, $1 - m = 0$ $\therefore m = 1$
$a^{3-1} = 3$, $a^2 = 3$ $\therefore a = \sqrt{3}$
$\therefore a + m = 1 + \sqrt{3}$　　　　　　　답 ③

05 **Act1** $f(x)$의 역함수가 $g(x)$이므로 $g(5) = p$라 하면 $f(p) = 5$이다.

$f(x) = \log_2 x + 1$의 역함수가 $g(x)$일 때,
$g(5) = p$라 하면 $f(p) = 5$
$\log_2 p + 1 = 5$, $\log_2 p = 4$이므로 $p = 16$
$\therefore g(5) = 16$　　　　　　　　　답 ⑤

06 **Act1** $(g \circ f)(x) = x$에서 $g(x)$는 $f(x)$의 역함수이다.

$(g \circ f)(x) = x$를 만족하는 함수 $g(x)$는 $f(x)$의 역함수이므로 $g(5) = p$라 하면 $f(p) = 5$
$1 + 2\log_3 p = 5$, $\log_3 p = 2$이므로 $p = 9$
$\therefore g(5) = 9$　　　　　　　　　답 ④

[다른 풀이]

$y = 1 + 2\log_3 x$에서 x, y를 서로 바꾸면
$x = 1 + 2\log_3 y$, $\dfrac{x-1}{2} = \log_3 y$
$\therefore y = 3^{\frac{x-1}{2}}$
따라서 $g(x) = 3^{\frac{x-1}{2}}$이므로

$g(5) = 3^2 = 9$

07 **Act1** $(g \circ f)(x) = x$에서 $g(x)$는 $f(x)$의 역함수이다.

$(g \circ f)(x) = x$를 만족하는 함수 $g(x)$는 $f(x)$의 역함수이므로 $g(13) = p$라 하면 $f(p) = 13$
$1 + 3\log_2 p = 13$에서 $\log_2 p = 4$이므로 $p = 2^4 = 16$
$\therefore g(13) = 16$　　　　　　　　　답 16

[다른 풀이]

$y = 1 + 3\log_2 x$에서 x, y를 서로 바꾸면

$x = 1 + 3\log_2 y$, $\dfrac{x-1}{3} = \log_2 y$

$\therefore y = 2^{\frac{x-1}{3}}$
따라서 $g(x) = 2^{\frac{x-1}{3}}$이므로
$g(13) = 2^{\frac{13-1}{3}} = 2^4 = 16$

08 **Act1** $y = g(x) + 3$이라 하면 $g(x) = y - 3$이고
$x = g^{-1}(y-3) = f(y-3)$이다.

함수 $g(x)$의 역함수는 $f(x)$이므로 $g^{-1} = f$
$y = g(x) + 3$이라 할 때 $g(x) = y - 3$이므로
$x = g^{-1}(y-3) = f(y-3)$
이때 x, y를 서로 바꿔 주면
$y = f(x-3)$
따라서 함수 $g(x) + 3$의 역함수와 같은 함수는 $f(x-3)$이다.　　　　　　　　　답 ①

기출유형 03

Act1 밑이 1보다 작은 양수이므로 진수가 최소일 때 y는 최대, 진수가 최대일 때 y는 최소가 된다.

$y = \log_{\frac{1}{2}}(x^2 - 4x + 8)$에서
$f(x) = x^2 - 4x + 8$이라 하면
$f(x) = x^2 - 4x + 8$
$\quad\ = (x-2)^2 + 4$
$1 \le x \le 4$에서
$4 \le f(x) \le 8$이다.
즉 $f(x) = t$로 치환하면
$4 \le t \le 8$이다.

$y = \log_{\frac{1}{2}} t$에서 밑 $\dfrac{1}{2}$이 $0 < \dfrac{1}{2} < 1$이므로 함수 $y = \log_{\frac{1}{2}} t$는 감소함수이다.
따라서 $4 \le t \le 8$에서 함수 $y = \log_{\frac{1}{2}} t$는
$t = 4$일 때 최대, $t = 8$일 때 최소이므로
$M = -2$, $m = -3$
$\therefore M + m = (-2) + (-3) = -5$　　　　答 ①

09 **Act1** 밑이 1보다 크므로 진수가 최소일 때 y도 최소가 된다.

함수 $y = \log_3(x-a) + 1$은 증가함수이므로 $3 \le x \le 9$에서
함수 $y = \log_3(x-a) + 1$은 $x = 3$일 때 최소이다.

$x=3$을 대입하면

$\log_3(3-a)+1=3$

$\log_3(3-a)=2$

$3-a=3^2$ $\therefore a=-6$ 　　　　　　　답 ①

10 **Act①** 밑이 1보다 작은 양수이므로 진수가 최소일 때 y는 최대가 된다.

$f(x)=x^2+2x+10$이라 하면

$f(x)=x^2+2x+10=(x+1)^2+9$

이므로 진수는 $x=-1$일 때 최소이다.

$y=\log_{\frac{1}{3}}((x+1)^2+9)$는 밑이 1보다 작은 양수이므로

$x=-1$일 때 최댓값을 갖는다.

따라서 최댓값은 $y=\log_{\frac{1}{3}}9=-2$ 　　　　답 ②

11 **Act①** $\log_2 x=t$로 치환하여 t의 값의 범위 내에서 최대·최소를 구한다.

$\log_2 x=t$라 하면 $1\leq x\leq16$에서 $0\leq t\leq4$

주어진 함수를 t에 대한 함수로 표현하면

$y=\log_2 4x\cdot\log_2\dfrac{16}{x}$

　$=(\log_2 4+\log_2 x)(\log_2 16-\log_2 x)$

즉 $y=(2+t)(4-t)$

　$=-t^2+2t+8=-(t-1)^2+9$

이므로 $0\leq t\leq4$에서

$t=1$일 때 최댓값 $M=9$,

$t=4$일 때 최솟값 $m=0$

을 갖는다.

$\therefore M+m=9$ 　　　　　　　　답 9

12 **Act①** 식을 간단히 정리한 다음 산술평균과 기하평균의 관계를 이용하여 최솟값을 구한다.

$\log_3\left(x+\dfrac{2}{y}\right)+\log_3\left(2y+\dfrac{1}{x}\right)$

$=\log_3\left(x+\dfrac{2}{y}\right)\left(2y+\dfrac{1}{x}\right)$

$=\log_3\left(2xy+\dfrac{2}{xy}+5\right)$

이때 $x>0$, $y>0$이므로 산술평균과 기하평균의 관계에 의하여

$2xy+\dfrac{2}{xy}\geq2\sqrt{2xy\cdot\dfrac{2}{xy}}=4$

(단, 등호는 $xy=1$일 때 성립)

$\therefore \log_3\left(2xy+\dfrac{2}{xy}+5\right)\geq\log_3(4+5)$

　　　　　　　　　　　$=\log_3 9=2$ 　　　답 ④

기출유형 04

Act① 밑이 같으므로 진수를 비교한다.

진수 조건에서

$x+3>0$, $3x+13>0$ $\therefore x>-3$

$\log_2(x+3)^2=\log_2(3x+13)$의 밑이 같으므로 진수가 같아야 한다.

$(x+3)^2=3x+13$

$x^2+3x-4=0$

$(x+4)(x-1)=0$

$\therefore x=-4$ 또는 $x=1$

진수 조건에서 $x>-3$이므로 $x=1$ 　　　답 ④

13 **Act①** $\log_2 x$, $\log_2 y$의 연립방정식을 풀고 로그의 정의를 이용하여 x, y의 값을 구한다.

주어진 방정식에서

$\begin{cases}\log_2 x+\log_2 y=7 & \cdots\cdots\text{㉠}\\2\log_2 x-\log_2 y=-1 & \cdots\cdots\text{㉡}\end{cases}$

㉠+㉡을 하면

$3\log_2 x=6$ $\therefore \log_2 x=2$

$\log_2 x=2$를 ㉠에 대입하면

$2+\log_2 y=7$ $\therefore \log_2 y=5$

로그의 정의에서 $x=2^2=4$, $y=2^5=32$

따라서 $\alpha=4$, $\beta=32$이므로

$\alpha+\beta=36$ 　　　　　　　　답 36

14 **Act①** 주어진 방정식을 간단히 한 후 로그의 밑 변환 공식을 이용하여 밑을 통일하여 푼다.

$\log_3(\log_5 8)+\log_3(\log_2 x)=\log_3 9$

$(\log_5 8)(\log_2 x)=9$

$\log_2 x=\dfrac{9}{\log_5 8}$

$\log_2 x=9\log_8 5=9\log_{2^3}5$

　　　$=3\log_2 5=\log_2 5^3$

$x=5^3=125$

$\therefore a=125$ 　　　　　　　　답 125

15 **Act①** $\log_4 x$의 꼴이 반복되므로 $\log_4 x=t$로 치환하여 t에 대한 방정식을 푼다.

$(\log_4 x)^2+\log_4\dfrac{1}{x^3}-1=0$에서

$(\log_4 x)^2-3\log_4 x-1=0$ 　　　$\cdots\cdots$㉠

$\log_4 x=t$라 하면 $t^2-3t-1=0$

㉠의 두 근이 $x=\alpha$, $x=\beta$이므로 t에 대한 이차방정식의 두 근은 $\log_4\alpha$, $\log_4\beta$이고,

이차방정식의 근과 계수의 관계에 의해

$\log_4\alpha+\log_4\beta=3$

$\log_4\alpha\beta=3$

따라서 로그의 정의에서

$\alpha\beta=4^3=64$ 　　　　　　　답 ④

16 **Act①** 지수에 $\log_a x$가 있을 때 양변에 a를 밑으로 하는 로그를 취하여 푼다.

$x^{\log x}=\left(\dfrac{x}{10}\right)^4$의 양변에 10을 밑으로 하는 로그를 취하면

$\log x^{\log x}=\log\left(\dfrac{x}{10}\right)^4$

$(\log x)^2=4\log x-4$

$(\log x-2)^2=0$

$\log x=2$

$\therefore x=10^2=100$

답 100

기출유형 **05**

Act① 밑이 같으므로 진수를 비교한다.

진수 조건에서 $x-3>0$, $x+5>0$이므로

$x>3$　　　　……㉠

주어진 로그부등식에서

$\log_2(x-3)^2\le\log_2 4+\log_2(x+5)$

$\log_2(x-3)^2\le\log_2 4(x+5)$

$(x-3)^2\le4(x+5)$

$x^2-10x-11\le0$

$(x+1)(x-11)\le0$

$\therefore -1\le x\le11$　……㉡

㉠, ㉡에서 $3<x\le11$

따라서 정수 x는 4, 5, …, 11이므로 그 개수는 8　　답 ④

17 **Act①** 밑이 같으므로 진수를 비교한다.

진수 조건에서 $x-3>0$, $x+1>0$이므로

$x>3$　　　　……㉠

주어진 로그부등식에서

$\log_2(x-3)(x+1)\le\log_2 2^5$

$(x-3)(x+1)\le32$

$x^2-2x-35\le0$

$(x+5)(x-7)\le0$

$-5\le x\le7$　……㉡

㉠, ㉡에서 $3<x\le7$

따라서 정수 x는 4, 5, 6, 7이므로 그 개수는 4　　답 ④

18 **Act①** 밑이 같으므로 진수를 비교한다.

진수 조건에서

$x^2+2x+3>0$, $-2x+24>0$이므로

$x<12$　　　　……㉠

로그의 밑이 0보다 크고 1보다 작으므로

$x^2+2x+3<-2x+24$

$x^2+4x-21<0$

$(x-3)(x+7)<0$

$\therefore -7<x<3$……㉡

㉠, ㉡에서 $-7<x<3$

따라서 부등식을 만족시키는 정수 x는 -6, -5, …, 2이므로 그 개수는 9　　답 ①

19 **Act①** 밑이 같으므로 진수를 비교한다.

진수 조건에서

$x-1>0$, $\dfrac{1}{2}x+k>0$이므로

$x>1$　　　　……㉠

$\log_5(x-1)\le\log_5\left(\dfrac{1}{2}x+k\right)$에서

$x-1\le\dfrac{1}{2}x+k$, $\dfrac{1}{2}x\le k+1$

$\therefore x\le2(k+1)$　……㉡

㉠, ㉡에서 $1<x\le2(k+1)$이고 모든 정수 x의 개수가 3이므로

$2(k+1)=4$

$\therefore k=1$

답 ①

20 **Act①** $\log_2 x$의 꼴이 반복되므로 $\log_2 x=t$로 치환하여 t에 대한 부등식을 푼다.

$(\log_2 x)^2-6\log_2 x+8\le0$

$(\log_2 x-4)(\log_2 x-2)\le0$

$2\le\log_2 x\le4$이므로 $4\le x\le16$

따라서 자연수 x는 4, 5, 6, …, 16이므로 그 개수는 13

답 ②

기출유형 **06**

Act① 지진 규모 R에 6.15와 5.48을 각각 대입하여 $\log(0.37E_1)$, $\log(0.37E_2)$의 값을 구한 다음 $\dfrac{E_1}{E_2}$의 값을 계산한다.

$R=0.67\log(0.37E)+1.46$에서

지진의 규모가 6.15일 때 방출되는 에너지가 E_1이므로

$6.15=0.67\log(0.37E_1)+1.46$

$\log(0.37E_1)=7$

$0.37E_1=10^7$　　　　……㉠

지진의 규모가 5.48일 때 방출되는 에너지가 E_2이므로

$5.48=0.67\log(0.37E_2)+1.46$

$\log(0.37E_2)=6$

$0.37E_2=10^6$　　　　……㉡

㉠÷㉡에서 $\dfrac{E_1}{E_2}=10$

답 10

21 **Act①** 온도 t에 15와 45를 각각 대입하여 $\log P_1$, $\log P_2$의 값을 구한 다음 $\dfrac{P_2}{P_1}$의 값을 계산한다.

용기 속의 온도가 15℃일 때의 포화 증기압이 P_1이므로

$\log P_1=8.11-\dfrac{1750}{15+235}=8.11-7$　　……㉠

용기 속의 온도가 45℃일 때의 포화 증기압이 P_2이므로

$\log P_2=8.11-\dfrac{1750}{45+235}=8.11-\dfrac{25}{4}$　　……㉡

㉡－㉠을 하면

$$\log \frac{P_2}{P_1} = \frac{3}{4}$$

$$\therefore \frac{P_2}{P_1} = 10^{\frac{3}{4}}$$　　　　　　　　　　　　　　답 ③

22 Act① n년 후 이산화탄소 배출량은 $6 \times (1-0.05)^n$ 억 톤임을
이용하여 부등식을 세운 후 양변에 상용로그를 취한다.

n년 후 이산화탄소 배출량은 $6 \times (1-0.05)^n$억 톤이므로

$6 \times 0.95^n \le 4$, $0.95^n \le \frac{2}{3}$

양변에 상용로그를 취하면 $n(\log 9.5 - 1) \le \log 2 - \log 3$

$0.022n \ge 0.176$, $n \ge 8$

따라서 8년 후에 처음으로 4억 톤 이하가 된다.　　　답 ②

VIT Very Important Test　　　pp. 46~47

01. 35	02. ①	03. ④	04. 1	05. ④
06. ③	07. 9	08. ②	09. 2	10. 2
11. ①	12. ③			

01

함수 $y = \log_6(x+a)$의 그래프가 점 $(1, 2)$를 지나므로

$2 = \log_6(1+a)$

로그의 정의에서 $6^2 = 1+a$　　$\therefore a = 35$　　　답 35

02

점근선의 방정식이 $x = -4$이므로 $a = 4$

주어진 함수의 그래프가 점 $(0, -4)$를 지나므로

$y = \log_2(x+a) + b = \log_2(x+4) + b$에서

$-4 = 2 + b$, 즉 $b = -6$

$\therefore a + b = 4 + (-6) = -2$　　　　　　　　답 ①

03

① $y = \log_2 3x = \log_2 3 + \log_2 x$이므로 이 함수의 그래프는
$y = \log_2 x$의 그래프를 y축의 방향으로 $\log_2 3$만큼 평행이동한
것이다.

② $y = \log_2 \frac{4}{x} = 2 - \log_2 x$이므로 이 함수의 그래프는 $y = \log_2 x$
의 그래프를 x축에 대하여 대칭이동한 후, y축의 방향으로 2
만큼 평행이동한 것이다.

③ $y = \log_{\frac{1}{2}}(2-x) = -\log_2\{-(x-2)\}$이므로 이 함수의 그래
프는 $y = \log_2 x$의 그래프를 원점에 대하여 대칭이동한 후, x
축의 방향으로 2만큼 평행이동한 것이다.

④ $y = \log_2 x^2 = 2\log_2 x$이므로 함수 $y = \log_2 x$의 그래프를 평행
이동 또는 대칭이동하여 그릴 수 없다.

⑤ $y = 2^{-x} = \left(\frac{1}{2}\right)^x$의 그래프는 $y = \log_2 x$의 그래프를 x축에 대하
여 대칭이동한 $y = -\log_2 x = \log_{\frac{1}{2}} x$를, 직선 $y = x$에 대하여

대칭이동한 것이다.

따라서 겹쳐질 수 없는 것은 ④이다.　　　　답 ④

04

함수 $y = \log_3 x$의 그래프를 원점에 대하여 대칭이동하면

$-y = \log_3(-x)$ ……㉠

㉠을 x축의 방향으로 2만큼, y축의 방향으로 k만큼 평행이동하면

$-(y-k) = \log_3\{-(x-2)\}$

$\therefore y = -\log_3(-x+2) + k$

이 함수의 그래프가 직선 $y = 1$과 만나는 점의 x좌표가 1이므로
그래프는 점 $(1, 1)$을 지난다.

$x = 1$, $y = 1$을 대입하면

$1 = -\log_3(-1+2) + k$　　$\therefore k = 1$　　　답 1

05

$$\log_6\left(x + \frac{5}{y}\right) + \log_6\left(5y + \frac{1}{x}\right)$$

$$= \log_6\left(x + \frac{5}{y}\right)\left(5y + \frac{1}{x}\right)$$

$$= \log_6\left(5xy + \frac{5}{xy} + 26\right)$$

이때 $x > 0$, $y > 0$이므로 산술평균과 기하평균의 관계에 의하여

$$5xy + \frac{5}{xy} \ge 2\sqrt{5xy \cdot \frac{5}{xy}} = 10$$

(단, 등호는 $xy = 1$일 때 성립)

$$\therefore \log_6\left(5xy + \frac{5}{xy} + 26\right) \ge \log_6(10 + 26)$$

$$= \log_6 36 = 2$$　　　　답 ④

06

$y = \log_{\frac{1}{2}}(x+2)$에서 밑 $\frac{1}{2}$이 $0 < \frac{1}{2} < 1$이므로 함수

$y = \log_{\frac{1}{2}}(x+2)$는 감소함수이다.

따라서 $x = a$일 때 y는 최대가 되므로

$\log_{\frac{1}{2}}(a+2) = 2$

$a + 2 = \left(\frac{1}{2}\right)^2$, $a = -\frac{7}{4}$

또한, $x = b$일 때 y는 최소가 되므로 $\log_{\frac{1}{2}}(b+2) = -3$

$b + 2 = \left(\frac{1}{2}\right)^{-3}$, $b = 6$

$\therefore a + b = \left(-\frac{7}{4}\right) + 6 = \frac{17}{4}$　　　답 ③

07

$\log_3 x = t$라 하면 $1 \le x \le 81$에서 $0 \le t \le 4$

주어진 함수를 t에 대한 함수로 표현하면

$y = \log_3 9x \cdot \log_3 \frac{81}{x}$

$= (\log_3 9 + \log_3 x)(\log_3 81 - \log_3 x)$

즉 $y = (2+t)(4-t)$

$= -t^2 + 2t + 8 = -(t-1)^2 + 9$

이므로 $0 \leq t \leq 4$에서
$t=1$일 때 최댓값 $M=9$,
$t=4$일 때 최솟값 $m=0$이므로
$M+m=9$ 답 9

08

$(\log_2 x)^2 - 2\log_2 x - 5 = 0$에서
$\log_2 x = t$로 놓으면
$t^2 - 2t - 5 = 0$ ……㉠
이때 주어진 방정식의 두 근이 α, β이므로
㉠의 두 근은 $\log_2 \alpha$, $\log_2 \beta$이다.
따라서 이차방정식의 근과 계수의 관계에 의하여
$\log_2 \alpha + \log_2 \beta = 2$, 즉 $\log_2 \alpha\beta = 2$
$\therefore \alpha\beta = 2^2 = 4$ 답 ②

09

진수의 조건에서
$3-x>0$, $4-x>0$, $5-2y>0$, $6-y>0$
$\therefore x<3$, $y<\dfrac{5}{2}$ ……㉠
$\log(3-x) - \log(4-x) = \log(5-2y) - \log(6-y)$
$\log(3-x) + \log(6-y) = \log(5-2y) + \log(4-x)$
$(3-x)(6-y) = (5-2y)(4-x)$
$xy + x - 5y + 2 = 0$
$(x-5)(y+1) = -7$
㉠에서 $x-5 < -2$이고, x, y는 정수이므로
$x-5 = -7$, $y+1 = 1$
$\therefore x=-2$, $y=0$
$\therefore y-x = 2$ 답 2

10

진수의 조건에 의하여
$3x+1>0$, $2x-1>0$이므로 $x>\dfrac{1}{2}$
$\log_{\frac{1}{9}}(3x+1) > \log_{\frac{1}{3}}(2x-1)$에서 양변의 밑을 $\dfrac{1}{3}$로 같게 변형하면
$\dfrac{1}{2}\log_{\frac{1}{3}}(3x+1) > \log_{\frac{1}{3}}(2x-1)$
$\log_{\frac{1}{3}}(3x+1) > 2\log_{\frac{1}{3}}(2x-1)$
$\log_{\frac{1}{3}}(3x+1) > \log_{\frac{1}{3}}(2x-1)^2$
밑 $\dfrac{1}{3}$이 $0 < \dfrac{1}{3} < 1$이므로 $3x+1 < (2x-1)^2$
$4x^2 - 7x > 0$, $x(4x-7) > 0$ $\therefore x<0$ 또는 $x>\dfrac{7}{4}$
진수의 조건에서 $x>\dfrac{1}{2}$이므로 주어진 부등식의 해는 $x>\dfrac{7}{4}$
따라서 정수 x의 최솟값은 2이다.   답 2

11

현재부터 x년 후의 오리의 수를 y라 하면
$y = 100 \times 3^x$에서 $3^x \geq 27 = 3^3$

이때 밑이 1보다 크므로 $x \geq 3$
따라서 2700마리 이상 되는 해는 현재부터 3년 후이다.   답 ①

12

$y=f(x)$의 그래프가 점 $C(1, 0)$을 지나므로 $y=\log_3(x-a)+b$의 그래프는 점 $B(0, 1)$을 지난다.
즉 $1 = \log_3(-a) + b$ ……㉠
$y=\log_3(x-a)+b$의 그래프와 $y=f(x)$의 그래프의 교점은
$y=\log_3(x-a)+b$의 그래프와 직선 $y=x$의 교점과 같으므로
점 A의 좌표를 (t, t) $(t>1)$라 하면
$\triangle ABC = t^2 - 2 \cdot \dfrac{1}{2}t(t-1) - \dfrac{1}{2} \cdot 1 \cdot 1$
$= t - \dfrac{1}{2} = \dfrac{3}{2}$ $\therefore t=2$
따라서 점 A의 좌표는 $(2, 2)$이므로
$2 = \log_3(2-a) + b$ ……㉡
㉡－㉠을 하면 $1 = \log_3 \dfrac{2-a}{-a}$
$\dfrac{2-a}{-a} = 3$에서 $a=-1$
$a=-1$을 ㉠에 대입하면 $b=1$
$\therefore a+b = 0$ 답 ③

Ⅱ 삼각함수

05 삼각함수

pp. 48~49

| 01. ① | 02. ③ | 03. 16 | 04. ③ | 05. ③ |
| 06. ③ | | | | |

01 $-990°=-360°\times3+90°$이므로 $-990°$의 동경이 나타내는 최소의 양의 각은 $90°$이다.   답 ①

02 ㄱ. $\dfrac{1}{3}\pi=\dfrac{1}{3}\pi\times\dfrac{180°}{\pi}=60°$ (거짓)

ㄴ. $120°=120\times\dfrac{\pi}{180°}=\dfrac{2}{3}\pi$ (참)

ㄷ. $\dfrac{7}{6}\pi=\dfrac{7}{6}\pi\times\dfrac{180°}{\pi}=210°$ (참)

ㄹ. $270°=270\times\dfrac{\pi}{180°}=\dfrac{3}{2}\pi$ (거짓)

따라서 옳은 것은 ㄴ, ㄷ이다.   답 ③

03 $S=\dfrac{1}{2}r^2\theta$이므로

$\theta=4$, $S=32$에서 $r=4$

따라서 호의 길이는

$l=r\theta=4\cdot4=16$ 답 16

04 $P(2, 1)$은 제1사분면의 점이고

$r=\overline{OP}=\sqrt{2^2+1^2}=\sqrt{5}$이므로

$\sin\alpha=\dfrac{y}{r}=\dfrac{1}{\sqrt{5}}$

$Q(-1, -2)$는 제3사분면의 점이고

$r=\overline{OQ}=\sqrt{(-1)^2+(-2)^2}=\sqrt{5}$이므로

$\cos\beta=\dfrac{x}{r}=\dfrac{-1}{\sqrt{5}}$

$\therefore \sin\alpha+\cos\beta=\dfrac{1}{\sqrt{5}}+\left(-\dfrac{1}{\sqrt{5}}\right)=0$ 답 ③

05 $\cos\theta<0$, $\tan\theta>0$이므로 θ는 제3사분면의 각이다.   답 ③

06 $\dfrac{\sin\theta}{1+\cos\theta}-\dfrac{1-\cos\theta}{\sin\theta}=\dfrac{\sin^2\theta-(1-\cos\theta)(1+\cos\theta)}{(1+\cos\theta)\sin\theta}$

$=\dfrac{\sin^2\theta-1+\cos^2\theta}{(1+\cos\theta)\sin\theta}$

$=0$ 답 ③

기출유형 01

Act1 각 θ를 일반각으로 나타내어 각 $\theta=360°\times n+\alpha°$와 각 $\alpha°$를 나타내는 동경이 일치함을 이용한다.

$30°$를 나타내는 각 θ를 일반각으로 나타내면

$\theta=360°\times n+30°$ (n은 정수)

① $390°=360°\times1+30°$

② $750°=360°\times2+30°$

③ $1100°=360°\times3+20°$

④ $-330°=360°\times(-1)+30°$

⑤ $-690°=360°\times(-2)+30°$ 답 ③

01 **Act1** 각 θ의 범위를 일반각으로 나타낸 다음 $\dfrac{\theta}{2}$를 나타내는 동경이 존재하는 사분면을 생각한다.

θ가 제3사분면의 각이므로 일반각으로 나타내면

$360°\times n+180°<\theta<360°\times n+270°$ (n은 정수)

각 변을 2로 나누면

$180°\times n+90°<\dfrac{\theta}{2}<180°\times n+135°$

(i) $n=2k$ (k는 정수)일 때

$180°\times2k+90°<\dfrac{\theta}{2}<180°\times2k+135°$

$360°\times k+90°<\dfrac{\theta}{2}<360°\times k+135°$

따라서 $\dfrac{\theta}{2}$는 제2사분면의 각이다.

(ii) $n=2k+1$ (k는 정수)일 때

$180°\times(2k+1)+90°<\dfrac{\theta}{2}<180°\times(2k+1)+135°$

$360°\times k+270°<\dfrac{\theta}{2}<360°\times k+315°$

따라서 $\dfrac{\theta}{2}$는 제4사분면의 각이다.

(i), (ii)에서 $\dfrac{\theta}{2}$를 나타내는 동경이 존재할 수 있는 사분면은 제2사분면 또는 제4사분면이다.   답 ⑤

02 **Act1** 각 θ의 범위를 일반각으로 나타낸 다음 $\dfrac{\theta}{2}$를 나타내는 동경이 존재하는 사분면을 생각한다.

θ가 제2사분면의 각이므로 일반각으로 나타내면

$360°\times n+90°<\theta<360°\times n+180°$ (n은 정수)

각 변을 2로 나누면

$180°\times n+45°<\dfrac{\theta}{2}<180°\times n+90°$

(i) $n=2k$ (k는 정수)일 때

$$180° \times 2k+45° < \frac{\theta}{2} < 180° \times 2k+90°$$

$$360° \times k+45° < \frac{\theta}{2} < 360° \times k+90°$$

따라서 $\dfrac{\theta}{2}$는 제1사분면의 각이다.

(ii) $n=2k+1$ (k는 정수)일 때

$$180° \times (2k+1)+45° < \frac{\theta}{2} < 180° \times (2k+1)+90°$$

$$360° \times k+225° < \frac{\theta}{2} < 360° \times k+270°$$

따라서 $\dfrac{\theta}{2}$는 제3사분면의 각이다.

(i), (ii)에서 $\dfrac{\theta}{2}$를 나타내는 동경이 존재할 수 있는 사분면은
제1사분면 또는 제3사분면이다. 　　　　　　　　　　답 ④

03 **Act①** $1° = \dfrac{\pi}{180}$ 라디안, 1라디안 $= \dfrac{180°}{\pi}$ 를 이용하여 계산한다.

① $30° = 30 \times \dfrac{\pi}{180} = \dfrac{\pi}{6}$

② $-135° = -135 \times \dfrac{\pi}{180} = -\dfrac{3}{4}\pi$

③ $150° = 150 \times \dfrac{\pi}{180} = \dfrac{5}{6}\pi$

④ $\dfrac{5}{3}\pi = \dfrac{5}{3}\pi \times \dfrac{180°}{\pi} = 300°$

⑤ $\dfrac{3}{2}\pi = \dfrac{3}{2}\pi \times \dfrac{180°}{\pi} = 270°$

따라서 옳지 않은 것은 ④이다. 　　　　　　　　　　답 ④

04 **Act①** $1° = \dfrac{\pi}{180}$ 라디안, 1라디안 $= \dfrac{180°}{\pi}$ 를 이용하여 계산한다.

① $75° = 75 \times \dfrac{\pi}{180} = \dfrac{5}{12}\pi$

② $135° = 135 \times \dfrac{\pi}{180} = \dfrac{3}{4}\pi$

③ $300° = 300 \times \dfrac{\pi}{180} = \dfrac{5}{3}\pi$

④ $\dfrac{1}{12}\pi = \dfrac{1}{12}\pi \times \dfrac{180°}{\pi} = 15°$

⑤ $\dfrac{10}{3}\pi = \dfrac{10}{3}\pi \times \dfrac{180°}{\pi} = 600°$

따라서 옳지 않은 것은 ②이다. 　　　　　　　　　　답 ②

기출유형 02

Act① θ와 6θ를 나타내는 동경이 일치하므로 $6\theta-\theta=2n\pi$ (n은 정수)임을 이용한다.

각 θ를 나타내는 동경과 각 6θ를 나타내는 동경이 일치하므로

$6\theta-\theta = 2n\pi$ (n은 정수)

$5\theta = 2n\pi$ $\therefore \theta = \dfrac{2n\pi}{5}$ ······㉠

이때 각 θ의 범위가 $0 < \theta < \pi$이므로

$0 < \dfrac{2n\pi}{5} < \pi$

각 변에 $\dfrac{5}{2\pi}$를 곱하면

$0 < n < \dfrac{5}{2}$

n은 정수이므로 $n=1$ 또는 $n=2$
이 값을 ㉠에 대입하면

$\theta = \dfrac{2}{5}\pi$ 또는 $\theta = \dfrac{4}{5}\pi$

$\therefore \dfrac{2}{5}\pi + \dfrac{4}{5}\pi = \dfrac{6}{5}\pi$ 　　　　　　　　답 ③

05 **Act①** θ와 9θ를 나타내는 동경이 일치하므로
$9\theta-\theta = 2n\pi$ (n은 정수)임을 이용한다.

각 θ를 나타내는 동경과 각 9θ를 나타내는 동경이 일치하므로

$9\theta-\theta = 2n\pi$ (n은 정수)

$8\theta = 2n\pi$

$\therefore \theta = \dfrac{n\pi}{4}$ ······㉠

이때 각 θ의 범위가 $\pi < \theta < \dfrac{3}{2}\pi$이므로

$\pi < \dfrac{n\pi}{4} < \dfrac{3}{2}\pi$

각 변에 $\dfrac{4}{\pi}$를 곱하면

$4 < n < 6$

n은 정수이므로 $n=5$

이 값을 ㉠에 대입하면 $\theta = \dfrac{5}{4}\pi$ 　　　　답 ①

06 **Act①** θ와 7θ를 나타내는 동경이 일직선 위에 있고 방향이 서로
반대이므로 $7\theta-\theta = (2n+1)\pi$ (n은 정수)임을 이용한다.

각 θ를 나타내는 동경과 각 7θ를 나타내는 동경이 일직선
위에 있고 방향이 서로 반대이므로

$7\theta-\theta = (2n+1)\pi$ (n은 정수)

$6\theta = (2n+1)\pi$

$\therefore \theta = \dfrac{(2n+1)\pi}{6}$ ······㉠

이때 각 θ의 범위가 $\dfrac{\pi}{2} < \theta < \pi$이므로

$\dfrac{\pi}{2} < \dfrac{(2n+1)\pi}{6} < \pi$

각 변에 $\dfrac{6}{\pi}$을 곱하면

$3 < 2n+1 < 6$

$1 < n < \dfrac{5}{2}$

n은 정수이므로 $n=2$

이 값을 ㉠에 대입하면 $\theta = \dfrac{5}{6}\pi$ 　　　　답 ④

07 [Act①] θ와 5θ를 나타내는 동경이 x축에 대하여 서로 대칭이므로 $\theta+5\theta=2n\pi$ (n은 정수)임을 이용한다.

각 θ를 나타내는 동경과 각 5θ를 나타내는 동경이 x축에 대하여 서로 대칭이므로, 두 각의 합이 x축 양의 방향의 동경과 같다. 즉
$$\theta+5\theta=2n\pi \ (n\text{은 정수})$$
$$6\theta=2n\pi$$
$$\therefore \theta=\frac{n\pi}{3} \quad\cdots\cdots\text{㉠}$$

이때 각 θ의 범위가 $\dfrac{\pi}{2}<\theta<\pi$이므로
$$\frac{\pi}{2}<\frac{n\pi}{3}<\pi$$

각 변에 $\dfrac{3}{\pi}$을 곱하면
$$\frac{3}{2}<n<3$$

n은 정수이므로 $n=2$

이 값을 ㉠에 대입하면 $\theta=\dfrac{2}{3}\pi$ 　　　　답 ①

08 [Act①] θ와 4θ를 나타내는 동경이 y축에 대하여 서로 대칭이므로 $\theta+4\theta=(2n+1)\pi$ (n은 정수)임을 이용한다.

각 θ를 나타내는 동경과 각 4θ를 나타내는 동경이 y축에 대하여 서로 대칭이므로, 두 각의 합이 x축 음의 방향의 동경과 같다. 즉
$$\theta+4\theta=(2n+1)\pi \ (n\text{은 정수})$$
$$\therefore \theta=\frac{(2n+1)\pi}{5} \quad\cdots\cdots\text{㉠}$$

이때 각 θ의 범위가 $0<\theta<\dfrac{\pi}{2}$이므로
$$0<\frac{(2n+1)\pi}{5}<\frac{\pi}{2}$$

각 변에 $\dfrac{5}{\pi}$를 곱하면
$$0<2n+1<\frac{5}{2}$$
$$-1<2n<\frac{3}{2}$$
$$-\frac{1}{2}<n<\frac{3}{4}$$

n은 정수이므로 $n=0$

이 값을 ㉠에 대입하면 $\theta=\dfrac{\pi}{5}$ 　　　　답 ③

기출유형 03

[Act①] 부채꼴의 넓이 공식과 호의 길이 공식에 주어진 값을 대입한다.

부채꼴의 반지름의 길이를 r, 중심각의 크기를 θ, 호의 길이를 l, 넓이를 S라 하면
$$S=\frac{1}{2}rl\text{에서 }24=\frac{1}{2}\times 4\times l$$

$$\therefore l=12$$
$l=r\theta$에서 $12=4\theta$
$$\therefore \theta=3$$
따라서 $a=12$, $b=3$이므로
$$a+b=15$$ 　　　　답 ③

09 [Act①] 부채꼴의 넓이 공식과 호의 길이 공식에 주어진 값을 대입한다.

부채꼴의 반지름의 길이를 r, 중심각의 크기를 θ, 호의 길이를 l, 넓이를 S라 하면
$$S=\frac{1}{2}r^2\theta\text{에서 }36=\frac{1}{2}\times r^2\times 2$$
$$\therefore r=6 \ (\because r>0)$$
$l=r\theta$에서 $l=6\times 2=12$ 　　　　답 ④

10 [Act①] $l=r\theta$에서 중심각의 크기 θ를 구해 색칠한 부분의 넓이를 계산한다.

부채꼴의 호의 길이 $l=r\theta$에서 $\theta=\dfrac{l}{r}$이므로

주어진 부채꼴의 중심각의 크기 θ는
$$\theta=\frac{10}{5}=2\,(\text{라디안})$$

이때 작은 부채꼴의 호의 길이는
$$2\times 2=4$$
따라서 색칠한 부분의 넓이 S는
$$S=\frac{1}{2}\times 5\times 10-\frac{1}{2}\times 2\times 4$$
$$=25-4=21$$ 　　　　답 ③

11 [Act①] 반지름의 길이를 r, 호의 길이를 l이라 하면 $l+2r=32$이다.

부채꼴의 반지름의 길이를 r, 호의 길이를 l이라 하면
$l+2r=32$이므로
$$l=32-2r=32-2\cdot 4=24$$
따라서 부채꼴의 넓이는
$$S=\frac{1}{2}rl=\frac{1}{2}\cdot 4\cdot 24=48$$ 　　　　답 48

12 [Act①] 부채꼴의 넓이가 최대일 때의 반지름의 길이 r와 호의 길이 l을 구해 $\theta=\dfrac{l}{r}$에 대입한다.

부채꼴의 반지름의 길이를 r, 호의 길이를 l이라 하면
$$l+2r=20,\ l=20-2r$$
$$S=\frac{1}{2}rl=\frac{1}{2}r(20-2r)=-r^2+10r$$
$$=-(r-5)^2+25$$
즉 $r=5$일 때 S가 최대이고, 이때 호의 길이는 $l=10$
$$\therefore \theta=\frac{l}{r}=\frac{10}{5}=2$$ 　　　　답 ②

Act① $r=\overline{OP}$의 값을 구한 다음 $\sin\theta=\dfrac{y}{r}$, $\cos\theta=\dfrac{x}{r}$임을 이용한다.

그림과 같이 원점과 점 $P(-6, -8)$을 잇는 선분 OP를 동경으로 하는 각 θ에 대하여

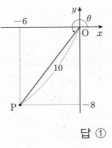

$$\sin\theta=-\frac{8}{10},\ \cos\theta=-\frac{6}{10}$$

$$\therefore\ \cos\theta+\sin\theta=-\frac{6}{10}-\frac{8}{10}$$

$$=-\frac{7}{5}$$ 답 ①

13 **Act①** $r=\overline{OP}$의 값을 구한 다음 $\sin\theta=\dfrac{y}{r}$, $\cos\theta=\dfrac{x}{r}$임을 이용한다.

$P(3, -4)$는 제4사분면의 점이고
$r=\overline{OP}=\sqrt{3^2+(-4)^2}=5$
이므로

$$\sin\theta=\frac{y}{r}=-\frac{4}{5},\ \cos\theta=\frac{x}{r}=\frac{3}{5}$$

$$\therefore\ \cos\theta-\sin\theta=\frac{3}{5}-\left(-\frac{4}{5}\right)=\frac{7}{5}$$ 답 ⑤

14 **Act①** 특수각의 삼각비의 값을 주어진 식에 대입한다.

중학교에서 배운 특수각의 삼각비의 값에서 $\sin\dfrac{\pi}{3}=\dfrac{\sqrt{3}}{2}$, $\tan\dfrac{\pi}{3}=\sqrt{3}$이므로

$$\left(2+2\sin\frac{\pi}{3}\right)\left(2-\tan\frac{\pi}{3}\right)=\left(2+2\cdot\frac{\sqrt{3}}{2}\right)(2-\sqrt{3})$$
$$=(2+\sqrt{3})(2-\sqrt{3})=2^2-(\sqrt{3})^2=4-3=1$$ 답 ①

보충

특수각의 삼각비

한 내각의 크기가 60°인 직각삼각형과 45°인 직각삼각형의 세 변의 길이의 비는 그림과 같다.

따라서 30°, 45°, 60°에 대한 삼각비의 값은 아래와 같다.

삼각비＼A	30°	45°	60°	
$\sin A$	$\dfrac{1}{2}$	$\dfrac{\sqrt{2}}{2}$	$\dfrac{\sqrt{3}}{2}$	sin값은 증가
$\cos A$	$\dfrac{\sqrt{3}}{2}$	$\dfrac{\sqrt{2}}{2}$	$\dfrac{1}{2}$	cos값은 감소
$\tan A$	$\dfrac{\sqrt{3}}{3}$	1	$\sqrt{3}$	tan값은 증가

---

15 **Act①** θ가 제3사분면의 각일 때 $\sin\theta<0$, $\cos\theta<0$, $\tan\theta>0$임을 이용하여 근호와 절댓값 기호를 벗긴다.

θ가 제3사분면의 각일 때
$\sin\theta<0$, $\cos\theta<0$, $\tan\theta>0$이므로
$\cos\theta+\sin\theta<0$, $\tan\theta-\cos\theta>0$
$\therefore\ \sqrt{\sin^2\theta}+\sqrt{\tan^2\theta}-|\cos\theta+\sin\theta|-|\tan\theta-\cos\theta|$
$\quad=-\sin\theta+\tan\theta+\cos\theta+\sin\theta-\tan\theta+\cos\theta$
$\quad=2\cos\theta$ 답 ③

16 **Act①** 근과 계수의 관계, 곱셈 공식의 변형을 이용하여 $\alpha+\beta$, $\alpha-\beta$의 값을 주어진 식에 대입한다.

근과 계수의 관계에서
$\alpha+\beta=2\sqrt{3}$, $\alpha\beta=2$
$\therefore\ (\alpha-\beta)^2=(\alpha+\beta)^2-4\alpha\beta=12-8=4$
$\alpha>\beta$이므로 $\alpha-\beta=2$
$$\therefore\ \tan\theta=\frac{2}{2\sqrt{3}}=\frac{1}{\sqrt{3}}$$
$-\dfrac{\pi}{2}<\theta<\dfrac{\pi}{2}$에서 $\theta=\dfrac{\pi}{6}$ 답 ①

Act① $\tan\theta=\dfrac{\sin\theta}{\cos\theta}$, $\sin^2\theta+\cos^2\theta=1$을 이용하여 [보기]의 참, 거짓을 판단한다.

ㄱ. $\dfrac{1}{\tan\theta}+\dfrac{1-\cos\theta}{\sin\theta}=\dfrac{\cos\theta}{\sin\theta}+\dfrac{1-\cos\theta}{\sin\theta}$

$\qquad=\dfrac{1}{\sin\theta}$ (참)

ㄴ. $\tan\theta+\dfrac{1}{\tan\theta}=\dfrac{\sin\theta}{\cos\theta}+\dfrac{\cos\theta}{\sin\theta}$

$\qquad=\dfrac{\sin^2\theta+\cos^2\theta}{\cos\theta\sin\theta}$

$\qquad=\dfrac{1}{\cos\theta\sin\theta}$ (참)

ㄷ. $\dfrac{\tan\theta\sin\theta}{\tan\theta-\sin\theta}-\dfrac{1}{\sin\theta}=\dfrac{\dfrac{\sin^2\theta}{\cos\theta}}{\dfrac{\sin\theta}{\cos\theta}-\sin\theta}-\dfrac{1}{\sin\theta}$

$\qquad=\dfrac{\sin\theta}{1-\cos\theta}-\dfrac{1}{\sin\theta}$

$\qquad=\dfrac{\sin^2\theta-1+\cos\theta}{(1-\cos\theta)\sin\theta}$

$\qquad=\dfrac{-\cos^2\theta+\cos\theta}{(1-\cos\theta)\sin\theta}$

$\qquad=\dfrac{\cos\theta(1-\cos\theta)}{(1-\cos\theta)\sin\theta}$

$\qquad=\dfrac{\cos\theta}{\sin\theta}$ (참)

따라서 옳은 것은 ㄱ, ㄴ, ㄷ이다. 답 ⑤

17 **Act①** 좌변의 분모, 분자를 $\cos\theta$로 나눈 후 $\tan\theta$에 대하여 정리한다.

$\dfrac{\cos\theta+\sin\theta}{\cos\theta-\sin\theta}=\sqrt{3}$에서 좌변의 분모, 분자를 $\cos\theta$로 나누면

$\dfrac{1+\dfrac{\sin\theta}{\cos\theta}}{1-\dfrac{\sin\theta}{\cos\theta}}=\sqrt{3}$, $\dfrac{1+\tan\theta}{1-\tan\theta}=\sqrt{3}$

$1+\tan\theta=\sqrt{3}-\sqrt{3}\tan\theta$

$(1+\sqrt{3})\tan\theta=\sqrt{3}-1$

$\therefore \tan\theta=\dfrac{\sqrt{3}-1}{\sqrt{3}+1}$ 　　　　　　　　답 ②

18 Act❶ $\sin^2\theta+\cos^2\theta=1$, $\tan\theta=\dfrac{\sin\theta}{\cos\theta}$를 이용하여 $\sin\theta\cdot\tan\theta$의 값을 구한다.

$\sin^2\theta+\cos^2\theta=1$이므로

$\sin^2\theta=1-\cos^2\theta=1-\left(-\dfrac{1}{3}\right)^2=\dfrac{8}{9}$

$\sin\theta\cdot\tan\theta=\sin\theta\times\dfrac{\sin\theta}{\cos\theta}$

$\qquad\qquad\quad=\dfrac{\sin^2\theta}{\cos\theta}$

$\qquad\qquad\quad=\dfrac{\dfrac{8}{9}}{-\dfrac{1}{3}}=-\dfrac{8}{3}$ 　　　　　답 ②

19 Act❶ $\sin x+\cos x=\sqrt{2}$의 양변을 제곱한 후 $\sin^2 x+\cos^2 x=1$임을 이용하여 $\sin x\cos x$의 값을 구한다.

$\sin x+\cos x=\sqrt{2}$의 양변을 제곱하면

$\sin^2 x+\cos^2 x+2\sin x\cos x=2$

$1+2\sin x\cos x=2$

$\therefore \sin x\cos x=\dfrac{1}{2}$ 　　　　　　　　답 ④

20 Act❶ $\sin\theta+\cos\theta=\sin\theta\cos\theta$의 양변을 제곱한 후 $\sin^2\theta+\cos^2\theta=1$임을 이용하여 $\sin\theta\cos\theta$의 값을 구한다.

$\sin\theta+\cos\theta=\sin\theta\cos\theta$에서 양변을 제곱하면

$1+2\sin\theta\cos\theta=(\sin\theta\cos\theta)^2$이므로

$(\sin\theta\cos\theta)^2-2\sin\theta\cos\theta-1=0$

$\therefore \sin\theta\cos\theta=1-\sqrt{2}\ (\because -1\le\sin\theta\cos\theta\le1)$

따라서 $a=1$, $b=-1$이므로 $10a-b=11$ 　　답 11

VIT **V**ery **I**mportant **T**est 　　　pp. 55~57

01. ③	**02.** ③	**03.** ②	**04.** ①	**05.** 8
06. ⑤	**07.** ①	**08.** ①	**09.** ③	**10.** ③
11. ②	**12.** ⑤	**13.** ③	**14.** ④	**15.** ③
16. 40	**17.** 24	**18.** ④		

01
ㄷ. $660°=360°+300°$
ㄹ. $-250°=360°\times(-1)+110°$
ㅁ. $-930°=360°\times(-3)+150°$
ㅂ. $-1140°=360°\times(-4)+300°$
따라서 동경의 위치가 제2사분면에 있는 것은 ㄹ, ㅁ이다. 답 ③

02
θ의 동경과 5θ의 동경이 x축에 대하여 대칭이므로
$\theta+5\theta=360°\times n$ (단, n은 정수)
$6\theta=360°\times n$, $\theta=60°\times n$
$0<\theta<\pi$이므로 $n=1$일 때 $\theta=60°$, $n=2$일 때 $\theta=120°$이다.
따라서 θ의 값을 모두 더하면 $60°+120°=180°=\pi$ 　　답 ③

03
부채꼴의 반지름의 길이를 r라 하면
$r\cdot\dfrac{\pi}{6}=\dfrac{\pi}{2}$, $r=3$
$\therefore S=\dfrac{1}{2}\cdot3\cdot\dfrac{\pi}{2}=\dfrac{3}{4}\pi$ 　　　　　　답 ②

04
부채꼴의 반지름의 길이를 r, 호의 길이를 l이라 하면 $r=4$이고 부채꼴의 둘레의 길이가 $\pi+8$이므로
$2r+l=2\times4+l=\pi+8$
$\therefore l=\pi$
중심각의 크기를 θ라 하면 $l=r\theta$에서
$\theta=\dfrac{l}{r}=\dfrac{\pi}{4}$ 　　　　　　　　　답 ①

05
부채꼴의 호의 길이를 l이라 하면
부채꼴의 둘레의 길이는
$2r+l=8$ $\therefore l=8-2r$
부채꼴의 넓이는
$S=\dfrac{1}{2}rl$
$\ \ =\dfrac{1}{2}r(8-2r)$
$\ \ =-r^2+4r$
$\ \ =-(r-2)^2+4$
따라서 $r=2$일 때 부채꼴의 넓이가 최대이고, 최댓값 $S=4$를 갖는다.
$\therefore S+2r=4+2\cdot2=8$ 　　　　　　　답 8

06
부채꼴의 반지름의 길이를 r, 호의 길이를 l이라 하면
부채꼴의 둘레의 길이는
$2r+l=16$, $l=16-2r$
부채꼴의 넓이는

$$S=\frac{1}{2}r(16-2r)=-r^2+8r$$
$$=-(r-4)^2+16$$

즉 $r=4$일 때, S는 최댓값 16을 갖는다.

따라서 $m=4$, $n=16$이므로 $m+n=20$ 답 ⑤

07

점 P에서 x축에 내린 수선의 발을 H라 하면 $\triangle OPH$에서
$\overline{OH}=1$, $\overline{PH}=\sqrt{3}$

그런데 $\dfrac{2}{3}\pi$가 제2사분면의 각이므로

$x=-1$, $y=\sqrt{3}$

$\therefore x-y=-\sqrt{3}-1$ 답 ①

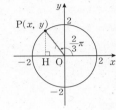

08

$\dfrac{3}{2}\pi<\theta<2\pi$일 때,

$\sin\theta<0$, $\cos\theta>0$, $\sin\theta-\cos\theta<0$이므로

$\sqrt{\sin^2\theta}+\sqrt{(\sin\theta-\cos\theta)^2}+\sqrt{\cos^2\theta}$

$=-\sin\theta-(\sin\theta-\cos\theta)+\cos\theta$

$=-2(\sin\theta-\cos\theta)$ 답 ①

09

$\overline{OA}=1$, $\overline{OD}=1$에서

$\dfrac{\overline{AB}}{\overline{OA}}=\sin\theta$ $\therefore \overline{AB}=\sin\theta$

$\dfrac{\overline{CD}}{\overline{OD}}=\tan\theta$ $\therefore \overline{CD}=\tan\theta$

$\therefore \dfrac{\overline{CD}}{\overline{AB}}=\dfrac{\tan\theta}{\sin\theta}=\dfrac{1}{\cos\theta}=\dfrac{1}{x}$ 답 ③

10

점 $P(3, 4)$를 x축에 대하여 대칭이동한 점 P_1의 좌표는
$P_1(3, -4)$

점 $P(3, 4)$를 y축에 대하여 대칭이동한 점 P_2의 좌표는
$P_2(-3, 4)$

점 $P(3, 4)$를 직선 $y=x$에 대하여 대칭이동한 점 P_3의 좌표는
$P_3(4, 3)$

$\overline{OP_1}=\overline{OP_2}=\overline{OP_3}=5$이므로

$\sin\alpha=-\dfrac{4}{5}$, $\cos\beta=-\dfrac{3}{5}$, $\tan\gamma=\dfrac{3}{4}$

$\therefore \sin\alpha\cos\beta\tan\gamma=\left(-\dfrac{4}{5}\right)\times\left(-\dfrac{3}{5}\right)\times\dfrac{3}{4}$

$\qquad\qquad\qquad\qquad\quad =\dfrac{9}{25}$ 답 ③

11

$\pi<\theta<\dfrac{3}{2}\pi$에서 θ는 제3사분면의 각이므로

$\sin\theta<0$, $\tan\theta>0$

따라서 $\sin\theta-\tan\theta<0$이다.

$|\sin\theta|+\sqrt{(\sin\theta-\tan\theta)^2}=|\sin\theta|+|\sin\theta-\tan\theta|$
$\qquad\qquad\qquad\qquad\qquad\quad =-\sin\theta-\sin\theta+\tan\theta$
$\qquad\qquad\qquad\qquad\qquad\quad =-2\sin\theta+\tan\theta$ 답 ②

12

ㄱ. 좌변과 우변의 분모를 $\sin\theta(1+\cos\theta)$로 통분하면

$\dfrac{1-\cos^2\theta}{\sin\theta(1+\cos\theta)}=\dfrac{\sin^2\theta}{\sin\theta(1+\cos\theta)}$

$1-\cos^2\theta=\sin^2\theta$이므로

$\dfrac{1-\cos\theta}{\sin\theta}=\dfrac{\sin\theta}{1+\cos\theta}$ (참)

ㄴ. $\dfrac{\cos\theta}{1+\sin\theta}+\tan\theta=\dfrac{\cos\theta}{1+\sin\theta}+\dfrac{\sin\theta}{\cos\theta}$

$\qquad\qquad\qquad\qquad =\dfrac{\cos^2\theta+\sin\theta+\sin^2\theta}{(1+\sin\theta)\cos\theta}$

$\qquad\qquad\qquad\qquad =\dfrac{1+\sin\theta}{(1+\sin\theta)\cos\theta}$

$\qquad\qquad\qquad\qquad =\dfrac{1}{\cos\theta}$ (참)

ㄷ. $\cos^4\theta-\sin^4\theta=(\cos^2\theta+\sin^2\theta)(\cos^2\theta-\sin^2\theta)$

$\qquad\qquad\qquad\quad =\cos^2\theta-\sin^2\theta$

$\qquad\qquad\qquad\quad =1-2\sin^2\theta$ (참)

따라서 옳은 것은 ㄱ, ㄴ, ㄷ이다.   답 ⑤

13

$\sin\theta+\cos\theta=\dfrac{1}{3}$의 양변을 제곱하여 정리하면

$\sin^2\theta+2\sin\theta\cos\theta+\cos^2\theta=\dfrac{1}{9}$

$1+2\sin\theta\cos\theta=\dfrac{1}{9}$

$\therefore \sin\theta\cos\theta=-\dfrac{4}{9}$ 답 ③

14

$\sin\theta+\cos\theta=\dfrac{1}{2}$의 양변을 제곱하여 정리하면

$\sin^2\theta+2\sin\theta\cos\theta+\cos^2\theta=\dfrac{1}{4}$

$2\sin\theta\cos\theta=-\dfrac{3}{4}$

$\therefore \sin\theta\cos\theta=-\dfrac{3}{8}$

$(\sin\theta-\cos\theta)^2=(\sin\theta+\cos\theta)^2-4\sin\theta\cos\theta$

$\qquad\qquad\qquad\quad =\dfrac{1}{4}-4\left(-\dfrac{3}{8}\right)$

$\qquad\qquad\qquad\quad =\dfrac{7}{4}$

$\therefore \sin\theta-\cos\theta=\pm\dfrac{\sqrt{7}}{2}$ 답 ④

15

$(\sin\theta-\cos\theta)^2=\sin^2\theta+\cos^2\theta-2\sin\theta\cos\theta$

$\qquad\qquad\qquad\quad=1-2\cdot\dfrac{4}{9}$

$\qquad\qquad\qquad\quad=\dfrac{1}{9}$

$\therefore\ \sin\theta-\cos\theta=\dfrac{1}{3}\ (\because\ \sin\theta>\cos\theta)$ 답 ③

16

$\sin\theta-\cos\theta=\dfrac{1}{3}$의 양변을 제곱하여 정리하면

$\sin^2\theta-2\sin\theta\cos\theta+\cos^2\theta=\dfrac{1}{9}$

$-2\sin\theta\cos\theta=-\dfrac{8}{9}$

$\therefore\ \sin\theta\cos\theta=\dfrac{4}{9}$

$\therefore\ \sin^3\theta-\cos^3\theta$

$\quad=(\sin\theta-\cos\theta)^3+3\sin\theta\cos\theta(\sin\theta-\cos\theta)$

$\quad=\left(\dfrac{1}{3}\right)^3+3\cdot\dfrac{4}{9}\cdot\dfrac{1}{3}$

$\quad=\dfrac{13}{27}$

따라서 $p=27$, $q=13$이므로

$p+q=40$ 답 40

17

$4x^2-kx+1=0$의 두 근이 $\sin\theta$, $\cos\theta$이므로

$\sin\theta+\cos\theta=\dfrac{k}{4}$ ······㉠, $\sin\theta\cos\theta=\dfrac{1}{4}$

㉠의 양변을 제곱하여 정리하면

$1+2\sin\theta\cos\theta=\dfrac{k^2}{16}$, $\dfrac{3}{2}=\dfrac{k^2}{16}$

$\therefore\ k^2=24$ 답 24

18

로그의 성질에서

$\log(\sin\theta)-\log(\cos\theta)=\log\dfrac{\sin\theta}{\cos\theta}$

$\qquad\qquad\qquad\qquad\quad=\log(\tan\theta)$

즉 $\log(\tan\theta)=\dfrac{1}{2}\log 3=\log\sqrt{3}$을 풀면 $\tan\theta=\sqrt{3}$

이때 $\tan\dfrac{\pi}{3}=\sqrt{3}$이고 $0<\theta<\dfrac{\pi}{2}$이므로

$\theta=\dfrac{\pi}{3}$ 답 ④

---

06 삼각함수의 그래프

01. ③	02. ②, ⑤	03. ⑤	04. 2

01 $f(10)=f(7)=f(4)=f(1)=\cdots$ 답 ③

02 $y=\dfrac{1}{2}\cos x$의 그래프는 $y=\cos x$의 그래프를 x축을 중심으로 상하로 $\dfrac{1}{2}$배 축소한 것이므로 다음 그림과 같다.

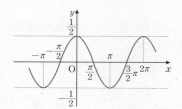

① 최댓값은 $\dfrac{1}{2}$, 최솟값은 $-\dfrac{1}{2}$이다.

③ 치역은 $\left\{y\,\middle|\,-\dfrac{1}{2}\leq y\leq\dfrac{1}{2}\right\}$이다.

④ 주기는 2π이다.

따라서 옳은 것은 ②, ⑤이다.   답 ②, ⑤

03 $\sin\dfrac{\pi}{6}+\tan\dfrac{9}{4}\pi=\sin\dfrac{\pi}{6}+\tan\left(2\pi+\dfrac{\pi}{4}\right)$

$\qquad\qquad\qquad\quad=\sin\dfrac{\pi}{6}+\tan\dfrac{\pi}{4}$

$\qquad\qquad\qquad\quad=\dfrac{1}{2}+1$

$\qquad\qquad\qquad\quad=\dfrac{3}{2}$

    답 ⑤

04 $\sin x+\dfrac{1}{2}=0$에서

$\sin x=-\dfrac{1}{2}$

따라서 $x=\dfrac{7}{6}\pi$ 또는 $x=\dfrac{11}{6}\pi$이므로 실근의 개수는 2이다.

    답 2

유형따라잡기			pp. 60~65
기출유형 01 ⑤	**01.** ③	**02.** ①	**03.** ③ **04.** ①
기출유형 02 ④	**05.** ①	**06.** ②	**07.** ①
기출유형 03 ③	**08.** ③	**09.** ⑤	**10.** ② **11.** ③
기출유형 04 ⑤	**12.** 0	**13.** ②	**14.** 1 **15.** 2
기출유형 05 ④	**16.** ③	**17.** 5	**18.** ④ **19.** ①
기출유형 06 3	**20.** ④	**21.** ③	**22.** ⑤ **23.** ④

기출유형 01

Act❶ $f(x+1)=f(x)$이므로 $f(x)$는 주기가 1인 함수이다.
주어진 함수의 주기를 각각 구하면

① $\dfrac{2\pi}{\pi}=2$　　　　② $\dfrac{2\pi}{3}=\dfrac{2}{3}\pi$

③ $\dfrac{\pi}{\frac{\pi}{2}}=2$　　④ $\dfrac{2\pi}{\frac{\pi}{2}}=4$　　⑤ $\dfrac{\pi}{\pi}=1$

따라서 $f(x+1)=f(x)$를 만족하는 함수는 ⑤ $f(x)=\tan\pi x$
이다.　　　　　　　　　　　　　　　　　　　　　답 ⑤

01 **Act❶** 삼각함수의 주기와 평행이동의 성질을 이용하여 [보기]의 참, 거짓을 판단한다.

ㄱ. 주기는 $\dfrac{\pi}{2}$이다. (참)

ㄴ. $y=-\tan(2x-3\pi)=-\tan 2\left(x-\dfrac{3}{2}\pi\right)$이므로

　$y=-\tan 2x$의 그래프를 x축의 방향으로 $\dfrac{3}{2}\pi$만큼 평행이동한 것이다. (참)

ㄷ. 점근선의 방정식은 $x=\dfrac{n}{2}\pi+\dfrac{\pi}{4}$($n$은 정수)이다. (거짓)

따라서 옳은 것은 ㄱ, ㄴ이다.　　　　　　　　　답 ③

02 **Act❶** 삼각함수의 최대·최소와 주기를 이용하여 주어진 식의 값을 구한다.

$f(x)=3\cos\dfrac{1}{2}x$라 하면

$-1\le\cos\dfrac{1}{2}x\le 1$에서 $-3\le 3\cos\dfrac{1}{2}x\le 3$이므로

최댓값은 3, 최솟값은 -3이다.

$f(x)=3\cos\dfrac{1}{2}x=3\cos\left(\dfrac{1}{2}x+2\pi\right)=3\cos\dfrac{1}{2}(x+4\pi)$

　　　$=f(x+4\pi)$

즉 $f(x)=f(x+4\pi)$이므로 주기는 4π이다.

따라서 $a=3$, $b=-3$, $c=4\pi$이므로

$\dfrac{abc}{\pi}=-36$　　　　　　　　　　　　　　답 ①

03 **Act❶** 삼각함수의 최대·최소와 주기를 이용하여 연립방정식을 푼다.

$y=a\sin bx+c$의 최댓값이 3, 최솟값이 1이므로

$a+c=3$　……㉠

$-a+c=1$　……㉡

㉠, ㉡을 연립하여 풀면 $a=1$, $c=2$

한편, 주기는 $\dfrac{2\pi}{|b|}=\pi$에서 $b=2$

$\therefore a+b+c=5$　　　　　　　　　　　　　답 ③

04 **Act❶** 삼각함수의 최대·최소와 주기를 이용하여 주어진 식의 값을 구한다.

함수 $y=2\sin\left(3x+\dfrac{\pi}{2}\right)+1$의 그래프는 $y=2\sin\left(3x+\dfrac{\pi}{2}\right)$

의 그래프를 y축의 방향으로 1만큼 평행이동한 것이므로

$M=2+1=3$, $m=-2+1=-1$

또한 $y=2\sin\left(3x+\dfrac{\pi}{2}\right)+1$의 주기는 $p=\dfrac{2\pi}{3}$이다.

$\therefore \dfrac{Mmp}{\pi}=\dfrac{3\cdot(-1)\cdot\frac{2\pi}{3}}{\pi}=-2$　　　　　답 ①

기출유형 02

Act❶ 삼각함수의 그래프가 주어지면 주기와 평행이동을 생각한다.

주어진 그래프는 $\dfrac{13}{6}\pi-\dfrac{\pi}{6}=2\pi$마다 같은 모양이 반복된다.

즉 주어진 함수의 주기는 2π이므로

$\dfrac{2\pi}{b}=2\pi$에서 $b=1$

또한, 주어진 그래프는 $y=3\cos x$의 그래프를 x축의 방향으로 $\dfrac{\pi}{6}$만큼 평행이동한 것이므로 $a=3$, $c=\dfrac{\pi}{6}$

$\therefore a+b+c=3+1+\dfrac{\pi}{6}=4+\dfrac{\pi}{6}$　　　　답 ④

05 **Act❶** 삼각함수의 그래프가 주어지면 주기와 평행이동을 생각한다.

주어진 그래프는 $\dfrac{2}{3}\pi-\left(-\dfrac{\pi}{3}\right)=\pi$마다 같은 모양이 반복된다.

즉 주어진 함수의 주기는 π이므로

$\dfrac{2\pi}{a}=\pi$에서 $a=2$

또한, $y=\cos 2(x+b)+1$의 그래프는 $y=\cos 2x+1$의 그래프를 x축의 방향으로 $-b$만큼 평행이동한 것이므로

$-b=-\dfrac{\pi}{3}$

$b=\dfrac{\pi}{3}$ $(\because 0<b<\pi)$

$\therefore ab=2\times\dfrac{\pi}{3}=\dfrac{2}{3}\pi$　　　　　　　답 ①

06 **Act❶** 삼각함수의 그래프가 주어지면 주기와 평행이동을 생각한다.

주어진 함수의 최댓값이 3, 최솟값이 -3이고 $a>0$이므로

$a=3$

또, 주기가 $\dfrac{2}{3}\pi-\left(-\dfrac{\pi}{3}\right)=\pi$이고 $b>0$이므로 $\dfrac{2\pi}{b}=\pi$에서

$b=2$

따라서 주어진 함수의 식은

$y=3\sin(2x-c)$이고,

그래프가 점 $\left(\dfrac{\pi}{6},\ 0\right)$을 지나므로

$0=3\sin\left(\dfrac{\pi}{3}-c\right)$, $\sin\left(\dfrac{\pi}{3}-c\right)=0$

$0<c<\pi$이므로 $c=\dfrac{\pi}{3}$

$\therefore\ abc=3\times2\times\dfrac{\pi}{3}=2\pi$ 답 ②

07 **Act❶** 주기와 최대 흡입률을 이용하여 a, b의 값을 구한다.

$y=a\sin bt$에서 주기는 5, 최대흡입률(최댓값)은 0.6이므로

$5=\dfrac{2}{b}\pi$에서 $b=\dfrac{2}{5}\pi$이고 $a=0.6$

따라서 $y=0.6\sin\dfrac{2\pi}{5}t$이므로 $-0.3=0.6\sin\dfrac{2\pi}{5}t$

$\therefore\ \sin\dfrac{2\pi}{5}t=-\dfrac{1}{2}$에서 $\dfrac{2\pi}{5}t=\dfrac{7}{6}\pi$

$\therefore\ t=\dfrac{35}{12}$ 답 ①

기출유형 03

Act❶ 일반각에 대한 삼각함수의 성질을 이용하여 [보기]의 참, 거짓을 판단한다.

ㄱ. $\sin(\pi+\theta)=-\sin\theta$, $\cos\left(\dfrac{\pi}{2}+\theta\right)=-\sin\theta$이므로

    $\sin(\pi+\theta)=\cos\left(\dfrac{\pi}{2}+\theta\right)$ (참)

ㄴ. $\cos(\pi+\theta)=-\cos\theta$, $\sin\left(\dfrac{\pi}{2}+\theta\right)=\cos\theta$이므로

    $\cos(\pi+\theta)\neq\sin\left(\dfrac{\pi}{2}+\theta\right)$ (거짓)

ㄷ. $\tan(\pi+\theta)=\tan\theta$, $\dfrac{1}{\tan\left(\dfrac{\pi}{2}+\theta\right)}=-\tan\theta$이므로

    $\tan(\pi+\theta)\neq\dfrac{1}{\tan\left(\dfrac{\pi}{2}+\theta\right)}$ (거짓)

ㄹ. $\sin(\pi-\theta)=\sin\theta$, $\cos\left(\dfrac{\pi}{2}-\theta\right)=\sin\theta$이므로

    $\sin(\pi-\theta)=\cos\left(\dfrac{\pi}{2}-\theta\right)$ (참)

따라서 옳은 것은 ㄱ, ㄹ이다.   답 ③

08 **Act❶** 일반각에 대한 삼각함수의 성질을 이용한다.

$\sin\left(\dfrac{\pi}{2}+\theta\right)=\cos\theta$, $\cos(\pi+\theta)=-\cos\theta$,

$\cos\left(\dfrac{3}{2}\pi-\theta\right)=-\sin\theta$, $\sin(-\theta)=-\sin\theta$이므로

$\sin\left(\dfrac{\pi}{2}+\theta\right)+\cos(\pi+\theta)+\cos\left(\dfrac{3}{2}\pi-\theta\right)-\sin(-\theta)$

$=\cos\theta+(-\cos\theta)+(-\sin\theta)-(-\sin\theta)$

$=0$ 답 ③

09 **Act❶** 삼각함수 사이의 관계, 일반각에 대한 삼각함수의 성질을 이용한다.

$\cos(90°-\theta)=\sin\theta$이므로

$\cos^2\theta+\cos^2(90°-\theta)=\cos^2\theta+\sin^2\theta=\boxed{1}$

$\cos^2 1°+\cos^2 2°+\cos^2 3°+\cdots+\cos^2 89°$

$=(\cos^2 1°+\cos^2 89°)+(\cos^2 2°+\cos^2 88°)+\cdots+\cos^2 45°$

$=1\times44+\left(\dfrac{\sqrt{2}}{2}\right)^2=44+\dfrac{1}{2}=\boxed{\dfrac{89}{2}}$

따라서 $p=1$, $q=\dfrac{89}{2}$이므로

$p+q=\dfrac{91}{2}$ 답 ⑤

10 **Act❶** 직선이 x축의 양의 방향과 이루는 각의 크기가 θ, 직선의 기울기가 m이면 $\tan\theta=m$이다.

$x-3y+3=0$의 기울기는 $\dfrac{1}{3}$이므로 $\tan\theta=\dfrac{1}{3}$

$\cos(\pi+\theta)+\sin\left(\dfrac{\pi}{2}-\theta\right)+\tan(-\theta)$

$=-\cos\theta+\cos\theta-\tan\theta$

$=-\tan\theta$

$=-\dfrac{1}{3}$ 답 ②

11 **Act❶** $\theta=\dfrac{2\pi}{8}$이므로 $4\theta=\pi$를 이용하여 주어진 식을 변형한다.

$4\theta=\pi$이므로

$\sin\theta+\sin2\theta+\cdots+\sin8\theta$

$=\sin\theta+\sin2\theta+\sin3\theta+\sin4\theta+\sin(\pi+\theta)$

    $+\sin(\pi+2\theta)+\sin(\pi+3\theta)+\sin(\pi+4\theta)$

$=\sin\theta+\sin2\theta+\sin3\theta+\sin4\theta$

    $-\sin\theta-\sin2\theta-\sin3\theta-\sin4\theta$

$=0$ 답 ③

기출유형 04

Act❶ 주어진 식을 한 종류의 삼각함수의 식으로 정리한다.

$y=-4\cos^2 x+4\sin x+3$

  $=-4(1-\sin^2 x)+4\sin x+3$

  $=4\sin^2 x+4\sin x-1$

$\sin x=t$라 하면

$-1\leq t\leq1$이고

$f(t)=4t^2+4t-1=4\left(t+\dfrac{1}{2}\right)^2-2$

최댓값은

$M=f(1)=7$

최솟값은

$m=f\left(-\dfrac{1}{2}\right)=-2$

$\therefore\ M+m=7+(-2)=5$ 답 ⑤

12 **Act❶** 주어진 식을 한 종류의 삼각함수의 식으로 정리한다.

$y=\cos^2 x+2\sin x=1-\sin^2 x+2\sin x$

$$=-\sin^2 x+2\sin x+1$$

$\sin x=t$라 하면

$-1\le t\le 1$이고

$$y=-t^2+2t+1=-(t-1)^2+2$$

$t=1$일 때 최댓값은 $M=2$,

$t=-1$일 때 최솟값은 $m=-2$

$\therefore M+m=0$　　　　　　　　　　　　　답 0

13 **Act①** 주어진 식을 한 종류의 삼각함수의 식으로 정리한다.

$$y=2\cos^2\theta-\sin^2\theta-3\cos\theta$$
$$=2\cos^2\theta-(1-\cos^2\theta)-3\cos\theta$$
$$=3\cos^2\theta-3\cos\theta-1$$

$\cos\theta=t$라 하면

$-1\le t\le 1$이고

$$y=3t^2-3t-1=3\left(t-\frac{1}{2}\right)^2-\frac{7}{4}$$

$t=-1$일 때, 최댓값은 5

$t=\frac{1}{2}$일 때, 최솟값은 $-\frac{7}{4}$

$\therefore M+m=5+\left(-\frac{7}{4}\right)=\frac{13}{4}$　　　답 ②

14 **Act①** 주어진 식을 한 종류의 삼각함수의 식으로 정리한다.

$$y=\sin^2 x+4\cos x+a$$
$$=(1-\cos^2 x)+4\cos x+a$$
$$=-\cos^2 x+4\cos x+a+1$$

$\cos x=t$로 놓으면 $-1\le t\le 1$이고

$$y=-t^2+4t+a+1$$
$$=-(t-2)^2+a+5$$

따라서 $t=1$일 때 최댓값 $a+4$를

가지므로

$a+4=5$

$\therefore a=1$　　　　　　답 1

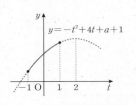

15 **Act①** 주어진 식을 한 종류의 삼각함수의 식으로 정리한다.

$\cos\left(\theta+\frac{\pi}{2}\right)=-\sin\theta$, $\sin(\theta+\pi)=-\sin\theta$이므로

$$y=\cos^2\left(\theta+\frac{\pi}{2}\right)-3\cos^2\theta-4\sin(\theta+\pi)$$
$$=\sin^2\theta-3\cos^2\theta+4\sin\theta$$
$$=\sin^2\theta-3(1-\sin^2\theta)+4\sin\theta$$
$$=4\sin^2\theta+4\sin\theta-3$$

$\sin\theta=t$로 놓으면 $0\le\theta<\pi$에서 $0\le t\le 1$이고

$$y=4t^2+4t-3=4\left(t+\frac{1}{2}\right)^2-4$$

$t=1$일 때 최댓값은 5,

$t=0$일 때 최솟값은 -3

$\therefore M+m=5+(-3)=2$　　답 2

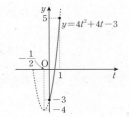

기출유형 05

Act① 주어진 방정식을 $\sin x=k$ 꼴로 변형하여 $y=\sin x$의 그래프와 $y=k$의 교점의 x좌표를 구한다.

방정식 $\sqrt{2}\sin x=1$에서

$\sin x=\frac{1}{\sqrt{2}}$이므로 주어진 방정식의 해는 다음 그림과 같이

$y=\sin x$의 그래프와 직선 $y=\frac{1}{\sqrt{2}}$의 교점의 x좌표와 같다.

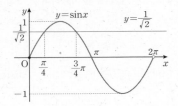

구하는 방정식의 해는

$x=\frac{\pi}{4}$ 또는 $x=\frac{3}{4}\pi$

$\therefore \alpha+\beta=\frac{\pi}{4}+\frac{3}{4}\pi=\pi$　　　　　답 ④

16 **Act①** $\sin x=\cos 2x$의 실근의 개수는 $y=\sin x$와 $y=\cos 2x$의 그래프의 교점의 개수와 같다.

$0\le x\le 2\pi$에서 방정식 $\sin x=\cos 2x$의 실근의 개수는 두 함수 $y=\sin x$, $y=\cos 2x$의 그래프의 교점의 개수와 같다.

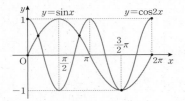

따라서 위의 그림에서 교점이 3개이므로 실근의 개수는 3이다.　　　　　　　　　　　　　　　답 ③

17 **Act①** $\cos x=\frac{1}{8}x$의 실근의 개수는 $y=\cos x$의 그래프와 직선 $y=\frac{1}{8}x$의 교점의 개수와 같다.

방정식 $\cos x=\frac{1}{8}x$의 실근은 함수 $y=\cos x$의 그래프와 직선 $y=\frac{1}{8}x$의 교점의 x좌표와 같다.

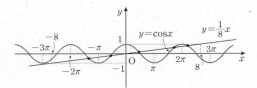

위의 그림에서 함수 $y=\cos x$의 그래프와 직선 $y=\frac{1}{8}x$의 교점의 개수는 5이므로 주어진 방정식의 실근의 개수는 5이다.　　　　　　　　　　　　　　　답 5

18 [Act❶] 한 종류의 삼각함수에 대한 방정식으로 고쳐서 푼다.

$2\cos^2\theta - 3\sin\theta = 0$

$2(1-\sin^2\theta) - 3\sin\theta = 0$

$2\sin^2\theta + 3\sin\theta - 2 = 0$

$(2\sin\theta - 1)(\sin\theta + 2) = 0$

$\sin\theta = \dfrac{1}{2}$ $(\because -1 \le \sin\theta \le 1)$

$0 \le \theta \le 2\pi$이므로 $\theta = \dfrac{\pi}{6}$ 또는 $\theta = \dfrac{5}{6}\pi$

따라서 모든 근의 곱은 $\dfrac{5}{36}\pi^2$이다.　　　　　답 ④

19 [Act❶] 한 종류의 삼각함수에 대한 방정식으로 고쳐서 푼다.

$2\cos^2 x + \sin x = 1$에서 $2(1-\sin^2 x) + \sin x = 1$

$2\sin^2 x - \sin x - 1 = 0$, $(2\sin x + 1)(\sin x - 1) = 0$

$\therefore \sin x = -\dfrac{1}{2}$ 또는 $\sin x = 1$

$0 \le x \le 2\pi$에서

$\sin x = -\dfrac{1}{2}$이면

$x = \dfrac{7}{6}\pi$ 또는 $x = \dfrac{11}{6}\pi$

$\sin x = 1$이면 $x = \dfrac{\pi}{2}$

따라서 $\alpha = \dfrac{\pi}{2}$,

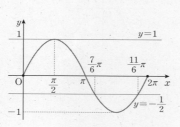

$\beta = \dfrac{7}{6}\pi$, $\gamma = \dfrac{11}{6}\pi$이므로

$\gamma - \beta - \alpha = \dfrac{11}{6}\pi - \dfrac{7}{6}\pi - \dfrac{\pi}{2} = \dfrac{\pi}{6}$　　　답 ①

기출유형 06

[Act❶] 부등호를 등호로 바꾸어 방정식을 풀고, 그래프를 이용하여 주어진 부등식을 만족하는 미지수의 값의 범위를 구한다.

$y = \sin x$와 $y = \cos x$의 그래프는 다음과 같다.

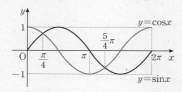

$\sin x = \cos x$를 만족하는 x의 값은 $x = \dfrac{\pi}{4}$ 또는 $x = \dfrac{5}{4}\pi$

$0 \le x < 2\pi$에서 부등식 $\sin x > \cos x$를 만족하는 x의 값의 범위는

$\dfrac{\pi}{4} < x < \dfrac{5}{4}\pi$

따라서 $\alpha = \dfrac{\pi}{4}$, $\beta = \dfrac{5}{4}\pi$이므로

$\dfrac{2}{\pi}(\alpha + \beta) = \dfrac{2}{\pi} \times \dfrac{3\pi}{2} = 3$　　　　답 3

20 [Act❶] 그래프를 이용하여 주어진 부등식을 푼다.

$y = |\sin x|$와 $y = \cos x$의 그래프는 다음과 같다.

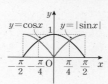

$-\dfrac{\pi}{2} \le x \le \dfrac{\pi}{2}$에서 부등식 $|\sin x| < \cos x$를 만족하는 x의 값의 범위는

$-\dfrac{\pi}{4} < x < \dfrac{\pi}{4}$　　　　　　　　답 ④

21 [Act❶] $\sin^2 x + \cos^2 x = 1$임을 이용하여 한 종류의 삼각함수에 대한 부등식으로 고쳐서 해를 구한다.

$2\sin^2 x + 5\cos x > 4$에서

$2(1-\cos^2 x) + 5\cos x > 4$

$2\cos^2 x - 5\cos x + 2 < 0$

$(2\cos x - 1)(\cos x - 2) < 0$

$0 \le x \le 2\pi$에서 $\cos x - 2 < 0$이므로

$2\cos x - 1 > 0$　$\therefore \cos x > \dfrac{1}{2}$

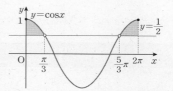

$0 \le x \le 2\pi$에서 부등식 $\cos x > \dfrac{1}{2}$의 해는

$0 \le x < \dfrac{\pi}{3}$ 또는 $\dfrac{5}{3}\pi < x \le 2\pi$

따라서 $\alpha = \dfrac{\pi}{3}$, $\beta = \dfrac{5}{3}\pi$이므로

$\beta - \alpha = \dfrac{4}{3}\pi$　　　　　　　　答 ③

22 [Act❶] $\sin^2 x + \cos^2 x = 1$임을 이용하여 한 종류의 삼각함수에 대한 부등식으로 고쳐서 해를 구한다.

$2\sin^2 x - 3\cos x \ge 0$에서

$2(1-\cos^2 x) - 3\cos x \ge 0$

$2\cos^2 x + 3\cos x - 2 \le 0$

$(\cos x + 2)(2\cos x - 1) \le 0$

$0 \le x < 2\pi$에서 $\cos x + 2 > 0$이므로

$\cos x \le \dfrac{1}{2}$

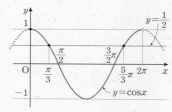

$0 \le x < 2\pi$에서 부등식 $\cos x \le \dfrac{1}{2}$의 해는

$$\frac{\pi}{3} \leq x \leq \frac{5}{3}\pi$$

따라서 $\alpha = \frac{\pi}{3}$, $\beta = \frac{5}{3}\pi$이므로

$$\alpha + \beta = \frac{\pi}{3} + \frac{5}{3}\pi = 2\pi$$

답 ⑤

23 Act① 모든 실수 x에 대하여 주어진 부등식이 성립하려면 판별식 $D < 0$이어야 한다.

주어진 부등식이 항상 성립하려면 방정식

$3x^2 - 2x\tan\theta + 1 = 0$이 허근을 가져야 한다.

판별식을 D라 하면

$$\frac{D}{4} = \tan^2\theta - 3 < 0$$

$(\tan\theta + \sqrt{3})(\tan\theta - \sqrt{3}) < 0$

$\therefore -\sqrt{3} < \tan\theta < \sqrt{3}$

$\therefore -\frac{\pi}{3} < \theta < \frac{\pi}{3}$

답 ④

VIT Very Important Test pp. 66~67

01. ①	**02.** 7	**03.** ③	**04.** ④	**05.** ②
06. ②	**07.** 4	**08.** ③	**09.** ②	**10.** ④
11. ①	**12.** ②			

01

$$2\cos\left(-\frac{5}{3}\pi\right) + \sqrt{3}\tan\left(-\frac{7}{3}\pi\right)$$

$$= 2\cos\left(-2\pi + \frac{\pi}{3}\right) + \sqrt{3}\tan\left(-2\pi - \frac{\pi}{3}\right)$$

$$= 2\cos\frac{\pi}{3} - \sqrt{3}\tan\frac{\pi}{3}$$

$$= 2 \times \frac{1}{2} - \sqrt{3} \times \sqrt{3} = -2$$

답 ①

02

주기가 4이므로 $f(x+4) = f(x)$

$f(19) = f(15) = f(11) = \cdots = f(3) = 3$

$f(13) = f(9) = f(5) = f(1) = 1$

$\therefore f(13) + f(15) + f(19) = f(1) + f(3) + f(3)$

$= 1 + 3 + 3 = 7$

답 7

03

ㄱ, ㄴ, ㄷ, ㄹ의 주기를 각각 구하면 2π, π, 2, 2이므로

$f(x) = f(x+2)$가 성립하는 것은 ㄷ, ㄹ이다.

답 ③

04

ㄱ. $y = \cos\left(x - \frac{\pi}{2}\right) = \cos\left\{-\left(\frac{\pi}{2} - x\right)\right\}$

$\qquad = \cos\left(\frac{\pi}{2} - x\right) = \sin x$

즉 두 함수의 그래프는 같다.

ㄴ. $y = \sin|x|$ $\qquad\qquad$ $y = |\sin x|$

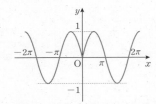 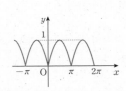

즉 두 함수의 그래프는 같지 않다.

ㄷ. $y = \cos x$ $\qquad\qquad$ $y = \cos|x|$

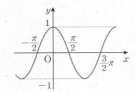 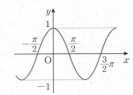

즉 $y = \cos x$는 y축에 대하여 대칭이므로 $y = \cos|x|$의 그래프와 일치한다.

따라서 두 함수의 그래프가 같은 것은 ㄱ, ㄷ이다.

답 ④

05

$a > 0$이고 최댓값이 2이므로 $a = 2$

$b > 0$이고 주기는 $\frac{4}{3}\pi - \frac{\pi}{3} = \pi$이므로

$$\frac{2\pi}{b} = \pi \quad \therefore b = 2$$

또, 주어진 그래프는 $y = 2\sin 2x$의 그래프를 x축의 방향으로 $\frac{\pi}{3}$만큼 평행이동한 것이므로

$$y = 2\sin 2\left(x - \frac{\pi}{3}\right) = 2\sin\left(2x - \frac{2}{3}\pi\right)$$

$\therefore c = \frac{2}{3}\pi$

$\therefore abc = 2 \times 2 \times \frac{2}{3}\pi = \frac{8}{3}\pi$

답 ②

06

$y = \sin 2x$의 그래프를 x축의 방향으로 $\frac{\pi}{2}$만큼, y축의 방향으로 1만큼 평행이동하면

$$y - 1 = \sin 2\left(x - \frac{\pi}{2}\right)$$

$y = \sin(2x - \pi) + 1$

$y = \sin\{-(\pi - 2x)\} + 1 = -\sin(\pi - 2x) + 1 = -\sin 2x + 1$

위에서 구한 함수의 그래프를 다시 x축에 대하여 대칭이동하면

$-y = -\sin 2x + 1$

$\therefore y = \sin 2x - 1$

답 ②

07

$y = 3\cos(x + \pi) - \sin\left(x - \dfrac{\pi}{2}\right) - 3$

$\quad = -3\cos x + \cos x - 3$

$\quad = -2\cos x - 3$

이므로

$M = |-2| - 3 = -1, \quad m = -|-2| - 3 = -5$

$\therefore M - m = (-1) - (-5) = 4$

답 4

08

함수 $f(x) = a\cos\left(x + \dfrac{\pi}{3}\right) + k$의 최댓값이 2이므로

$a + k = 2$ ······ ㉠

$f\left(\dfrac{\pi}{6}\right) = \dfrac{1}{2}$이므로 $a\cos\dfrac{\pi}{2} + k = \dfrac{1}{2}$

$\therefore k = \dfrac{1}{2}$

이것을 ㉠에 대입하면 $a + \dfrac{1}{2} = 2$

$\therefore a = \dfrac{3}{2}$

따라서 $f(x) = \dfrac{3}{2}\cos\left(x + \dfrac{\pi}{3}\right) + \dfrac{1}{2}$이므로 $f(x)$의 최솟값은

$-\dfrac{3}{2} + \dfrac{1}{2} = -1$

답 ③

09

$\tan^2 x + (\sqrt{3} - 1)\tan x - \sqrt{3} = 0$에서

$(\tan x - 1)(\tan x + \sqrt{3}) = 0$

$\therefore \tan x = 1$ 또는 $\tan x = -\sqrt{3}$

(i) $\tan x = 1$일 때

$\quad x = \dfrac{\pi}{4}$ 또는 $x = \dfrac{5}{4}\pi$

(ii) $\tan x = -\sqrt{3}$일 때

$\quad x = \dfrac{2}{3}\pi$ 또는 $x = \dfrac{5}{3}\pi$

따라서 구하는 모든 근의 합은

$\dfrac{\pi}{4} + \dfrac{5}{4}\pi + \dfrac{2}{3}\pi + \dfrac{5}{3}\pi = \dfrac{23}{6}\pi$

$p = 6$, $q = 23$이므로 $p + q = 29$

답 ②

10

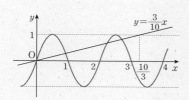

그림에서 방정식 $\sin \pi x = \dfrac{3}{10}x$의 실근은 두 함수

$y = \sin \pi x$, $y = \dfrac{3}{10}x$의 교점과 같다.

그런데 두 함수 모두 원점에 대하여 대칭이므로

$x > 0$인 범위에서 교점의 개수는 3개,

$x < 0$인 범위에서 교점의 개수는 3개,

또한 원점에서 만나므로 구하는 실근의 개수는 $3 + 3 + 1 = 7$

답 ④

11

a와 b는 직선 $x = \dfrac{\pi}{2}$에 대하여 대칭, c와 d는 직선 $x = \dfrac{3}{2}\pi$에 대

하여 대칭, e와 f는 직선 $x = \dfrac{5}{2}\pi$에 대하여 대칭이므로

$\dfrac{a+b}{2} = \dfrac{\pi}{2}$, $\dfrac{c+d}{2} = \dfrac{3}{2}\pi$, $\dfrac{e+f}{2} = \dfrac{5}{2}\pi$

위의 식을 변변 더하면 $a + b + c + d + e + f = 9\pi$

$\therefore \cos(a + b + c + d + e + f) = \cos 9\pi = \cos \pi$

$\qquad\qquad\qquad\qquad\qquad\qquad\qquad = -1$

답 ①

> **보충**
>
> 삼각함수의 그래프의 대칭성
> ① 삼각함수 $f(x) = \sin x$ $(0 \le x < \pi)$에서
> $\quad f(a) = f(b) = k$ (단, $0 < k < 1$)이면
> $\qquad \Rightarrow a + b = \pi$ (단, $a \ne b$)
> ② 삼각함수 $f(x) = \cos x$ $(0 \le x < 2\pi)$에서
> $\quad f(a) = f(b) = k$ (단, $-1 < k < 1$)이면
> $\qquad \Rightarrow a + b = 2\pi$ (단, $a \ne b$)

12

$\sin x \le -\dfrac{1}{3}$이므로 $0 \le x < 2\pi$에서

$y = \sin x$와 $y = -\dfrac{1}{3}$의 그래프는 그림과 같다.

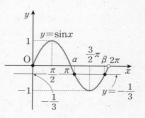

이때 함수 $y = \sin x$의 그래프는

직선 $x = \dfrac{3}{2}\pi$에 대하여 대칭이므로

$\dfrac{\alpha + \beta}{2} = \dfrac{3}{2}\pi$, $\alpha + \beta = 3\pi$

$\therefore \cos\dfrac{\alpha + \beta}{4} = \cos\dfrac{3}{4}\pi = -\dfrac{\sqrt{2}}{2}$

답 ②

07 사인법칙과 코사인법칙

pp. 68~69

01. ②	**02.** ③	**03.** ⑤	**04.** ⑤	**05.** 7
06. 10	**07.** ④			

01 원 O의 반지름의 길이를 R라 하면 사인법칙에 의하여

$$\frac{a}{\sin A}=2R \text{에서} \frac{9}{\sin 60°}=2R, \frac{9}{\frac{\sqrt{3}}{2}}=2R$$

$$\therefore R=\frac{9}{\sqrt{3}}=3\sqrt{3} \qquad \qquad \text{답 ②}$$

02 코사인법칙에서

$$a^2=3^2+4^2-2\times3\times4\times\frac{1}{2}=13$$

$$\therefore a=\sqrt{13} \qquad \qquad \text{답 ③}$$

03 코사인법칙의 변형에서

$$\cos C=\frac{3^2+3^3-(\sqrt{3})^2}{2\times3\times3}=\frac{15}{18}=\frac{5}{6} \qquad \text{답 ⑤}$$

04 두 변의 길이와 그 끼인각이 주어졌으므로 △ABC의 넓이를 S라 하면

$$S=\frac{1}{2}\times6\times4\times\sin120°$$

$$=\frac{1}{2}\times6\times4\times\frac{\sqrt{3}}{2}$$

$$=6\sqrt{3} \qquad \qquad \text{답 ⑤}$$

05 내접원의 반지름의 길이를 r라 하면

$$70=\frac{1}{2}r\times20 \quad \therefore r=7 \qquad \qquad \text{답 7}$$

06 평행사변형의 넓이를 S라 하면

$$S=\overline{AB}\times\overline{BC}\times\sin B$$

$$=4\times5\times\sin150°=10 \qquad \qquad \text{답 10}$$

07 $\square ABCD=\frac{1}{2}\times10\times14\times\sin120°$

$$=\frac{1}{2}\times10\times14\times\frac{\sqrt{3}}{2}=35\sqrt{3} \qquad \text{답 ④}$$

유형따라잡기

pp. 70~77

기출유형 01 ①	**01.** ①	**02.** ⑤	**03.** ⑤	**04.** ②
기출유형 02 ②	**05.** 4	**06.** ①	**07.** 12	**08.** ③
기출유형 03 ③	**09.** ③	**10.** ②	**11.** 8	**12.** ②
기출유형 04 13	**13.** ②	**14.** 7	**15.** ①	**16.** ④
기출유형 05 ②	**17.** ①	**18.** 45	**19.** ⑤	**20.** ⑤
기출유형 06 ③	**21.** ②	**22.** ②	**23.** ②	**24.** ①
기출유형 07 ①	**25.** ④	**26.** ①	**27.** ②	**28.** 10
기출유형 08 ③	**29.** ①	**30.** 6	**31.** 19	**32.** 5

기출유형 01

Act ❶ 삼각형의 내각의 합에서 C의 크기를 구한 다음 $\frac{b}{\sin B}=\frac{c}{\sin C}$를 이용한다.

$A+B+C=180°$, $A=75°$, $B=45°$이므로

$C=180°-75°-45°=60°$

사인법칙 $\frac{b}{\sin B}=\frac{c}{\sin C}$에서

$$\frac{4}{\sin 45°}=\frac{c}{\sin 60°}, \frac{4}{\frac{\sqrt{2}}{2}}=\frac{c}{\frac{\sqrt{3}}{2}}$$

$$\therefore c=\overline{AB}=2\sqrt{6} \text{ (cm)} \qquad \text{답 ①}$$

01 **Act ❶** 한 쌍의 대변과 대각, 다른 한 변의 관계가 주어졌으므로 사인법칙 $\frac{a}{\sin A}=\frac{b}{\sin B}$를 이용한다.

사인법칙 $\frac{a}{\sin A}=\frac{b}{\sin B}$에서

$\sin 135°=\sin(180°-45°)=\sin 45°=\frac{\sqrt{2}}{2}$이므로

$$\frac{2\sqrt{2}}{\sin 135°}=\frac{2}{\sin B}, \frac{2\sqrt{2}}{\frac{\sqrt{2}}{2}}=\frac{2}{\sin B}, \sin B=\frac{1}{2}$$

$$\therefore B=30° (\because 0°<B<45°) \qquad \text{답 ①}$$

02 **Act ❶** 삼각형의 내각의 합에서 A의 크기를 구한 다음 $\frac{a}{\sin A}=\frac{c}{\sin C}$를 이용한다.

$B=75°$, $C=45°$이므로 $A=60°$

사인법칙에 의하여 $\frac{a}{\sin A}=\frac{c}{\sin C}$이므로

$$\frac{18}{\sin 60°}=\frac{c}{\sin 45°}$$

$$\therefore c=\frac{18}{\sin 60°}\times\sin 45°$$

$$=\frac{18}{\frac{\sqrt{3}}{2}}\times\frac{\sqrt{2}}{2}=6\sqrt{6} \qquad \text{답 ⑤}$$

03 Act① 삼각형의 내각의 합에서 C의 크기를 구한 다음

$\dfrac{a}{\sin A}=\dfrac{c}{\sin C}$ 를 이용한다.

$A=60°$, $B=75°$이므로 $C=45°$

사인법칙에 의하여 $\dfrac{a}{\sin A}=\dfrac{c}{\sin C}$이므로

$\dfrac{a}{\sin 60°}=\dfrac{8}{\sin 45°}$

$\therefore a=\dfrac{8}{\sin 45°}\times\sin 60°$

$\quad =\dfrac{8}{\frac{\sqrt2}{2}}\times\dfrac{\sqrt3}{2}=4\sqrt6$ 　　　　　답 ⑤

04 Act① 대변과 대각, 다른 한 변의 관계가 주어졌으므로 사인법칙을 이용하여 $\sin B$의 값을 구한 다음 $\sin^2 x+\cos^2 x=1$임을 이용한다.

$\dfrac{10}{\sin 60°}=\dfrac{8}{\sin B}$

$\therefore \sin B=\dfrac{2\sqrt3}{5}$

$\therefore \cos^2 B=1-\sin^2 B$

$\quad =1-\left(\dfrac{2\sqrt3}{5}\right)^2=\dfrac{13}{25}$ 　　　　답 ②

기출유형 02

Act① $\triangle ADC$에서 $\overline{AD}$의 길이와 $C=45°$를 $\dfrac{\overline{AD}}{\sin C}=2R$에 대입한다.

$\overline{BD}=2$이므로 $\triangle ABD$에서

$\overline{AD}=\sqrt{4^2+2^2}=2\sqrt5$

$\triangle ADC$의 외접원의 반지름의 길이를 R라 하면

$C=45°$이므로 사인법칙에 의하여

$\dfrac{2\sqrt5}{\sin 45°}=2R$

$\therefore R=\dfrac{1}{2}\times\dfrac{2\sqrt5}{\frac{\sqrt2}{2}}=\sqrt{10}$ 　　　　답 ②

05 Act① 한 쌍의 대변과 대각이 주어졌으므로 사인법칙을 이용하여 외접원의 반지름을 구한다.

$\dfrac{4}{\sin 30°}=2R$

$\therefore R=\dfrac{4}{\sin 30°}\times\dfrac{1}{2}=4$ 　　　　답 4

06 Act① 한 쌍의 대변과 대각이 주어졌으므로 사인법칙을 이용하여 외접원의 반지름을 구한다.

사인법칙에서

$\dfrac{\sqrt{10}}{\sin 45°}=2R$

$\therefore R=\dfrac{\sqrt{10}}{\sin 45°}\times\dfrac{1}{2}=2\sqrt5\times\dfrac{1}{2}=\sqrt5$ 　　답 ①

07 Act① A와 외접원의 반지름이 주어졌으므로 대변인 $\overline{BC}$의 길이는 사인법칙을 이용해서 구한다.

$\sin^2 x+\cos^2 x=1$이므로

$\sin A=\sqrt{1-\cos^2 A}=\sqrt{1-\left(\dfrac{3}{5}\right)^2}=\dfrac{4}{5}$

사인법칙에서 $\dfrac{\overline{BC}}{\sin A}=2R$이므로

$\overline{BC}=2\times\dfrac{15}{2}\times\dfrac{4}{5}=12$ 　　　　답 12

08 Act① 원의 접선의 성질에서

$\triangle ABC$의 둘레의 길이는 $\overline{AS}+\overline{AT}=2\overline{AS}$이고

$\sin A+\sin B+\sin C=\dfrac{1}{2R}(a+b+c)$임을 이용한다.

$\overline{BC}=a$, $\overline{CA}=b$, $\overline{AB}=c$라 하면

$a+b+c=\overline{AS}+\overline{AT}=10+10=20$

$\triangle ABC$의 외접원의 반지름의 길이를 R라 하면 사인법칙에 의하여

$\sin A+\sin B+\sin C=\dfrac{a}{2R}+\dfrac{b}{2R}+\dfrac{c}{2R}$

$\quad =\dfrac{1}{2R}(a+b+c)$

$\quad =\dfrac{1}{2\times6}\times20=\dfrac{5}{3}$ 　　답 ③

기출유형 03

Act① 주어진 관계식을 이용하여 a, b를 c로 나타내고 $\sin A:\sin B:\sin C=a:b:c$임을 이용한다.

$a-2b+c=0$ 　　　……㉠

$3a+b-2c=0$ 　　　……㉡

㉠, ㉡을 연립하여 풀면 $a=\dfrac{3}{7}c$, $b=\dfrac{5}{7}c$

사인법칙의 변형에 의하여

$\sin A:\sin B:\sin C=a:b:c$

$\quad =\dfrac{3}{7}c:\dfrac{5}{7}c:c$

$\quad =3:5:7$ 　　　답 ③

09 Act① 주어진 관계식을 이용하여 a, b를 c로 나타내고 $\sin A:\sin B:\sin C=a:b:c$임을 이용한다.

$a+b-2c=0$ ……㉠

$a-3b+c=0$ ……㉡

㉠, ㉡을 연립하여 풀면 $a=\dfrac{5}{4}c$, $b=\dfrac{3}{4}c$

사인법칙의 변형에 의하여

$\sin A:\sin B:\sin C=a:b:c$

$$= \frac{5}{4}c : \frac{3}{4}c : c$$
$$= 5 : 3 : 4 \qquad \text{답 ③}$$

10 Act❶ $a : b : c = \sin A : \sin B : \sin C$임을 이용한다.

$A : B : C = 1 : 2 : 3$이므로

$A = 30°$, $B = 60°$, $C = 90°$ $(\because A+B+C=180°)$

$\sin 30° = \frac{1}{2}$, $\sin 60° = \frac{\sqrt{3}}{2}$, $\sin 90° = 1$이므로

$a : b : c = \sin 30° : \sin 60° : \sin 90°$

$$= \frac{1}{2} : \frac{\sqrt{3}}{2} : 1$$

$$= 1 : \sqrt{3} : 2 \qquad \text{답 ②}$$

11 Act❶ $a : b : c = \sin A : \sin B : \sin C$임을 이용한다.

$a : b : c = \sin A : \sin B : \sin C = 4 : 5 : 7$이므로

$a = 4k$, $b = 5k$, $c = 7k$라 하면

$4k + 5k + 7k = 32$

$\therefore k = 2$

따라서 가장 짧은 변의 길이는 $a = 8$이다. 답 8

12 Act❶ $\frac{a+b}{5} = \frac{b+c}{6} = \frac{c+a}{7} = k \ (k>0)$라 놓아 a, b, c를 k로 나타낸 후 $\sin A : \sin B : \sin C = a : b : c$임을 이용한다.

$\frac{a+b}{5} = \frac{b+c}{6} = \frac{c+a}{7} = k \ (k>0)$라 하면

$a+b = 5k$, $b+c = 6k$, $c+a = 7k$ ……㉠

변끼리 모두 더하면

$2a + 2b + 2c = 18k$

$\therefore a+b+c = 9k$ ……㉡

㉡에서 ㉠의 각 식을 빼면

$a = 3k$, $b = 2k$, $c = 4k$

$\therefore \sin A : \sin B : \sin C = a : b : c = 3 : 2 : 4$ 답 ②

기출유형 04

Act❶ 두 변의 길이와 그 끼인각의 크기가 주어졌으므로 코사인법칙을 이용하여 나머지 한 변의 길이를 구한다.

코사인법칙에서

$a^2 = b^2 + c^2 - 2bc \cos A$

$= 8^2 + 7^2 - 2 \times 8 \times 7 \times \cos 120°$

$= 64 + 49 - 2 \times 56 \times \left(-\frac{1}{2}\right)$

$= 169$

$\therefore a = 13 \qquad \text{답 13}$

13 Act❶ 두 변의 길이와 그 끼인각의 크기가 주어졌으므로 코사인법칙을 이용하여 나머지 한 변의 길이를 구한다.

$b^2 = 8^2 + 6^2 - 2 \times 8 \times 6 \times \cos \frac{\pi}{3}$

$= 64 + 36 - 48 = 52$

$\therefore b = \sqrt{52} = 2\sqrt{13} \qquad \text{답 ②}$

14 Act❶ 두 변의 길이와 그 끼인각의 크기가 주어졌으므로 코사인법칙을 이용하여 나머지 한 변의 길이를 구한다.

코사인법칙에 의하여

$a^2 = 8^2 + 5^2 - 2 \times 8 \times 5 \times \cos \frac{\pi}{3}$

$= 64 + 25 - 40 = 49$

$a > 0$이므로 $a = \sqrt{49} = 7 \qquad \text{답 7}$

15 Act❶ 등식의 좌변에 코사인법칙 $a^2 = b^2 + c^2 - 2bc \cos A$를 적용하여 $\cos A$의 값을 구한다.

코사인법칙에 의하여 $a^2 = b^2 + c^2 - 2bc \cos A$이므로 주어진 등식은

$b^2 + c^2 - 2bc \cos A = b^2 + \frac{1}{2}bc + c^2$

$\therefore \cos A = -\frac{1}{4}$

$0 < A < \pi$이므로

$\sin A = \sqrt{1 - \cos^2 A} = \sqrt{1 - \left(-\frac{1}{4}\right)^2} = \frac{\sqrt{15}}{4}$

$\therefore \tan A = \dfrac{\frac{\sqrt{15}}{4}}{-\frac{1}{4}} = -\sqrt{15} \qquad \text{답 ①}$

16 Act❶ △AOP에서 $\overline{AO} = \overline{OP} = 2$이므로 그 끼인각의 크기를 구해 코사인법칙에서 $\overline{AP}^2$의 값을 구한다.

원의 반지름의 길이를 r, $\angle POB$의 크기를 θ라 하면 $\overparen{BP} = r\theta$이므로

$2\theta = \frac{\pi}{3}$ $\therefore \theta = \frac{\pi}{6}$

$\therefore \angle AOP = \frac{5}{6}\pi$

코사인법칙에 의해

$\overline{AP}^2 = \overline{AO}^2 + \overline{OP}^2 - 2\overline{AO} \times \overline{OP} \times \cos(\angle AOP)$

$= 2^2 + 2^2 - 2 \times 2 \times 2 \times \cos \frac{5}{6}\pi$

$= 4 + 4 - 8 \times \left(-\frac{\sqrt{3}}{2}\right)$

$= 8 + 4\sqrt{3} \qquad \text{답 ④}$

기출유형 05

Act❶ 코사인법칙의 변형을 이용하여 세 변의 길이 또는 세 변의 길이의 비에서 모든 각의 코사인 값을 구할 수 있다.

$(a+b) : (b+c) : (c+a) = 4 : 5 : 5$이므로

$a+b = 4k$, $b+c = 5k$, $c+a = 5k \ (k>0)$

로 놓을 수 있다.

세 식을 연립하여 풀면 $a=2k$, $b=2k$, $c=3k$

$\therefore \cos A = \dfrac{4k^2+9k^2-4k^2}{2\times 2k\times 3k} = \dfrac{9k^2}{12k^2} = \dfrac{3}{4}$ 답 ②

17 **Act①** 두 변과 끼인각의 크기가 주어졌으므로 코사인법칙으로 나머지 한 변의 길이를 구한 후 코사인법칙의 변형을 이용하여 $\cos A$의 값을 구한다.

코사인법칙에서 나머지 한 변의 길이를 구하면

$\overline{\mathrm{AB}}^2 = 6^2+3^2-2\times 6\times 3\times \cos 60^\circ$

$\quad = 36+9-2\times 6\times 3\times \dfrac{1}{2} = 27$

$\therefore \overline{\mathrm{AB}} = 3\sqrt{3}$

코사인법칙의 변형에서 $\cos A$의 값을 구하면

$\cos A = \dfrac{3^2+(3\sqrt{3})^2-6^2}{2\times 3\times 3\sqrt{3}} = 0$ 답 ①

18 **Act①** 두 변과 끼인각의 크기가 주어졌으므로 코사인법칙으로 나머지 한 변의 길이를 구한 후 코사인법칙의 변형을 이용하여 나머지 각들의 코사인 값을 구한다.

코사인법칙에서 나머지 한 변의 길이를 구하면

$a^2 = 8^2+7^2-2\times 8\times 7\times \cos 120^\circ = 169$

$\therefore a = 13$

코사인법칙의 변형에서 나머지 각들의 코사인 값을 구하면

$\cos B = \dfrac{7^2+13^2-8^2}{2\times 7\times 13} = \dfrac{11}{13}$,

$\cos C = \dfrac{13^2+8^2-7^2}{2\times 13\times 8} = \dfrac{23}{26}$

따라서 $\cos B + \cos C = \dfrac{45}{26}$이므로 $a = 45$ 답 45

19 **Act①** 사인법칙의 변형에서 세 변의 길이의 비를 구한 다음 코사인법칙의 변형을 이용한다.

$6\sin A = 2\sqrt{3}\sin B = 3\sin C = k$라 하면

$\sin A = \dfrac{k}{6}$, $\sin B = \dfrac{k}{2\sqrt{3}}$, $\sin C = \dfrac{k}{3}$이므로

$\sin A : \sin B : \sin C = \dfrac{k}{6} : \dfrac{k}{2\sqrt{3}} : \dfrac{k}{3} = 1 : \sqrt{3} : 2$

사인법칙의 변형에서 $\sin A : \sin B : \sin C = a : b : c$이므로

$a = m$, $b = \sqrt{3}m$, $c = 2m$이라 하면

코사인법칙의 변형에서

$\cos A = \dfrac{(2m)^2+(\sqrt{3}m)^2-m^2}{2\times 2m\times \sqrt{3}m} = \dfrac{\sqrt{3}}{2}$

$\therefore A = 30^\circ$ 답 ⑤

20 **Act①** 코사인법칙의 변형에서 한 각의 코사인 값을 구한 다음 사인법칙을 이용하여 외접원의 반지름의 길이를 구한다.

코사인법칙의 변형에서

$\cos B = \dfrac{2^2+3^2-4^2}{2\times 2\times 3} = -\dfrac{1}{4}$

$\sin B = \sqrt{1-\cos^2 B} = \dfrac{\sqrt{15}}{4}$

외접원의 반지름의 길이를 R라 하면 사인법칙에 의해

$\dfrac{4}{\sin B} = 2R$

$\therefore R = \dfrac{8\sqrt{15}}{15}$ 답 ⑤

기출유형 06

Act① 사인법칙의 변형과 코사인법칙의 변형을 이용하여 a, b, c에 대한 관계식을 구하고 삼각형의 모양을 판별한다.

$\triangle \mathrm{ABC}$의 외접원의 반지름의 길이를 R라 하면 사인법칙의 변형과 코사인법칙의 변형에 의하여

$\sin A = \dfrac{a}{2R}$, $\sin B = \dfrac{b}{2R}$, $\cos C = \dfrac{a^2+b^2-c^2}{2ab}$

$2\sin A \cos C = \sin B$에서

$2\times \dfrac{a}{2R} \times \dfrac{a^2+b^2-c^2}{2ab} = \dfrac{b}{2R}$

$a^2+b^2-c^2 = b^2$

$\therefore a = c$

따라서 $\triangle \mathrm{ABC}$는 $a=c$인 이등변삼각형이다.   답 ③

21 **Act①** 사인법칙의 변형을 이용하여 a, b, c에 대한 관계식을 구하고 삼각형의 모양을 판별한다.

$\triangle \mathrm{ABC}$의 외접원의 반지름의 길이를 R라 하면 사인법칙의 변형에서

$\sin A = \dfrac{a}{2R}$, $\sin B = \dfrac{b}{2R}$

$a\sin^2 A = b\sin^2 B$에서

$a\times \dfrac{a^2}{(2R)^2} = b\times \dfrac{b^2}{(2R)^2}$

$a^3 = b^3$ $\therefore a = b$

따라서 $\triangle \mathrm{ABC}$는 $a=b$인 이등변삼각형이다.   답 ②

22 **Act①** 사인법칙의 변형을 이용하여 a, b, c에 대한 관계식을 구하고 삼각형의 모양을 판별한다.

외접원의 반지름의 길이를 R라 하면 사인법칙의 변형에서

$\sin A = \dfrac{a}{2R}$, $\sin B = \dfrac{b}{2R}$, $\sin C = \dfrac{c}{2R}$

$\sin^2 A + \sin^2 B = \sin^2 C$가 성립하므로

$\left(\dfrac{a}{2R}\right)^2 + \left(\dfrac{b}{2R}\right)^2 = \left(\dfrac{c}{2R}\right)^2$

$\therefore a^2+b^2 = c^2$

따라서 $\triangle \mathrm{ABC}$는 $C=90^\circ$인 직각삼각형이다.   답 ②

23 **Act①** 사인법칙의 변형과 코사인법칙의 변형을 이용하여 a, b, c에 대한 관계식을 구하고 삼각형의 모양을 판별한다.

사인법칙의 변형에서
$$\sin A = \frac{a}{2R}, \ \sin C = \frac{c}{2R}$$
코사인법칙의 변형에서
$$\cos B = \frac{a^2+c^2-b^2}{2ac}$$
$\sin A = 2\cos B \sin C$에서
$$\frac{a}{2R} = 2 \cdot \frac{a^2+c^2-b^2}{2ac} \cdot \frac{c}{2R}$$
$$a^2 = a^2+c^2-b^2$$
$$b^2 = c^2 \quad \therefore \ b = c \ (\because \ b>0, \ c>0)$$
따라서 주어진 삼각형은 $b=c$인 이등변삼각형이다. 답 ②

24 Act❶ 코사인법칙의 변형을 이용하여 a, b, c에 대한 관계식을 구하고 삼각형의 모양을 판별한다.

코사인법칙의 변형에서
$$\cos A = \frac{b^2+c^2-a^2}{2bc}, \ \cos C = \frac{a^2+b^2-c^2}{2ab}$$
$a\cos C - c\cos A = b$에서
$$a \cdot \frac{a^2+b^2-c^2}{2ab} - c \cdot \frac{b^2+c^2-a^2}{2bc} = b$$
$$a^2+b^2-c^2-(b^2+c^2-a^2) = 2b^2$$
$$\therefore \ a^2 = b^2+c^2$$
따라서 △ABC는 $A=90°$인 직각삼각형이다. 답 ①

기출유형 **07**

Act❶ 코사인법칙을 이용하여 $\overline{AC}$의 길이를 구한 다음
$△ABC = \frac{1}{2}bc\sin A$를 이용한다.

$\overline{AC} = x$라 하면 코사인법칙에서
$$(\sqrt{19})^2 = 2^2+x^2-2\times 2 \times x \times \cos 120°$$
$$x^2+2x-15=0, \ (x-3)(x+5)=0$$
$$x=3 \ (\because \ x>0)$$
$$\therefore \ △ABC = \frac{1}{2} \times 2 \times 3 \times \sin 120° = \frac{3\sqrt{3}}{2}$$ 답 ①

25 Act❶ 삼각형에서 두 변의 길이와 그 끼인각의 크기를 알 때 넓이를 구하는 공식을 이용하여 $\overline{BC}$의 길이를 구한다.

$\overline{BC} = t$로 놓으면
$$△ABC = \frac{1}{2}\overline{AC} \times \overline{BC} \times \sin C = 2\sqrt{3}$$
$$\frac{1}{2} \times 2t \times t \times \sin 120° = 2\sqrt{3}$$
$$t^2 \cdot \frac{\sqrt{3}}{2} = 2\sqrt{3}$$
$$t = 2 \ (\because \ t>0)$$
$$\therefore \ \overline{BC} = 2$$ 답 ④

26 Act❶ 삼각형의 세 변의 길이 a, b, c를 알 때, 헤론의 공식으로 구한 넓이와 내접원의 반지름에서 구한 넓이가 같음을 이용한다.

△ABC의 넓이를 S라 하면
$$s = \frac{a+b+c}{2} = \frac{5+6+7}{2} = 9$$
$$S = \sqrt{s(s-a)(s-b)(s-c)}$$
$$= \sqrt{9 \cdot 4 \cdot 3 \cdot 2} = 6\sqrt{6}$$
또, 삼각형의 넓이와 내접원의 반지름의 관계에서
$$S = \frac{1}{2}r(a+b+c)$$이므로
$$\frac{1}{2}r(5+6+7) = 6\sqrt{6}$$
$$\therefore \ r = \frac{6\sqrt{6}}{9} = \frac{2\sqrt{6}}{3}$$ 답 ①

27 Act❶ △ABC = △ABD + △ADC임을 이용하여 선분 AD의 길이를 구한다.

△ABC의 넓이를 S, △ABD의 넓이를 S_1, △ADC의 넓이를 S_2라 하면 $S = S_1 + S_2$이므로
$$\frac{1}{2} \times 12 \times 8 \times \sin 120°$$
$$= \frac{1}{2} \times 12 \times \overline{AD} \times \sin 60° + \frac{1}{2} \times 8 \times \overline{AD} \times \sin 60°$$
$$48 \times \frac{\sqrt{3}}{2} = 6 \times \overline{AD} \times \frac{\sqrt{3}}{2} + 4 \times \overline{AD} \times \frac{\sqrt{3}}{2}$$
$$10\overline{AD} = 48 \quad \therefore \ \overline{AD} = \frac{24}{5}$$ 답 ②

28 Act❶ 삼각형의 넓이 공식에서 $\sin B$의 값, 코사인법칙에서 $\overline{AC}$의 길이를 구해서 사인법칙과 외접원의 관계를 이용한다.

삼각형의 넓이가 16이므로
$$\frac{1}{2} \times 16 \times 2\sqrt{2} \times \sin B = 16$$
$$\sin B = \frac{1}{\sqrt{2}}$$
$$\therefore \ \cos B = \frac{1}{\sqrt{2}} \ (\because \ A>90°이므로 \ 0°<B<90°)$$
코사인법칙에 의하여
$$\overline{AC}^2 = (2\sqrt{2})^2 + 16^2 - 2 \times 2\sqrt{2} \times 16 \times \frac{1}{\sqrt{2}}$$
$$= 200$$
$$\therefore \ \overline{AC} = 10\sqrt{2}$$
외접원의 반지름의 길이를 R라 하면 사인법칙에 의하여
$$2R = \frac{\overline{AC}}{\sin B} = \frac{10\sqrt{2}}{\frac{1}{\sqrt{2}}} = 20$$
$$\therefore \ R = 10$$ 답 10

기출유형 **08**

Act❶ 두 대각선의 길이가 a, b이고 그 끼인각의 크기가 θ인 사각형의 넓이 S는 $S = \frac{1}{2}ab\sin\theta$임을 이용한다.

$$\cos\theta = \frac{1}{4}에서 \ \sin^2\theta = 1 - \left(\frac{1}{4}\right)^2 = \frac{15}{16}$$

$$\therefore \sin\theta = \frac{\sqrt{15}}{4} \ (\because 0° < \theta < 180°)$$

따라서 사각형 ABCD의 넓이를 S라 하면

$$S = \frac{1}{2} \times 6 \times 8 \times \sin\theta = \frac{1}{2} \times 6 \times 8 \times \frac{\sqrt{15}}{4} = 6\sqrt{15}$$ 답 ③

29 **Act①** 이웃하는 두 변의 길이가 a, b이고, 그 끼인각의 크기가 θ인 평행사변형의 넓이 S는 $S = ab\sin\theta$임을 이용한다.

$$B = 180° - 60° = 120°$$

따라서 평행사변형 ABCD의 넓이를 S라 하면

$$S = 8 \times 10 \times \sin 120° = 40\sqrt{3}$$ 답 ①

30 **Act①** 두 대각선의 길이가 a, b이고 그 끼인각의 크기가 θ인 사각형의 넓이 S는 $S = \frac{1}{2}ab\sin\theta$임을 이용한다.

$$\square ABCD = \frac{1}{2} \times \overline{BD} \times 4 \times \sin 60° = 6\sqrt{3}$$이므로

$$\sqrt{3}\,\overline{BD} = 6\sqrt{3} \quad \therefore \overline{BD} = 6$$ 답 6

31 **Act①** 사각형을 여러 개의 삼각형으로 나누어 각각의 넓이를 구하여 더한다.

$\triangle ABC$에서 $\overline{AC} = a$라 하면

$$\overline{AC}^2 = \overline{AB}^2 + \overline{BC}^2 - 2\overline{AB} \cdot \overline{BC} \cdot \cos 120°$$

$$a^2 = 9 + 1 - 2 \cdot 3 \cdot 1 \cdot \left(-\frac{1}{2}\right)$$

$$\therefore a = \sqrt{13} \ (\because a > 0)$$

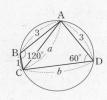

원에 내접하는 사각형의 대각의 합이 $180°$이므로 $D = 60°$이고,

$\triangle ACD$에서 $\overline{CD} = b$라 하면

$$\overline{AC}^2 = \overline{AD}^2 + \overline{CD}^2 - 2\overline{AD} \cdot \overline{CD} \cdot \cos 60°$$

$$13 = 9 + b^2 - 2 \cdot 3 \cdot b \cdot \frac{1}{2}$$

$$b^2 - 3b - 4 = 0, \ (b-4)(b+1) = 0$$

$$\therefore b = 4 \ (\because b > 0)$$

$$\square ABCD = \triangle ABC + \triangle ACD$$
$$= \frac{1}{2} \times 3 \times 1 \times \sin 120° + \frac{1}{2} \times 3 \times 4 \times \sin 60°$$
$$= \frac{3\sqrt{3}}{4} + 3\sqrt{3} = \frac{15\sqrt{3}}{4}$$

따라서 $p = 4$, $q = 15$이므로 $p + q = 19$ 답 19

32 **Act①** 사각형을 여러 개의 삼각형으로 나누어 각각의 넓이를 구하여 더한다.

$\overline{AC} = k$라 하면 $\triangle ABC$에서

$$k^2 = 16 + 36 - 2 \times 24 \times \cos B \quad \cdots\cdots \ ㉠$$

또, $\triangle ADC$에서

$$k^2 = 4 + 4 - 2 \times 4 \times \cos D \quad \cdots\cdots \ ㉡$$

$B + D = \pi$이므로

$$\cos B = \cos(\pi - D) = -\cos D$$를

㉠, ㉡에 대입하여 정리하면

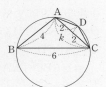

$$52 - 48\cos B = 8 + 8\cos B, \ 56\cos B = 44$$

$$\therefore \cos B = \frac{44}{56} = \frac{11}{14}$$

$\angle ABC$는 제1사분면의 각이므로

$$\sin B = \sqrt{1 - \frac{121}{196}} = \frac{5\sqrt{3}}{14} = \sin D \ (\because B + D = \pi)$$

따라서 사각형의 넓이는

$$\frac{1}{2} \times 4 \times 6 \times \frac{5\sqrt{3}}{14} + \frac{1}{2} \times 2 \times 2 \times \frac{5\sqrt{3}}{14}$$

$$= \frac{30\sqrt{3}}{7} + \frac{5\sqrt{3}}{7}$$

$$= \frac{35\sqrt{3}}{7}$$

$$= 5\sqrt{3}$$

따라서 상수 m의 값은 5 답 5

VIT **V**ery **I**mportant **T**est pp. 78~79

01. 10	**02.** ④	**03.** 2	**04.** ④	**05.** ⑤
06. ③	**07.** 50	**08.** 5	**09.** ⑤	**10.** ②
11. ②	**12.** 24			

01

사인법칙에서 $\dfrac{10}{\sin 30°} = 2R$ $\therefore R = 10$ 답 10

02

$A + B + C = 180°$, $A = 75°$, $C = 45°$이므로

$$B = 180° - 75° - 45° = 60°$$

$\triangle ABC$의 외접원의 반지름의 길이를 R라 하면

사인법칙 $\dfrac{b}{\sin B} = 2R$에서

$$\frac{2\sqrt{3}}{\sin 60°} = 2R \quad \therefore R = 2$$ 답 ④

03

$B = D = 90°$이므로 사각형 ABCD는 $\overline{AC}$를 지름으로 하는 원에 내접한다.

따라서 $\triangle ABD$에서 사인법칙에 의하여

$$\frac{\overline{BD}}{\sin 45°} = 2\sqrt{2}$$

$$\therefore \overline{BD} = 2\sqrt{2} \cdot \frac{\sqrt{2}}{2} = 2$$ 답 2

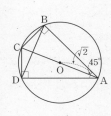

04

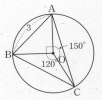

그림에서 호의 길이는 중심각의 크기에 비례하므로

$\angle AOB = 360° \times \dfrac{3}{12} = 90°$

$\angle BOC = 360° \times \dfrac{4}{12} = 120°$

$\angle COA = 360° \times \dfrac{5}{12} = 150°$

이때 $\triangle ABO$, $\triangle AOC$가 이등변삼각형이므로

$\angle BAO = 45°$, $\angle CAO = 15°$

$\therefore A = \angle BAO + \angle CAO = 60°$

또, $\triangle OBC$, $\triangle AOC$가 이등변삼각형이므로

$\angle BCO = 30°$, $\angle ACO = 15°$

$\therefore C = \angle BCO + \angle ACO = 45°$

$\triangle ABC$에서 사인법칙에 의하여

$\dfrac{\overline{BC}}{\sin 60°} = \dfrac{3}{\sin 45°}$

$\therefore \overline{BC} = \dfrac{3\sqrt{6}}{2}$ 답 ④

05

$\triangle ABC$의 외접원의 반지름의 길이를 R라 하면 사인법칙의 변형에 의하여 $\sin A = \dfrac{a}{2R}$, $\sin B = \dfrac{b}{2R}$, $\sin C = \dfrac{c}{2R}$

이것을 $\sin^2 A = \sin^2 B + \sin^2 C$에 대입하면

$\dfrac{a^2}{4R^2} = \dfrac{b^2}{4R^2} + \dfrac{c^2}{4R^2}$ $\therefore a^2 = b^2 + c^2$

따라서 $\triangle ABC$는 $A = 90°$인 직각삼각형이다.   답 ⑤

06

$\triangle ABC$에서 코사인법칙의 변형에 의하여

$\cos A = \dfrac{(\sqrt{7})^2 + (\sqrt{2})^2 - (\sqrt{5})^2}{2 \times \sqrt{7} \times \sqrt{2}}$

$= \dfrac{4}{2\sqrt{14}} = \dfrac{\sqrt{14}}{7}$ 답 ③

07

$\overline{BC}$의 길이를 a라 하면 코사인법칙의 변형에 의하여

$\cos A = \dfrac{5^2 + 6^2 - a^2}{2 \cdot 5 \cdot 6} = \dfrac{3}{5}$이므로

$25 + 36 - a^2 = 36$, $a^2 = 25$ $\therefore a = 5$ ……㉠

$\sin A = \sqrt{1 - \cos^2 A} = \sqrt{1 - \dfrac{9}{25}} = \dfrac{4}{5}$ ……㉡

사인법칙에 의하여 $\dfrac{a}{\sin A} = 2R$이므로 ㉠, ㉡에서

$R = \dfrac{a}{2\sin A} = \dfrac{5}{2 \cdot \dfrac{4}{5}} = \dfrac{25}{8}$

$\therefore 16R = 50$ 답 50

08

$\overline{BC} = a$, $\overline{CA} = b$라 하면 $C = 90°$이므로

$\sin A = \dfrac{\overline{BC}}{\overline{AB}} = \dfrac{a}{5}$

$\sin B = \dfrac{\overline{CA}}{\overline{AB}} = \dfrac{b}{5}$

$\therefore 2 \cdot \dfrac{a}{5} = \dfrac{b}{5}$

$\therefore b = 2a$

한편, $a^2 + b^2 = 25$이므로

$a^2 + 4a^2 = 25$

$\therefore a^2 = \dfrac{25}{5} = 5$

$\triangle ABC = \dfrac{1}{2}ab = \dfrac{1}{2} \cdot 2a^2$

$= a^2 = 5$ 답 5

09

$s = \dfrac{5 + 6 + 7}{2} = 9$이므로 헤론의 공식에 의하여

$\triangle ABC = \sqrt{9(9-5)(9-6)(9-7)}$

$= 6\sqrt{6}$

이때 반원의 반지름의 길이를 r라 하면

$\triangle ABO = \dfrac{5}{2}r$

$\triangle ACO = 3r$

$\therefore \triangle ABC = \triangle ABO + \triangle ACO$

$= \dfrac{5}{2}r + 3r$

$= \dfrac{11}{2}r$

따라서 $\dfrac{11}{2}r = 6\sqrt{6}$이므로

$r = \dfrac{12\sqrt{6}}{11}$ 답 ⑤

10

$\triangle ABC$에서 코사인법칙에 의하여

$(\sqrt{3})^2 + \overline{BC}^2 - 2 \times \sqrt{3} \times \overline{BC} \times \cos 30° = (\sqrt{7})^2$

$\overline{BC}^2 - 3\overline{BC} - 4 = 0$

$(\overline{BC} - 4)(\overline{BC} + 1) = 0$

$\therefore \overline{BC} = 4$

$\therefore \square ABCD = \sqrt{3} \times 4 \times \sin 30° = 2\sqrt{3}$ 답 ②

11

그림과 같이 원 O에 내접하는 $\square ABCD$는 대각의 크기의 합이 $180°$이므로

$D = 180° - 45° = 135°$

$\therefore \square ABCD$

$= \triangle ABC + \triangle ACD$

$= \dfrac{1}{2} \times 6 \times 10 \times \sin 45° + \dfrac{1}{2} \times 4 \times 5 \times \sin 135°$

$$= \frac{1}{2} \times 6 \times 10 \times \frac{\sqrt{2}}{2} + \frac{1}{2} \times 4 \times 5 \times \frac{\sqrt{2}}{2}$$
$$= 15\sqrt{2} + 5\sqrt{2} = 20\sqrt{2}$$

답 ②

12

$\overline{AC} = x$라 하면 $\triangle ABC$에서 코사인법칙에 의하여

$x^2 = 8^2 + 6^2 - 2 \times 8 \times 6 \times \cos 60° = 52$

$\therefore x = \sqrt{52} = 2\sqrt{13}$

$\overline{AD} = y$라 하면 $\triangle ACD$에서 코사인법칙에 의하여

$(2\sqrt{13})^2 = 8^2 + y^2 - 2 \times 8 \times y \times \cos 60°$

$52 = 64 + y^2 - 8y, \ y^2 - 8y + 12 = 0$

$(y-2)(y-6) = 0$

$\therefore y = 2$ 또는 $y = 6$

그런데 $y > 4$이므로 $y = 6$

$\therefore \square ABCD = \triangle ABC + \triangle ACD = 2\triangle ABC$

$\qquad = 2 \times \frac{1}{2} \times 6 \times 8 \times \sin 60°$

$\qquad = 24\sqrt{3}$

답 24

08 등차수열과 등비수열

pp. 80~81

01. 32	**02.** ④	**03.** 12	**04.** ④	**05.** 99
06. ④	**07.** ④	**08.** ③		

01 첫째항은 $\boxed{2}$이고 제5항은 $\boxed{10}$, 제10항은 일반항 $2n$에

$\quad$ 10을 대입하면 $2 \times 10 = \boxed{20}$이므로

$\quad$ (가) $+$ (나) $+$ (다) $= 2 + 10 + 20 = 32$

답 32

02 첫째항이 a_1이고, 공차가 d인 등차수열의 일반항

$\quad a_n = a_1 + (n-1)d$에서 $a_1 = 2, \ d = 3$

$\quad \therefore a_6 = 2 + (6-1) \times 3 = 17$

답 ④

03 a_4는 a_2와 a_6의 등차중항이므로

$\quad 2a_4 = a_2 + a_6 = 8 + 16$

$\quad \therefore a_4 = 12$

답 12

04 등차수열의 합 공식에 의해

$\quad \dfrac{(n+2)(1+2)}{2} = 24$

$\quad \therefore n = 14$

답 ④

05 $a_{50} = S_{50} - S_{49} = 50^2 - 49^2$

$\qquad = (50-49)(50+49) = 99$

답 99

$\quad$ **[다른 풀이]**

$\quad a_n = S_n - S_{n-1} \ (n \geq 2)$

$\qquad = n^2 - (n-1)^2$

$\qquad = 2n - 1$

$\quad \therefore a_{50} = 99$

06 첫째항이 2이고 공비가 3이므로

$\quad a_3 = 2 \times 3^2 = 18$

답 ④

07 수열 $\{a_n\}$이 등비수열이므로

$\quad a_4{}^2 = a_2 \times a_6$

$\quad 8^2 = 4a_6$

$\quad \therefore a_6 = 16$

답 ④

08 $S_{10} = \dfrac{3(2^{10}-1)}{2-1} = 3 \cdot 1023 = 3069$

답 ③

기출유형 01	35	**01.** 88	**02.** ①	**03.** ③	**04.** ①
기출유형 02	④	**05.** 17	**06.** ②	**07.** 47	**08.** ②
기출유형 03	⑤	**09.** 90	**10.** 35	**11.** ①	**12.** ①
기출유형 04	②	**13.** ②	**14.** 32	**15.** ①	**16.** ①
기출유형 05	②	**17.** ③	**18.** ②	**19.** ③	**20.** ③
기출유형 06	①	**21.** ②	**22.** ③	**23.** ③	**24.** ②
기출유형 07	②	**25.** 21	**26.** 63	**27.** ④	**28.** 43
기출유형 08	③	**29.** 120	**30.** ②	**31.** ①	**32.** 120

기출유형 01

Act① 두 개의 항이 주어진 등차수열의 일반항은 주어진 항을 첫째항 a와 공차 d에 대한 식으로 나타낸 후 두 식을 연립하여 구한다.

등차수열 $\{a_n\}$의 첫째항을 a, 공차를 d라 하면
$a_5 = a + 4d = 5$,
$a_{15} = a + 14d = 25$
두 식을 연립하여 풀면 $a_1 = -3$, $d = 2$
$\therefore a_{20} = a + 19d = 35$　　　　　　　　　　　　답 35

01 **Act①** 첫째항이 a_1, 공차가 d인 등차수열의 일반항은
$a_n = a_1 + (n-1)d$임을 이용한다.
수열 $\{a_n\}$은 $a_1 = 1$이고 공차 d가 3인 등차수열이므로
$a_n = 1 + (n-1) \times 3 = 3n - 2$
$\therefore a_{30} = 3 \times 30 - 2 = 88$　　　　　　　　　답 88

02 **Act①** $a_{10} - a_7 = 3d$에서 공차 d를 구한다.
등차수열 $\{a_n\}$의 공차를 d라 하면
$a_{10} - a_7 = 3d$이므로
$3d = 6$, $d = 2$
$\therefore a_4 = a_1 + 3d$
$\quad = 4 + 6 = 10$　　　　　　　　　　　　　　　답 ①

03 **Act①** 항 사이의 관계가 주어진 등차수열의 일반항은 주어진 항 또는 항의 관계를 첫째항 a와 공차 d에 대한 식으로 나타낸 후 두 식을 연립하여 구한다.
등차수열 $\{a_n\}$의 첫째항을 a, 공차를 d라 하면
$a + 7d = (a + d) + 12$,
$a + (a+d) + (a+2d) = 15$
두 식을 연립하여 풀면
$a = 3$, $d = 2$
$\therefore a_{10} = a + 9d = 21$　　　　　　　　　　　답 ③

04 **Act①** 등차수열의 일반항 $a_n = a + (n-1)d$를 이용해 방정식을 푼다.
첫째항이 1, 공차가 3인 등차수열 $\{a_n\}$의 일반항은
$a_n = 3n - 2$
첫째항이 1000, 공차가 -6인 등차수열 $\{b_n\}$의 일반항은
$b_n = -6n + 1006$

$a_k = b_k$이므로
$3k - 2 = -6k + 1006$
$\therefore k = 112$　　　　　　　　　　　　　　　답 ①

기출유형 02

Act① a는 4와 12의 등차중항이고, 16은 12와 b의 등차중항임을 이용한다.
a는 4와 12의 등차중항이므로
$a = \dfrac{4+12}{2} = 8$
또, 16은 12와 b의 등차중항이므로
$16 = \dfrac{12+b}{2}$, $b = 20$
$\therefore a + b = 28$　　　　　　　　　　　　　　답 ④

05 **Act①** 10은 $1-a$와 $2+2a$의 등차중항임을 이용한다.
10은 $1-a$와 $2+2a$의 등차중항이므로
$10 = \dfrac{(1-a)+(2+2a)}{2}$
$20 = a + 3$
$\therefore a = 17$　　　　　　　　　　　　　　　답 17

06 **Act①** 이차방정식 $ax^2 + bx + c = 0$에서 두 근의 합은 $-\dfrac{b}{a}$이고 두 근의 곱은 $\dfrac{c}{a}$임을 이용하여 m, n의 값을 계산한다.
α, β가 이차방정식 $x^2 - 8x - 4 = 0$의 두 근이므로 근과 계수의 관계에서
$\alpha + \beta = 8$, $\alpha\beta = -4$
이때 m은 α, β의 등차중항이므로
$m = \dfrac{\alpha+\beta}{2} = \dfrac{8}{2} = 4$
n은 $\dfrac{1}{\alpha}$, $\dfrac{1}{\beta}$의 등차중항이므로
$n = \dfrac{1}{2}\left(\dfrac{1}{\alpha} + \dfrac{1}{\beta}\right) = \dfrac{\alpha+\beta}{2\alpha\beta} = \dfrac{8}{2 \times (-4)} = -1$
$\therefore mn = -4$　　　　　　　　　　　　　　答 ②

07 **Act①** 등차수열 $\{a_n\}$에서 a_2는 a_1, a_3의 등차중항, a_5는 a_4, a_6의 등차중항임을 이용하여 주어진 식을 간단히 한다.
등차수열 $\{a_n\}$에서 a_2는 a_1, a_3의 등차중항, a_5는 a_4, a_6의 등차중항이므로
$a_2 = \dfrac{a_1+a_3}{2}$, $a_5 = \dfrac{a_4+a_6}{2}$
$a_1 + a_3 = 2a_2$, $a_4 + a_6 = 2a_5$를 이용하여
$a_1 - a_2 + a_3 + a_4 - a_5 + a_6 = 17$을 간단히 하면
$a_2 + a_5 = 17$
$(a_1 + d) + (a_1 + 4d) = 17$
$2a_1 + 5d = 17$
이때 $a_1 = 1$이므로 $d = 3$
$\therefore a_8 + a_9 = 2a_1 + 15d = 2 + 15 \times 3 = 47$　답 47

08 Act① 나머지정리에 의하여 $f(x)$를 $x-1$, x, $x+2$로 나누었을 때의 나머지는 각각 $f(1)$, $f(0)$, $f(-2)$이다.

나머지정리에 의하여
다항식 $f(x)=x^2+ax+5$를 $x-1$, x, $x+2$로 나누었을 때의 나머지는 각각
$f(1)=1+a+5=a+6$,
$f(0)=5$,
$f(-2)=4-2a+5=-2a+9$
이때 $f(0)$은 $f(1)$과 $f(-2)$의 등차중항이므로
$f(0)=\dfrac{f(1)+f(-2)}{2}$
$5=\dfrac{(a+6)+(-2a+9)}{2}$
$-a+15=10$
$\therefore a=5$ 　　　　　　　　답 ②

기출유형 03

Act① 첫째항과 공차가 주어질 때 제n항까지의 합은
$S_n=\dfrac{n\{2a+(n-1)d\}}{2}$를 이용한다.

등차수열 $\{a_n\}$의 첫째항부터 제n항까지의 합을 S_n이라 하면
$S_{10}=\dfrac{10\times\{2\times3+(10-1)\times2\}}{2}=120$ 　　답 ⑤

---

09 Act① 첫째항과 제10항 또는 첫째항과 공차를 구해 등차수열의 합 공식에 대입한다.
$a_1+2a_{10}=34$ 　　　　　……㉠
$a_1-a_{10}=-14$ 　　　　　……㉡
㉠, ㉡을 연립하여 풀면
$a_{10}=16$, $a_1=2$
따라서 구하는 수열의 합은
$\dfrac{10(a_1+a_{10})}{2}=\dfrac{10\times18}{2}$
$\qquad\qquad=90$ 　　　　　　　　답 90

[다른 풀이]
등차수열 $\{a_n\}$의 첫째항을 a_1, 공차를 d라 하면
$a_1-a_{10}=-14$에서
$a_1-(a_1+9d)=-14$, $-9d=-14$
$\therefore d=\dfrac{14}{9}$
$a_1+2a_{10}=34$에서
$a_1+2(a_1+9d)=3a_1+18d$
$\qquad\qquad\qquad=3a_1+28$
$\qquad\qquad\qquad=34$
$\therefore a_1=2$
따라서 구하는 수열의 합은
$\dfrac{10\left(2\times2+9\times\dfrac{14}{9}\right)}{2}=\dfrac{10\times18}{2}$
$\qquad\qquad\qquad=90$

---

10 Act① 첫째항과 제5항 또는 첫째항과 공차를 구해 등차수열의 합 공식에 대입한다.

등차수열 $\{a_n\}$의 첫째항을 a_1, 공차를 d라 하면
$a_2=a_1+d=4$ 　　　　　……㉠
$a_5=a_1+4d=13$ 　　　　……㉡
㉠, ㉡을 연립하여 풀면
$a_1=1$, $d=3$
$\therefore a_1+a_2+a_3+a_4+a_5=\dfrac{5\times\{2\times1+(5-1)\times3\}}{2}$
$\qquad\qquad\qquad\qquad=35$ 　　답 35

---

11 Act① 첫째항과 공차를 구해 등차수열의 합 공식에 대입하여 자연수 n의 값을 구한다.

등차수열 $\{a_n\}$의 첫째항을 a_1, 공차를 d라 하면
$a_6=a_1+5d=44$ 　　　　……㉠
$a_{18}=a_1+17d=116$ 　　……㉡
㉠, ㉡을 연립하여 풀면 $a_1=14$, $d=6$
첫째항부터 제n항까지의 합이 280이므로
$\dfrac{n\{2\times14+(n-1)\times6\}}{2}=280$
$3n^2+11n-280=0$
$(n-8)(3n+35)=0$
$\therefore n=8$ 또는 $n=-\dfrac{35}{3}$
그런데 n은 자연수이므로 $n=8$ 　　　　답 ①

---

12 Act① 첫째항이 양수인 등차수열 $\{a_n\}$에서 S_n의 최댓값은 $a_n>0$인 모든 항의 합임을 이용한다.

등차수열 $\{a_n\}$의 첫째항을 a_1, 공차를 d라 하면
$S_3=\dfrac{3\{2a_1+(3-1)d\}}{2}=51$ 　　……㉠
$S_{10}=\dfrac{10\{2a_1+(10-1)d\}}{2}=65$ 　　……㉡
㉠, ㉡을 연립하여 풀면
$a_1=20$, $d=-3$
따라서 등차수열 $\{a_n\}$의 일반항은
$a_n=20+(n-1)\times(-3)$
$\quad=-3n+23$
이때 $-3n+23>0$에서
$n<\dfrac{23}{3}=7.\cdots$
따라서 첫째항부터 제7항까지의 합이 최대가 된다. 　　답 ①

기출유형 04

Act① 항 사이의 관계가 주어진 등비수열의 일반항은 주어진 항의 관계를 첫째항 a와 공비 r에 대한 식으로 나타낸 후 두 식을 연립하여 구한다.

등비수열 $\{a_n\}$의 첫째항을 a, 공비를 r라 하면
$\dfrac{a_5}{a_2}=2$에서

$$\frac{ar^4}{ar}=r^3=2, \ r=\sqrt[3]{2}$$

$a_4+a_7=12$에서

$a_4+a_7=ar^3(1+r^3)=12, \ a=2$

$\therefore a_{13}=ar^{12}=32$ 답 ②

13 [Act ①] 항 사이의 관계에서 주어진 등비수열의 공비를 구한다.

등비수열 $\{a_n\}$의 공비를 $r \ (r>0)$라 하면

$$\frac{a_7}{a_5}=r^2=4$$

$\therefore r=2$

따라서 $a_n=2^{n-1}$이므로

$a_4=2^3=8$ 답 ②

14 [Act ①] 항 사이의 관계에서 주어진 등비수열의 공비를 구한다.

등비수열 $\{a_n\}$의 공비를 $r \ (r>0)$라 하면

$a_3\times a_4=a_5$에서

$$\frac{1}{2}r^2\times\frac{1}{2}r^3=\frac{1}{2}r^4$$

$$\left(\frac{1}{2}\right)^2\times r^5=\frac{1}{2}r^4$$

따라서 $r=2$이므로

$a_7=\frac{1}{2}\times2^{7-1}=32$ 답 32

15 [Act ①] 항 사이의 관계가 주어진 등비수열의 일반항은 주어진 항의 관계를 첫째항 a_1과 공비 r에 대한 식으로 나타낸 후 두 식을 연립하여 구한다.

등비수열 $\{a_n\}$의 공비를 r라 하면

$a_1=4a_3$에서 $a_1=4a_1r^2, \ r^2=\frac{1}{4}$ ······㉠

$a_2+a_3=a_1r+a_1r^2=a_1(r+r^2)=-12$ ······㉡

첫째항이 양수이므로

$r+r^2=r(1+r)<0$에서

$-1<r<0$

㉠, ㉡을 연립하여 풀면 $r=-\frac{1}{2}, \ a_1=48$

따라서 $a_n=48\left(-\frac{1}{2}\right)^{n-1}$이므로

$a_5=48\times\frac{1}{16}=3$ 답 ①

16 [Act ①] 항 사이의 관계가 주어진 등비수열의 일반항은 주어진 항의 관계를 첫째항 a_1과 공비 r에 대한 식으로 나타낸 후 두 식을 연립하여 구한다.

등비수열 $\{a_n\}$의 공비를 r라 하면

$a_3=4a_1$에서

$a_1r^2=4a_1$이므로 $r^2=4$

$a_7=(a_6)^2$에서

$a_1r^6=(a_1r^5)^2=a_1^2r^{10}$

따라서 $a_1r^4=1$이므로

$a_1\times4^2=16a_1=1$

$\therefore a_1=\frac{1}{16}$ 답 ①

기출유형 **05**

17 [Act ①] a는 $\frac{9}{4}$와 4의 등비중항임을 이용한다.

세 수 $\frac{9}{4}, \ a, \ 4$가 이 순서대로 등비수열을 이루므로

$a^2=\frac{9}{4}\times4$

$a^2=9$

a는 양수이므로 $a=3$ 답 ②

17 [Act ①] 12는 3과 a의 등비중항임을 이용한다.

세 수 3, 12, a가 이 순서대로 등비수열을 이루므로

$12^2=3a$

$\therefore a=48$ 답 ③

[다른 풀이]

등비수열 3, 12, a에서 공비를 r라 하면

$3r=12, \ r=4$

$\therefore a=12r=12\times4=48$

18 [Act ①] a_3은 a_2와 a_4의 등비중항임을 이용한다.

a_3은 a_2와 a_4의 등비중항이므로

$a_3^2=a_2\times a_4=2\times18=36$

모든 항이 양수이므로 $a_3=6$ 답 ②

[다른 풀이]

등비수열의 첫째항을 a, 공비를 r라 하면

$a_2=ar=2$ ······㉠

$a_4=ar^3=18$ ······㉡

㉡÷㉠에서 $r^2=9$

모든 항이 양수이므로 $r=3$

이 값을 ㉠에 대입하면

$3a=2, \ a=\frac{2}{3}$

$\therefore a_3=ar^2=\frac{2}{3}\times3^2=6$

19 [Act ①] 두 점 $A(x_1)$, $B(x_2)$에 대하여 선분 AB를 $m:n$으로 내분하는 점의 좌표는 $\frac{mx_2+nx_1}{m+n}$임을 이용한다.

점 C는 선분 AB를 $1:2$로 내분하는 점이므로 점 C의 좌표는 $y=\frac{6+2x}{3}$

$x, \ \frac{6+2x}{3}, \ 6$이 이 순서대로 등비수열을 이루므로

$\left(\frac{6+2x}{3}\right)^2=6x$

$2x^2-15x+18=0$

$(2x-3)(x-6)=0$

$x = \dfrac{3}{2}$ 또는 $x = 6$

$\therefore x = \dfrac{3}{2}$ ($\because x < 6$) 답 ③

20 Act① 다항식 $f(x)$를 일차식 $x-1$로 나눈 나머지는 $f(1)$임을 이용한다.

x에 대한 다항식 $x^3 - ax + b$를 $x-1$로 나눈 나머지가 57이므로

나머지정리에 의하여

$1 - a + b = 57$, $b = a + 56$ ……㉠

1, a, b가 이 순서대로 등비수열을 이루므로

$a^2 = b$ ……㉡

㉠, ㉡에서

$a^2 = a + 56$

$a^2 - a - 56 = (a+7)(a-8) = 0$

$a = -7$ 또는 $a = 8$

공비 a는 양수이므로 $a = 8$

따라서 $b = a^2 = 64$이므로

$\dfrac{b}{a} = \dfrac{64}{8} = 8$ 답 ③

기출유형 06

Act① 주어진 조건을 첫째항 a와 공비 r에 대한 식으로 나타낸 후 두 식을 연립하여 푼다.

첫째항을 a라 하면 제k항이 400이므로

$a_k = a \cdot 2^{k-1} = 400$

$a \cdot 2^k = 800$ ……㉠

첫째항부터 제k항까지의 합이 750이므로

$S_k = \dfrac{a(2^k - 1)}{2 - 1} = a(2^k - 1) = 750$

$\therefore a \cdot 2^k - a = 750$ ……㉡

㉠, ㉡을 연립하여 풀면 $a = 50$, $k = 4$ 답 ①

21 Act① 주어진 조건을 첫째항 a와 공비 r에 대한 식으로 나타낸 후 두 식을 연립하여 푼다.

등비수열 $\{a_n\}$의 첫째항을 a, 공비를 r라 하면

$S_3 = \dfrac{a(1 - r^3)}{1 - r} = 21$ ……㉠

$S_6 = \dfrac{a(1 - r^6)}{1 - r} = \dfrac{a(1 - r^3)(1 + r^3)}{1 - r} = 189$ ……㉡

㉠을 ㉡에 대입하면

$21(1 + r^3) = 189$, $1 + r^3 = 9$

$r^3 = 8$ $\therefore r = 2$

이 값을 ㉠에 대입하면

$S_3 = \dfrac{a(1 - 2^3)}{1 - 2} = 7a = 21$ $\therefore a = 3$

$\therefore a_5 = ar^4 = 3 \times 2^4 = 48$ 답 ②

[다른 풀이]

$S_3 = a + ar + ar^2 = 21$

$S_6 = a + ar + ar^2 + r^3(a + ar + ar^2)$

$= (1 + r^3)(a + ar + ar^2)$

$= 21(1 + r^3)$

$S_6 = 189$이므로

$21(1 + r^3) = 189$

$r^3 = 8$ $\therefore r = 2$

이 값을 $S_3 = a + ar + ar^2 = 21$에 대입하면

$S_3 = a + 2a + 2^2a = 7a = 21$ $\therefore a = 3$

$\therefore a_5 = ar^4 = 3 \times 2^4 = 48$

22 Act① 등비수열 $\{a_n\}$의 첫째항이 3, 공비가 2이므로 등비수열 $\{a_{2n-1}\}$은 첫째항이 3, 공비가 4인 등비수열임을 이용한다.

등비수열 $\{a_n\}$의 첫째항이 3, 공비가 2이므로 수열 $\{a_{2n-1}\}$은 첫째항이 3, 공비가 4인 등비수열이다.

$\therefore a_1 + a_3 + a_5 + a_7 + a_9 = \dfrac{3(4^5 - 1)}{4 - 1} = 1023$ 답 ③

23 Act① 주어진 조건을 첫째항 a, 공비 r에 대한 식으로 나타내어 a, r의 값을 각각 구한 후 첫째항부터 제6항까지의 합을 구한다.

등비수열 $\{a_n\}$의 첫째항을 a, 공비를 r라 하면

$a_2 + a_4 = 4$에서

$ar + ar^3 = ar(1 + r^2) = 4$ ……㉠

$a_4 + a_6 = 16$에서

$ar^3 + ar^5 = ar^3(1 + r^2) = 16$ ……㉡

㉡÷㉠을 하면 $r^2 = 4$이므로 $r = 2$ ($\because r > 0$)

㉠에 $r = 2$를 대입하면 $10a = 4$이므로 $a = \dfrac{2}{5}$

따라서 첫째항부터 제6항까지의 합 S_6은

$S_6 = \dfrac{\dfrac{2}{5}(2^6 - 1)}{2 - 1} = \dfrac{2 \times 2^6 - 2}{5} = \dfrac{126}{5}$ 답 ③

24 Act① 주어진 조건을 첫째항 a와 공비 r에 대한 식으로 나타내어 구하는 식에 대입한다.

등비수열 $\{a_n\}$의 첫째항을 a, 공비를 r라 하면

첫째항부터 제5항까지의 합이 $\dfrac{31}{2}$이므로

$a_1 + a_2 + a_3 + a_4 + a_5 = a + ar + ar^2 + ar^3 + ar^4$

$= a(1 + r + r^2 + r^3 + r^4) = \dfrac{31}{2}$

첫째항부터 제5항까지의 곱이 32이므로

$a_1 a_2 a_3 a_4 a_5 = a \cdot ar \cdot ar^2 \cdot ar^3 \cdot ar^4$

$= a^5 r^{10} = 32$

$\therefore ar^2 = 2$

$\dfrac{1}{a_1} + \dfrac{1}{a_2} + \dfrac{1}{a_3} + \dfrac{1}{a_4} + \dfrac{1}{a_5}$

$= \dfrac{1}{a} + \dfrac{1}{ar} + \dfrac{1}{ar^2} + \dfrac{1}{ar^3} + \dfrac{1}{ar^4}$

$= \dfrac{1}{ar^4}(1 + r + r^2 + r^3 + r^4)$

$= \dfrac{a}{(ar^2)^2}(1 + r + r^2 + r^3 + r^4) = \dfrac{31}{8}$ 답 ②

Act① $a_1=S_1$, $a_n=S_n-S_{n-1}$ $(n\geq2)$임을 이용한다.

(ⅰ) $n\geq2$일 때

$a_n=S_n-S_{n-1}$
$=(2^n+1)-(2^{n-1}+1)$
$=(2-1)\times2^{n-1}$
$=2^{n-1}$ ······㉠

(ⅱ) $n=1$일 때

$a_1=S_1=2+1=3$

이때 $a_1=3$은 ㉠에 $n=1$을 대입한 값 1과 같지 않다.

(ⅰ), (ⅱ)에서 $a_1=3$, $a_n=2^{n-1}$ $(n\geq2)$

$\therefore a_1+a_8=3+2^7=3+128=131$ 답 ②

25 **Act①** $a_1=S_1$, $a_n=S_n-S_{n-1}$ $(n\geq2)$임을 이용한다.

$a_{10}=S_{10}-S_9$
$=(10^2+2\times10)-(9^2+2\times9)$
$=120-99$
$=21$ 답 21

26 **Act①** $\dfrac{S_9-S_5}{S_6-S_2}=\dfrac{a_6+a_7+a_8+a_9}{a_3+a_4+a_5+a_6}$에서 분자, 분모를 r의 식으로 나타내어 푼다.

등비수열 $\{a_n\}$의 공비를 r라 하면

$S_9-S_5=a_6+a_7+a_8+a_9$
$=7r^5+7r^6+7r^7+7r^8$
$=7r^5(1+r+r^2+r^3)$

$S_6-S_2=a_3+a_4+a_5+a_6$
$=7r^2+7r^3+7r^4+7r^5$
$=7r^2(1+r+r^2+r^3)$

$\dfrac{S_9-S_5}{S_6-S_2}=\dfrac{7r^5(1+r+r^2+r^3)}{7r^2(1+r+r^2+r^3)}=r^3$

이므로 $r^3=3$

$\therefore a_7=7r^6=7\times(r^3)^2=7\times3^2=63$ 답 63

27 **Act①** $a_1=S_1$, $a_n=S_n-S_{n-1}$ $(n\geq2)$임을 이용한다.

$n\geq2$일 때

$a_n=S_n-S_{n-1}$
$=(5^n-1)-(5^{n-1}-1)$
$=(5-1)\times5^{n-1}$
$=4\times5^{n-1}$

이므로

$\dfrac{a_5}{a_3}=\dfrac{4\times5^4}{4\times5^2}=5^2=25$ 답 ④

28 **Act①** $a_2=7$, $S_7-S_5=a_7+a_6$을 첫째항 a_1과 공차 d에 대한 식으로 나타낸 후 두 식을 연립하여 푼다.

$a_2=a_1+d=7$ ······㉠

$S_7-S_5=a_7+a_6=2a_1+11d=50$ ······㉡

㉠, ㉡을 연립하여 풀면

$a_1=3$, $d=4$

$\therefore a_{11}=a_1+10d=43$ 답 43

Act① 일정한 비율로 변하는 문제는 처음 몇 개의 항을 나열하여 규칙성을 파악한다.

농구공의 떨어진 높이에 대한 튀어 오른 높이의 비율이 일정하므로 그 비율을 r라 하면 철수가 1.5m 높이에서 떨어뜨렸을 때, 1m 튀어 올랐으므로

$1.5r=1$ $\therefore r=\dfrac{2}{3}$

매회 농구공이 튀어 오른 높이를 구하면

제1회 ⇨ 1

제2회 ⇨ $1\times\dfrac{2}{3}=\left(\dfrac{2}{3}\right)^1$

제3회 ⇨ $1\times\dfrac{2}{3}\times\dfrac{2}{3}=\left(\dfrac{2}{3}\right)^2$

제4회 ⇨ $1\times\dfrac{2}{3}\times\dfrac{2}{3}\times\dfrac{2}{3}=\left(\dfrac{2}{3}\right)^3$

⋮

제n회에 농구공이 튀어 오른 높이는 $\left(\dfrac{2}{3}\right)^{n-1}$이므로 튀어 오른 공의 높이가 $\dfrac{16}{81}$m가 되는 것은

$\left(\dfrac{2}{3}\right)^{n-1}=\dfrac{16}{81}=\left(\dfrac{2}{3}\right)^4$, $n-1=4$ $\therefore n=5$

따라서 구하는 것은 제5회 답 ③

29 **Act①** 일정한 비율로 감소하는 등비수열의 첫째항이 480, 제5항이 30임을 이용하여 공비 r를 구한다.

1월부터 5월까지 감소하는 일정한 비율을 r라 하자. A노래의 'n월 다운로드 건수'를 a_n $(n=1, 2, \cdots, 5)$이라 하면 수열 $\{a_n\}$은 첫째항이 480이고 공비가 r인 등비수열이므로

$a_5=480\times r^4=30$, $r=\dfrac{1}{2}$

$\therefore a_3=480\times\left(\dfrac{1}{2}\right)^2=120$ 답 120

[다른 풀이]

A노래의 '3월 다운로드 건수'를 x라 하면

480, x, 30은 이 순서대로 등비수열을 이루므로

$x^2=480\times30=14400$

$\therefore x=120$

30 **Act①** 일정한 비율로 감소하는 등비수열의 첫째항이 768이고 4년후, 즉 제5항이 48임을 이용하여 공비 r를 구한다.

이 지역의 연간 자동차 휘발유 소비량이 매년 r배 감소한다고 하면 4년 후의 휘발유의 소비량은 $768r^4$톤이므로

$768r^4=48$, $r^4=\dfrac{1}{16}$ $\therefore r=\dfrac{1}{2}$ $(\because r>0)$

따라서 8년 동안 사용되는 자동차 휘발유 소비량의 총합은

$768+768r+768r^2+\cdots+768r^7$

$=\dfrac{768(1-r^8)}{1-r}$

$=\dfrac{768\left\{1-\left(\dfrac{1}{2}\right)^8\right\}}{1-\dfrac{1}{2}}$

$=1530$(톤)   답 ②

$\therefore a_8=2+7\times2=16$ 답 ⑤

31 Act① 도형의 길이, 넓이 등이 일정한 비율로 변하는 문제는 처음 몇 개의 항을 나열하여 규칙성을 파악한다.

1회 시행 후 남아 있는 종이의 넓이

$\Rightarrow 1\times\dfrac{8}{9}=\left(\dfrac{8}{9}\right)^1$

2회 시행 후 남아 있는 종이의 넓이

$\Rightarrow 1\times\dfrac{8}{9}\times\dfrac{8}{9}=\left(\dfrac{8}{9}\right)^2$

3회 시행 후 남아 있는 종이의 넓이

$\Rightarrow 1\times\dfrac{8}{9}\times\dfrac{8}{9}\times\dfrac{8}{9}=\left(\dfrac{8}{9}\right)^3$

$\vdots$

n회 시행 후 남아 있는 종이의 넓이

$\Rightarrow \left(\dfrac{8}{9}\right)^n$

따라서 10회 시행 후 남아 있는 종이의 넓이는 $\left(\dfrac{8}{9}\right)^{10}$

$p=9$, $q=8$, $r=10$이므로

$p+q+r=27$ 답 ①

32 Act① 도형의 길이, 넓이 등이 일정한 비율로 변하는 문제는 처음 몇 개의 항을 나열하여 규칙성을 파악한다.

한 변의 길이가 8인 정삼각형의 넓이는

$\dfrac{\sqrt{3}}{4}\times8^2=16\sqrt{3}$

1회 시행 후 남아 있는 종이의 넓이 $\Rightarrow 16\sqrt{3}\times\left(\dfrac{3}{4}\right)^1$

2회 시행 후 남아 있는 종이의 넓이 $\Rightarrow 16\sqrt{3}\times\left(\dfrac{3}{4}\right)^2$

$\vdots$

n회 시행 후 남아 있는 종이의 넓이 $\Rightarrow 16\sqrt{3}\times\left(\dfrac{3}{4}\right)^n$

따라서 10회 시행 후 남아 있는 종이의 넓이는 $16\sqrt{3}\times\left(\dfrac{3}{4}\right)^{10}$

$p=16$, $q=\dfrac{3}{4}$, $r=10$이므로

$pqr=120$ 답 120

VIT Very Important Test   pp. 90~91

01. ⑤	**02.** ③	**03.** ④	**04.** 64	**05.** ④
06. ①	**07.** ⑤	**08.** ③	**09.** 8	**10.** ①
11. ③	**12.** ⑤			

01

등차수열 $\{a_n\}$의 첫째항을 a, 공차를 d라 하면

$a_3=a+2d=6$ ……㉠

$a_4+a_6=a+3d+a+5d=2a+8d=20$ ……㉡

㉠, ㉡을 연립하여 풀면 $a=2$, $d=2$

02

등차수열 $\{a_n\}$의 첫째항을 a, 공차를 d라 하면 $a_5=4a_3$에서

$a+4d=4(a+2d)$

$3a+4d=0$ ……㉠

$a_2+a_4=4$에서 $(a+d)+(a+3d)=4$

$2a+4d=4$, $a+2d=2$ ……㉡

㉠, ㉡을 연립하여 풀면

$a=-4$, $d=3$

$\therefore a_6=a+5d=-4+5\cdot3=11$ 답 ③

03

등차수열 $\{a_n\}$의 첫째항과 공차를 a_1 $(a_1\neq0)$이라 하면 $S_n=ka_n$에서

$\dfrac{n\{2a_1+(n-1)a_1\}}{2}=k\{a_1+(n-1)a_1\}$

$\dfrac{na_1(n+1)}{2}=kna_1$

양변을 na_1로 나누면 $k=\dfrac{n+1}{2}$

한 자리 자연수 k가 9일 때, n은 최댓값 17을 갖는다.   답 ④

04

등비수열의 첫째항을 a, 공비를 r라 하면

$a_2=ar=4$, $a_6=ar^5=16$이므로 $r^4=4$

$\therefore a_{10}=ar^9=ar\times(r^4)^2=4\times16=64$ 답 64

05

등비수열 $\{a_n\}$의 첫째항을 a_1, 공비를 r라 할 때,

$\dfrac{a_{10}}{a_2}=\dfrac{64}{4}$에서 $\dfrac{a_1r^9}{a_1r}=16$

$r^8=16$이므로 $r^4=4$

$\therefore \dfrac{a_5}{a_1}=\dfrac{a_1r^4}{a_1}=r^4=4$ 답 ④

06

등비수열 $\{a_n\}$의 첫째항을 a, 공비를 r라 하면

$a_3+a_5=ar^2+ar^4$

$\quad\quad\quad=ar^2(1+r^2)=18$ ……㉠

$a_2a_4=ar\cdot ar^3=(ar^2)^2=36$

이때 $a>0$, $r>0$이므로 $ar^2=6$

$ar^2=6$을 ㉠에 대입하면

$6(1+r^2)=18$

그런데 $r>0$이므로 $r=\sqrt{2}$

따라서 $a=3$, $r=\sqrt{2}$이므로

$a_n=3\cdot(\sqrt{2})^{n-1}$

$\therefore a_9=3\cdot(\sqrt{2})^8=3\cdot16=48$ 답 ①

07

세 수 4, -8, a가 이 순서대로 등비수열을 이루므로

$$\frac{-8}{4}=\frac{a}{-8}$$

$4 \times a=(-8)^2$

$\therefore a=16$

답 ⑤

08

등비수열 $\{a_n\}$의 첫째항을 a, 공비를 r라 하면

$a_1+a_2+a_3+a_4=a+ar+ar^2+ar^3=45$ ······㉠

$a_1+a_4=a+ar^3=27$ ······㉡

㉠$-$㉡을 하면 $ar+ar^2=18$ ······㉢

㉡$\div$㉢을 하면

$$\frac{1+r^3}{r+r^2}=\frac{27}{18}, \quad \frac{(1+r)(1-r+r^2)}{r(1+r)}=\frac{3}{2}$$

$$\frac{1-r+r^2}{r}=\frac{3}{2}, \quad 2(1-r+r^2)=3r$$

$2r^2-5r+2=0, \quad (2r-1)(r-2)=0$

그런데 $r>1$이므로 $r=2$

$r=2$를 ㉡에 대입하면

$a+2^3 \cdot a=27, \quad 9a=27$

$\therefore a=3$

답 ③

09

a가 8과 b의 등차중항이므로

$2a=8+b$ ······㉠

b가 a와 36의 등비중항이므로

$b^2=36a$ ······㉡

㉠을 ㉡에 대입하면

$b^2=18(8+b), \quad b^2-18b-144=0$

$(b+6)(b-24)=0$

그런데 $b>0$이므로 $b=24$

$b=24$를 ㉡에 대입하면

$24^2=36a, \quad a=16$

따라서 $a=16$, $b=24$이므로

$b-a=8$

답 8

10

$a_1=S_1, \quad a_n=S_n-S_{n-1} \,(n \geq 2)$임을 이용한다.

(i) $n \geq 2$일 때

$a_n=S_n-S_{n-1}=(2^n-3)-(2^{n-1}-3)$

$=(2-1) \times 2^{n-1}$

$=2^{n-1}$ ······㉠

(ii) $n=1$일 때

$a_1=S_1=2-3=-1$

이때 $a_1=-1$은 ㉠에 $n=1$을 대입한 값 1과 같지 않다.

(i), (ii)에서 $a_1=-1$, $a_n=2^{n-1} \,(n \geq 2)$

$\therefore a_1+a_6=(-1)+2^5=(-1)+32=31$

답 ①

11

이 공장에서 올해 생산된 제품의 수를 a, 제품 수의 증가율을 r라 하면

n년 후의 생산되는 제품의 수는 $a(1+r)^n$(개)

10년 후의 제품 수가 10만 개이므로

$a(1+r)^{10}=10^5$ ······㉠

20년 후의 제품 수가 50만 개이므로

$a(1+r)^{20}=5 \times 10^5$ ······㉡

㉡$\div$㉠을 하면 $(1+r)^{10}=5$ ······㉢

㉢을 ㉠에 대입하면 $a=2 \times 10^4$

따라서 30년 후에 생산되는 제품의 수는

$a(1+r)^{30}=a\{(1+r)^{10}\}^3=2 \times 10^4 \times 125=250$(만 개)

로 예상할 수 있다.

답 ③

12

도형의 길이, 넓이 등이 일정한 비율로 변하는 문제는 처음 몇 개의 항을 나열하여 규칙성을 파악한다.

1회 시행 후 남은 조각의 넓이 $\Rightarrow 64 \times \left(\frac{3}{4}\right)^1$

2회 시행 후 남은 조각의 넓이 $\Rightarrow 64 \times \left(\frac{3}{4}\right)^2$

$\vdots$

n회 시행 후 남은 조각의 넓이 $\Rightarrow 64 \times \left(\frac{3}{4}\right)^n$

따라서 20회 시행 후 남은 조각의 넓이는 $64 \times \left(\frac{3}{4}\right)^{20}$

답 ⑤

09 수열의 합

pp. 92~93

01. ⑤   02. ④   03. 121   04. ④   05. ⑤

06. ③

01

합의 기호 $\sum$를 사용하지 않고

$\displaystyle\sum_{k=1}^{5} \frac{1}{k}=a+\sum_{k=1}^{5} \frac{1}{k+1}$을 나타내면

$$\frac{1}{1}+\frac{1}{2}+\frac{1}{3}+\frac{1}{4}+\frac{1}{5}=a+\frac{1}{2}+\frac{1}{3}+\frac{1}{4}+\frac{1}{5}+\frac{1}{6}$$

$$1=a+\frac{1}{6}$$

$\therefore a=\dfrac{5}{6}$

답 ⑤

02

합의 기호 $\sum$의 성질에서

$$\sum_{n=1}^{10}(3a_n+b_n-2)=3\sum_{n=1}^{10}a_n+\sum_{n=1}^{10}b_n-\sum_{n=1}^{10}2$$

$$=3 \times 9+7-2 \times 10=14$$

답 ④

03

$$\sum_{k=1}^{6}(k^2+5)=\sum_{k=1}^{6}k^2+\sum_{k=1}^{6}5$$

$$=\frac{6 \times 7 \times 13}{6}+5 \times 6=121$$

답 121

04

$\displaystyle\sum_{k=1}^{10}(k^2-k)=\frac{10 \cdot 11 \cdot 21}{6}-\frac{10 \cdot 11}{2}=330$

답 ④

05 부분분수로의 변형 $\dfrac{1}{AB}=\dfrac{1}{B-A}\left(\dfrac{1}{A}-\dfrac{1}{B}\right)$을 이용하여 이

웃한 항끼리 소거한다.

$$\sum_{k=1}^{7}\frac{1}{(k+1)(k+2)}=\sum_{k=1}^{7}\left(\frac{1}{k+1}-\frac{1}{k+2}\right)$$
$$=\left(\frac{1}{2}-\frac{1}{3}\right)+\left(\frac{1}{3}-\frac{1}{4}\right)+\cdots+\left(\frac{1}{8}-\frac{1}{9}\right)$$
$$=\frac{1}{2}-\frac{1}{9}$$
$$=\frac{7}{18}\qquad\qquad\text{답 ⑤}$$

06 $\displaystyle\sum_{k=1}^{15}\dfrac{1}{\sqrt{k+1}+\sqrt{k}}$

$$=\sum_{k=1}^{15}\frac{\sqrt{k+1}-\sqrt{k}}{(\sqrt{k+1}+\sqrt{k})(\sqrt{k+1}-\sqrt{k})}$$
$$=\sum_{k=1}^{15}(\sqrt{k+1}-\sqrt{k})$$
$$=(\sqrt{2}-1)+(\sqrt{3}-\sqrt{2})+(\sqrt{4}-\sqrt{3})+\cdots+(\sqrt{16}-\sqrt{15})$$
$$=\sqrt{16}-1=4-1=3\qquad\qquad\text{답 ③}$$

유형따라잡기			pp. 94~97
기출유형 01 ③	**01.** ①	**02.** ④	**03.** 65	**04.** ②
기출유형 02 220	**05.** ⑤	**06.** 19	**07.** 150	**08.** ⑤
기출유형 03 2	**09.** ②	**10.** 508	**11.** ②	**12.** 4
기출유형 04 ⑤	**13.** ②	**14.** ②	**15.** ⑤	**16.** ④

기출유형 01

Act❶ $\sum$ 안을 전개한 다음 주어진 조건을 이용한다.

$$\sum_{k=1}^{5}(a_k+2)^2$$
$$=\sum_{k=1}^{5}(a_k^2+4a_k+4)$$
$$=\sum_{k=1}^{5}a_k^2+4\sum_{k=1}^{5}a_k+\sum_{k=1}^{5}4$$
$$=40+4\times12+5\times4$$
$$=108\qquad\qquad\text{답 ③}$$

01 **Act❶** $\sum$의 정의를 이용하여 주어진 식을 $\sum$ 기호를 사용하지 않

고 나타내어 푼다.

$$\sum_{k=1}^{7}a_k=\sum_{k=1}^{6}(a_k+1)\text{에서}$$
$$a_1+a_2+a_3+\cdots+a_7$$
$$=(a_1+1)+(a_2+1)+(a_3+1)+\cdots+(a_6+1)$$
$$=(a_1+a_2+a_3+\cdots+a_6)+6$$
$$\therefore a_7=6\qquad\qquad\text{답 ①}$$

02 **Act❶** $\sum$의 기본 성질을 이용한다.

$$\sum_{k=1}^{10}(2a_k^2-a_k)=2\sum_{k=1}^{10}a_k^2-\sum_{k=1}^{10}a_k=2\times7-3=11\qquad\text{답 ④}$$

03 **Act❶** 제m항부터의 수열의 합은 $\displaystyle\sum_{k=m}^{n}a_k=\sum_{k=1}^{n}a_k-\sum_{k=1}^{m-1}a_k$를 이용

한다.

$$\sum_{k=6}^{10}a_k=\sum_{k=1}^{10}a_k-\sum_{k=1}^{5}a_k$$
$$=(10^2-2\times10)-(5^2-2\times5)=80-15=65\qquad\text{답 65}$$

04 **Act❶** $\displaystyle\sum_{k=11}^{20}2a_k=2\sum_{k=11}^{20}a_k=2\left(\sum_{k=1}^{20}a_k-\sum_{k=1}^{10}a_k\right)$임을 이용한다.

$$\sum_{k=11}^{20}a_k=\sum_{k=1}^{20}a_k-\sum_{k=1}^{10}a_k=40-10=30$$
$$\therefore\sum_{k=11}^{20}2a_k=2\sum_{k=11}^{20}a_k=2\times30=60\qquad\qquad\text{답 ②}$$

기출유형 02

Act❶ $\sum$의 성질을 이용하여 주어진 식을 간단히 하고 자연수의

거듭제곱의 합을 이용한다.

$$\sum_{k=1}^{10}(k+1)^2-\sum_{k=1}^{10}(k-1)^2=\sum_{k=1}^{10}\{(k+1)^2-(k-1)^2\}$$
$$=\sum_{k=1}^{10}4k$$
$$=4\times\frac{10\times11}{2}$$
$$=220\qquad\qquad\text{답 220}$$

05 **Act❶** $\sum$의 성질을 이용하여 주어진 식을 간단히 하고 자연수의

거듭제곱의 합을 이용한다.

$$\sum_{k=1}^{5}(k+1)^2-\sum_{k=1}^{5}(k^2+k)$$
$$=\sum_{k=1}^{5}\{(k+1)^2-(k^2+k)\}$$
$$=\sum_{k=1}^{5}(k+1)$$
$$=\sum_{k=1}^{5}k+\sum_{k=1}^{5}1$$
$$=\frac{5\times6}{2}+5$$
$$=20\qquad\qquad\text{답 ⑤}$$

06 **Act❶** $\sum$의 성질과 자연수의 거듭제곱의 합을 이용한다.

$$\sum_{k=1}^{10}(2k+a)=2\sum_{k=1}^{10}k+\sum_{k=1}^{10}a$$
$$=2\times\frac{10\times11}{2}+10a$$
$$=110+10a$$
$$=300$$
$$\therefore a=19\qquad\qquad\text{답 19}$$

07 **Act❶** 함숫값과 자연수의 거듭제곱의 합을 이용한다.

$$f(x)=\frac{1}{2}x+2\text{이므로}$$
$$\sum_{k=1}^{15}f(2k)=\sum_{k=1}^{15}(k+2)$$

$$= \sum_{k=1}^{15} k + \sum_{k=1}^{15} 2$$

$$= \frac{15 \times 16}{2} + 2 \times 15$$

$$= 120 + 30$$

$$= 150$$

답 150

08 **Act①** 이차방정식의 근과 계수의 관계와 자연수의 거듭제곱의 합을 이용한다.

이차방정식의 근과 계수의 관계에서 두 근의 합 a_n은

$$a_n = \frac{2n^2 - n}{n} = 2n - 1$$

이므로

$$\sum_{k=1}^{10} a_k = \sum_{k=1}^{10} (2k-1) = \sum_{k=1}^{10} 2k - \sum_{k=1}^{10} 1 = 2 \sum_{k=1}^{10} k - 10$$

$$= 2 \times \frac{10 \times 11}{2} - 10 = 100$$

답 ⑤

기출유형 **03**

Act① 수열의 합과 일반항 사이의 관계에서

$a_{10} = S_{10} - S_9 = \sum_{k=1}^{10} a_k - \sum_{k=1}^{9} a_k$ 임을 이용한다.

수열의 합과 일반항 사이의 관계에서

$a_{10} = S_{10} - S_9 = \sum_{k=1}^{10} a_k - \sum_{k=1}^{9} a_k$ 이므로

$$a_{10} = \sum_{k=1}^{10} a_k - \sum_{k=1}^{9} a_k$$

$$= (2 \times 10 - 1) - (2 \times 9 - 1)$$

$$= 19 - 17$$

$$= 2$$

답 2

09 **Act①** $a_5 = S_5 - S_4 = \sum_{k=1}^{5} a_k - \sum_{k=1}^{4} a_k$ 임을 이용한다.

수열의 합과 일반항 사이의 관계에서

$a_5 = S_5 - S_4 = \sum_{k=1}^{5} a_k - \sum_{k=1}^{4} a_k$ 이므로

$$a_5 = \sum_{k=1}^{5} a_k - \sum_{k=1}^{4} a_k$$

$$= (2^{5+1} - 2) - (2^{4+1} - 2)$$

$$= 32$$

답 ②

10 **Act①** 먼저 수열의 합과 일반항 사이의 관계에서 a_n을 구한다.

수열의 합과 일반항 사이의 관계에서

$a_n = S_n - S_{n-1} = n + 1 \ (n \geq 2)$, $a_1 = S_1 = 2$

이므로 $a_n = n + 1 \ (n \geq 1)$

$$\sum_{n=1}^{7} 2^{a_n} = \sum_{n=1}^{7} 2^{n+1}$$

$$= \frac{2^2 (2^7 - 1)}{2 - 1}$$

$$= 508$$

답 508

11 **Act①** 먼저 수열의 합과 일반항 사이의 관계에서 a_n을 구한다.

$S_n = \sum_{k=1}^{n} a_k = \frac{n}{n+1}$ 이라 하면 수열의 합과 일반항 사이의 관계에서

$$a_n = S_n - S_{n-1}$$

$$= \frac{n}{n+1} - \frac{n-1}{n}$$

$$= \frac{n^2 - (n+1)(n-1)}{n(n+1)}$$

$$= \frac{n^2 - (n^2 - 1)}{n(n+1)}$$

$$= \frac{1}{n(n+1)} \ (n \geq 2)$$

$a_1 = S_1 = \frac{1}{2}$ 이므로

$$a_n = \frac{1}{n(n+1)} \ (n \geq 1)$$

$$\sum_{k=1}^{5} \frac{1}{a_k} = \sum_{k=1}^{5} k(k+1)$$

$$= \sum_{k=1}^{5} k^2 + \sum_{k=1}^{5} k$$

$$= \frac{5 \times 6 \times 11}{6} + \frac{5 \times 6}{2}$$

$$= 70$$

답 ②

12 **Act①** 먼저 수열의 합과 일반항 사이의 관계에서 a_n을 구한다.

$\sum_{k=1}^{n} a_k = \log_2 (n^2 + n)$ 이므로

$$a_n = \sum_{k=1}^{n} a_k - \sum_{k=1}^{n-1} a_k$$

$$= \log_2 (n^2 + n) - \log_2 (n^2 - n)$$

$$= \log_2 \frac{n+1}{n-1} \ (n \geq 2)$$

$$a_{2n+1} = \log_2 \frac{n+1}{n} \ (n \geq 1)$$

$$\sum_{n=1}^{15} a_{2n+1} = \log_2 2 + \log_2 \frac{3}{2} + \log_2 \frac{4}{3} + \cdots + \log_2 \frac{16}{15}$$

$$= \log_2 \left(2 \times \frac{3}{2} \times \frac{4}{3} \times \cdots \times \frac{16}{15} \right)$$

$$= 4$$

답 4

기출유형 **04**

Act① 부분분수로의 변형 $\frac{1}{AB} = \frac{1}{B-A} \left(\frac{1}{A} - \frac{1}{B} \right)$ 을 이용하여 이웃한 항끼리 소거한다.

$$\sum_{k=1}^{n} \frac{4}{k(k+1)} = \sum_{k=1}^{n} 4 \left(\frac{1}{k} - \frac{1}{k+1} \right)$$

$$= 4 \left\{ \left(1 - \frac{1}{2} \right) + \left(\frac{1}{2} - \frac{1}{3} \right) + \cdots + \left(\frac{1}{n} - \frac{1}{n+1} \right) \right\}$$

$$= 4 \left(1 - \frac{1}{n+1} \right)$$

$$= \frac{4n}{n+1}$$

$\sum_{k=1}^{n} \frac{4}{k(k+1)} = \frac{15}{4}$ 에서 $\frac{4n}{n+1} = \frac{15}{4}$

$$\therefore n = 15$$

답 ⑤

13 Act① 수열의 일반항을 구하고 부분분수로의 변형

$\dfrac{1}{AB}=\dfrac{1}{B-A}\left(\dfrac{1}{A}-\dfrac{1}{B}\right)$을 이용하여 이웃한 항끼리 소거한다.

주어진 수열의 제k항을 a_k라 하면

$a_k=\dfrac{1}{(k+1)^2-(k+1)}$

$=\dfrac{1}{k(k+1)}=\dfrac{1}{k}-\dfrac{1}{k+1}$

$\therefore \displaystyle\sum_{k=1}^{20} a_k=\sum_{k=1}^{20}\left(\dfrac{1}{k}-\dfrac{1}{k+1}\right)$

$=\left(1-\dfrac{1}{2}\right)+\left(\dfrac{1}{2}-\dfrac{1}{3}\right)+\cdots+\left(\dfrac{1}{20}-\dfrac{1}{21}\right)$

$=1-\dfrac{1}{21}=\dfrac{20}{21}$　　　　　　답 ②

14 Act① 분모가 무리식인 수열의 합은 분모를 유리화하여 이웃한 항끼리 소거한다.

$a_n=4+(n-1)\times1=n+3$이므로

$\displaystyle\sum_{k=1}^{12}\dfrac{1}{\sqrt{a_{k+1}}+\sqrt{a_k}}$

$=\displaystyle\sum_{k=1}^{12}\dfrac{\sqrt{a_{k+1}}-\sqrt{a_k}}{(\sqrt{a_{k+1}}+\sqrt{a_k})(\sqrt{a_{k+1}}-\sqrt{a_k})}$

$=\displaystyle\sum_{k=1}^{12}\dfrac{\sqrt{a_{k+1}}-\sqrt{a_k}}{a_{k+1}-a_k}$

$=\displaystyle\sum_{k=1}^{12}(\sqrt{a_{k+1}}-\sqrt{a_k})$

$=(\sqrt{a_2}-\sqrt{a_1})+(\sqrt{a_3}-\sqrt{a_2})+\cdots+(\sqrt{a_{13}}-\sqrt{a_{12}})$

$=\sqrt{a_{13}}-\sqrt{a_1}=\sqrt{16}-\sqrt{4}=2$　　　답 ②

15 Act① 수열의 합과 일반항의 관계에서 수열의 일반항을 구하고

부분분수로의 변형 $\dfrac{1}{AB}=\dfrac{1}{B-A}\left(\dfrac{1}{A}-\dfrac{1}{B}\right)$을 이용하여 이웃한

항끼리 소거한다.

$a_n=S_n-S_{n-1}\ (n\geq2)$이므로

$a_n=\dfrac{n(n+3)}{2}-\dfrac{(n-1)(n+2)}{2}=n+1\ (n\geq2)$

$a_1=S_1=2$이므로 $a_n=n+1\ (n\geq1)$

$\displaystyle\sum_{n=1}^{20}\dfrac{1}{a_n a_{n+1}}=\sum_{n=1}^{20}\dfrac{1}{(n+1)(n+2)}$

$=\displaystyle\sum_{n=1}^{20}\left(\dfrac{1}{n+1}-\dfrac{1}{n+2}\right)$

$=\left(\dfrac{1}{2}-\dfrac{1}{3}\right)+\left(\dfrac{1}{3}-\dfrac{1}{4}\right)+\cdots+\left(\dfrac{1}{21}-\dfrac{1}{22}\right)$

$=\dfrac{1}{2}-\dfrac{1}{22}=\dfrac{5}{11}$　　　　　　답 ⑤

16 Act① 나머지정리에서 수열의 일반항을 구하고 부분분수로의 변형

$\dfrac{1}{AB}=\dfrac{1}{B-A}\left(\dfrac{1}{A}-\dfrac{1}{B}\right)$을 이용하여 이웃한 항끼리 소거한다.

$a_n=n^3+(1-n)n^2+n=n(n+1)$

$\displaystyle\sum_{n=1}^{10}\dfrac{1}{n(n+1)}=\sum_{n=1}^{10}\left(\dfrac{1}{n}-\dfrac{1}{n+1}\right)$

$=\left(1-\dfrac{1}{2}\right)+\left(\dfrac{1}{2}-\dfrac{1}{3}\right)+\cdots+\left(\dfrac{1}{10}-\dfrac{1}{11}\right)$

$=1-\dfrac{1}{11}=\dfrac{10}{11}$　　　　　　답 ④

VIT　Very Important Test　pp. 98~99

01. ⑤　　**02.** ③　　**03.** ④　　**04.** ⑤　　**05.** 250

06. ②　　**07.** 310　　**08.** 600　　**09.** ②　　**10.** ③

11. ④　　**12.** 12

01

$\displaystyle\sum_{k=1}^{10}(2a_k-b_k+1)$

$=2\displaystyle\sum_{k=1}^{10}a_k-\sum_{k=1}^{n}b_k+1\cdot10$

$=2\cdot8-10+10=16$　　　　　답 ⑤

02

$\displaystyle\sum_{k=1}^{10}(4a_k-2)^2$

$=\displaystyle\sum_{k=1}^{10}(16a_k^2-16a_k+4)$

$=16\displaystyle\sum_{k=1}^{10}a_k^2-16\sum_{k=1}^{10}a_k+\sum_{k=1}^{10}4$

$=16\cdot6-16\cdot3+4\cdot10$

$=88$　　　　　　　　　　답 ③

03

$\displaystyle\sum_{k=1}^{19}a_{k+1}-\sum_{k=2}^{20}a_{k-1}$

$=(a_2+a_3+\cdots+a_{20})-(a_1+a_2+\cdots+a_{19})$

$=a_{20}-a_1$

$=30-10=20$　　　　　　　답 ④

04

$\displaystyle\sum_{k=3}^{n-1}(k^2-1)=\sum_{k=1}^{n}(k^2-1)-\{3+(n^2-1)\}$

$\qquad\qquad=\displaystyle\sum_{k=1}^{n}(k^2-1)-(n^2+2)$

이므로

$\displaystyle\sum_{k=1}^{n}(k^2+1)-\sum_{k=3}^{n-1}(k^2-1)$

$=\displaystyle\sum_{k=1}^{n}(k^2+1)-\left\{\sum_{k=1}^{n}(k^2-1)-(n^2+2)\right\}$

$=\left\{\displaystyle\sum_{k=1}^{n}(k^2+1)-\sum_{k=1}^{n}(k^2-1)\right\}+n^2+2$

$=\displaystyle\sum_{k=1}^{n}2+n^2+2=2n+n^2+2$

$=n^2+2n+2$　　　　　　　답 ⑤

05

$$\sum_{k=21}^{30} a_k = \sum_{k=1}^{30} a_k - \sum_{k=1}^{20} a_k = 200 - 100 = 100$$

$$\therefore \sum_{k=21}^{30}(2a_k+5) = 2\sum_{k=21}^{30} a_k + \sum_{k=21}^{30} 5$$

$$= 2\sum_{k=21}^{30} a_k + \left(\sum_{k=1}^{30} 5 - \sum_{k=1}^{20} 5\right)$$

$$= 2 \times 100 + 5(30-20)$$

$$= 250$$

답 250

06

주어진 수열의 제k항을 a_k라 하면 $a_k = k(k+1)$
주어진 식은 첫째항부터 제20항까지의 합이므로

$$\sum_{k=1}^{20} k(k+1) = \sum_{k=1}^{20}(k^2+k) = \sum_{k=1}^{20} k^2 + \sum_{k=1}^{20} k$$

$$= \frac{20 \times 21 \times 41}{6} + \frac{20 \times 21}{2}$$

$$= 2870 + 210$$

$$= 3080$$

답 ②

07

$a_1 = 2$이고 공차를 d라 하면

$$a_4 - a_2 = 2d = 4$$

$$d = 2$$

따라서 일반항 a_n은

$$a_n = 2 + (n-1) \times 2 = 2n$$

$$\sum_{k=11}^{20} a_k = \sum_{k=1}^{20} a_k - \sum_{k=1}^{10} a_k$$

$$= \sum_{k=1}^{20} 2k - \sum_{k=1}^{10} 2k$$

$$= 2 \times \frac{20 \times 21}{2} - 2 \times \frac{10 \times 11}{2}$$

$$= 310$$

답 310

08

조건에 의하여 $a_k + \beta_k = 2k$, $a_k\beta_k = 3k$

$$\sum_{k=1}^{8}\{(a_k)^2 + (b_k)^2\}$$

$$= \sum_{k=1}^{8}\{(a_k+b_k)^2 - 2a_k\beta_k\}$$

$$= \sum_{k=1}^{8}(4k^2 - 6k)$$

$$= 4 \times \frac{8 \times 9 \times 17}{6} - 6 \times \frac{8 \times 9}{2}$$

$$= 600$$

답 600

09

$$\sum_{k=1}^{n} \frac{1}{(2k-1)(2k+1)} = \frac{1}{2}\sum_{k=1}^{n}\left(\frac{1}{2k-1} - \frac{1}{2k+1}\right)$$

$$= \frac{1}{2}\left\{\left(1 - \frac{1}{3}\right) + \left(\frac{1}{3} - \frac{1}{5}\right) + \left(\frac{1}{5} - \frac{1}{7}\right) + \cdots + \left(\frac{1}{2n-1} - \frac{1}{2n+1}\right)\right\}$$

$$= \frac{1}{2}\left(1 - \frac{1}{2n+1}\right)$$

$$= \frac{n}{2n+1}$$

답 ②

10.

x에 대한 이차방정식 $nx^2 - x + n(n+1) = 0$의 두 근이
a_n, β_n이므로
이차방정식의 근과 계수의 관계에 의하여

$$a_n + \beta_n = \frac{1}{n}, \quad a_n\beta_n = n+1$$

$$\sum_{k=1}^{10}\left(\frac{1}{a_k} + \frac{1}{\beta_k}\right)$$

$$= \sum_{k=1}^{10} \frac{a_k + \beta_k}{a_k\beta_k} = \sum_{k=1}^{10} \frac{1}{k(k+1)}$$

$$= \sum_{k=1}^{10}\left(\frac{1}{k} - \frac{1}{k+1}\right)$$

$$= \left(1 - \frac{1}{2}\right) + \left(\frac{1}{2} - \frac{1}{3}\right) + \cdots + \left(\frac{1}{10} - \frac{1}{11}\right)$$

$$= 1 - \frac{1}{11}$$

$$= \frac{10}{11}$$

답 ③

11

$$a_n = \frac{1}{\sqrt{2n+1} + \sqrt{2n-1}}$$

$$= \frac{\sqrt{2n+1} - \sqrt{2n-1}}{(\sqrt{2n+1} + \sqrt{2n-1})(\sqrt{2n+1} - \sqrt{2n-1})}$$

$$= \frac{1}{2}(\sqrt{2n+1} - \sqrt{2n-1})$$

이므로

$$S_{40} = \sum_{k=1}^{40} a_k$$

$$= \frac{1}{2}\{(\sqrt{3} - 1) + (\sqrt{5} - \sqrt{3}) + (\sqrt{7} - \sqrt{5}) + \cdots + (\sqrt{81} - \sqrt{79})\}$$

$$= \frac{1}{2}(\sqrt{81} - 1)$$

$$= \frac{1}{2}(9 - 1)$$

$$= 4$$

답 ④

12

$$\sum_{k=1}^{48} a_k = \sum_{k=1}^{48} \frac{2}{\sqrt{k+1} + \sqrt{k}}$$

$$= \sum_{k=1}^{48} \frac{2(\sqrt{k+1} - \sqrt{k})}{(\sqrt{k+1} + \sqrt{k})(\sqrt{k+1} - \sqrt{k})}$$

$$= \sum_{k=1}^{48} 2(\sqrt{k+1} - \sqrt{k})$$

$$= 2\{(\sqrt{2} - \sqrt{1}) + (\sqrt{3} - \sqrt{2}) + (\sqrt{4} - \sqrt{3}) + \cdots + (\sqrt{49} - \sqrt{48})\}$$

$$= 2(\sqrt{49} - \sqrt{1})$$

$$= 2 \times 6 = 12$$

답 12

10 수학적 귀납법

pp. 100

01. ⑤   **02.** ①   **03.** ③

01 주어진 식에 $n=1$, 2, 3, 4를 차례로 대입하면

$a_2=a_1+2=3+2=5$

$a_3=a_2+2=5+2=7$

$a_4=a_3+2=7+2=9$

$a_5=a_4+2=9+2=11$ 답 ⑤

02 수열 $\{a_n\}$은 첫째항이 2, 공차가 3인 등차수열이다.

따라서 $a_n=3n-1$에서

$a_8=3\cdot8-1=23$ 답 ①

03 (i) 홀수 중 가장 작은 수가 1이므로 $n=1$일 때, 즉 $p(1)$이 참임을 보인다.

(ii) 홀수는 $2k-1$(k는 자연수) 꼴로 나타내어지고, $2k-1$ 다음 홀수가 $2k+1$이므로 $p(2k-1)$이 참이면 $p(2k+1)$이 참임을 보인다.

따라서 반드시 증명해야 하는 것은 ㄱ, ㄷ이다.   답 ③

유형따라잡기 pp. 101~107

기출유형 01 ④	01. ④	02. 16	03. ①	04. ④
기출유형 02 ⑤	05. 96	06. ②	07. ③	08. ③
기출유형 03 ③	09. ⑤	10. 34	11. ③	12. ③
기출유형 04 ②	13. 2	14. ①	15. ⑤	16. ①
기출유형 05 ①	17. ②	18. ②	19. 92	20. ③
기출유형 06 ④	21. ⑤			
기출유형 07 ①	22. ⑤			

기출유형 **01**

Act❶ 이웃하는 두 항의 차가 일정하면 등차수열이다.

주어진 수열은 첫째항이 3, 공차가 5인 등차수열이므로

$a_n=3+(n-1)\times5=5n-2$

$\therefore a_4=5\times4-2=18$ 답 ④

01 **Act❶** 이웃하는 두 항의 차가 일정하면 등차수열이다.

$a_1=1$, $a_{n+1}-a_n=3$이므로 수열 $\{a_n\}$은 첫째항이 1, 공차가 3인 등차수열이다.

따라서 등차수열의 일반항 공식을 이용하면 제10항은

$a_{10}=1+9\times3=28$ 답 ④

02 **Act❶** 이웃하는 두 항의 차가 일정하면 등차수열이다.

$a_1=30$, $a_{n+1}-a_n=-2$이므로 수열 $\{a_n\}$은 첫째항이 30, 공

차가 -2인 등차수열이다.

따라서 등차수열의 일반항 공식을 이용하면 제8항은

$a_8=30+7\times(-2)=16$ 답 16

03 **Act❶** $a_{n+2}-2a_{n+1}+a_n=0$에서 $a_{n+2}-a_{n+1}=a_{n+1}-a_n$이므로 등차수열이다.

$a_{n+2}-2a_{n+1}+a_n=0$에서 $a_{n+2}-a_{n+1}=a_{n+1}-a_n$이므로 수열 $\{a_n\}$은 등차수열이고

$a_1=2$, $a_2-a_1=4-2=2$

이므로 첫째항이 2, 공차가 2이다.

$\therefore a_6=2+5\times2=12$ 답 ①

04 **Act❶** 주어진 수열이 등차수열임을 이용하여 일반항을 구한 후 조건을 만족시키는 k의 값을 구한다.

$a_{n+2}-2a_{n+1}+a_n=0$에서 $a_{n+2}-a_{n+1}=a_{n+1}-a_n$이므로 수열 $\{a_n\}$은 등차수열이다.

수열 $\{a_n\}$의 첫째항을 a, 공차를 d라 하면

$a_3=4$에서 $a+2d=4$ ······㉠

$a_5=9$에서 $a+4d=9$ ······㉡

㉠, ㉡을 연립하여 풀면 $a=-1$, $d=\dfrac{5}{2}$

$\therefore a_n=-1+(n-1)\times\dfrac{5}{2}=\dfrac{5}{2}n-\dfrac{7}{2}$

이때 $a_k=9$이므로

$a_k=\dfrac{5}{2}k-\dfrac{7}{2}=9$ $\therefore k=5$ 답 ④

기출유형 **02**

Act❶ 이웃하는 두 항의 비가 일정하면 등비수열이다.

모든 자연수 n에 대하여

$a_{n+1}=3a_n$, 즉 $\dfrac{a_{n+1}}{a_n}=3$이므로

수열 $\{a_n\}$은 공비가 3인 등비수열이다.

$a_2=2$이므로

$a_4=a_2\times3^2=2\times9=18$ 답 ⑤

[다른 풀이]

$a_3=3a_2=3\times2=6$

$a_4=3a_3=3\times6=18$

05 **Act❶** 이웃하는 두 항의 비가 일정하면 등비수열이다.

주어진 수열은 첫째항이 3, 공비가 2인 등비수열이므로

$a_n=3\times2^{n-1}$

$\therefore a_6=3\times2^5=96$ 답 96

06 **Act❶** 주어진 수열이 등비수열이므로 등비수열의 합 공식을 이용한다.

주어진 수열은 첫째항이 3, 공비가 4인 등비수열이므로

$\sum\limits_{k=1}^{4}a_k=\dfrac{3(4^4-1)}{4-1}=4^4-1=2^8-1=255$ 답 ②

07 **Act①** $\dfrac{a_{n+2}}{a_{n+1}}=\dfrac{a_{n+1}}{a_n}$ 은 수열 $\{a_n\}$ 이 등비수열임을 나타낸다.

$\dfrac{a_{n+2}}{a_{n+1}}=\dfrac{a_{n+1}}{a_n}$ 이므로 수열 $\{a_n\}$ 은 등비수열이다.

수열 $\{a_n\}$ 의 공비를 r 라 하면

$\dfrac{a_{12}}{a_2}=\dfrac{a_{14}}{a_4}=r^{10}$ 이므로

$\dfrac{a_{12}}{a_2}+\dfrac{a_{14}}{a_4}=r^{10}+r^{10}=6$

$\therefore r^{10}=3$

$\therefore \dfrac{a_{30}}{a_{10}}=r^{20}=(r^{10})^2=3^2=9$ 　　　답 ③

08 **Act①** $\dfrac{a_{n+2}}{a_{n+1}}=\dfrac{a_{n+1}}{a_n}$ 은 수열 $\{a_n\}$ 이 등비수열임을 나타낸다.

$\dfrac{a_{n+2}}{a_{n+1}}=\dfrac{a_{n+1}}{a_n}$ 이므로 수열 $\{a_n\}$ 은 등비수열이다.

$a_1=\dfrac{2}{3}$, $\dfrac{a_2}{a_1}=\dfrac{2}{\frac{2}{3}}=3$ 이므로 수열 $\{a_n\}$ 은 첫째항이 $\dfrac{2}{3}$, 공

비가 3인 등비수열이다.

$\therefore \displaystyle\sum_{k=1}^{4} a_k=\dfrac{\frac{2}{3}(3^4-1)}{3-1}=3^3-\dfrac{1}{3}=\dfrac{81-1}{3}=\dfrac{80}{3}$

따라서 $p=3$, $q=80$ 이므로

$p+q=83$ 　　　답 ③

기출유형 03

Act① n 대신 1, 2, 3, $\cdots$, $n-1$ 을 차례로 대입하여 변끼리 더한다.

$\begin{aligned} a_2&=a_1+1\\ a_3&=a_2+2\\ a_4&=a_3+2^2\\ +)\,a_5&=a_4+2^3\\ \hline a_5&=a_1+(1+2+2^2+2^3)\\ &=2+15=17 \end{aligned}$

답 ③

09 **Act①** n 대신 1, 2, 3, $\cdots$, $n-1$ 을 차례로 대입하여 변끼리 더한다.

$\begin{aligned} a_2&=a_1+2\times1-1\\ a_3&=a_2+2\times2-1\\ a_4&=a_3+2\times3-1\\ +)\,a_5&=a_4+2\times4-1\\ \hline a_5&=a_1+2(1+2+3+4)+(-1)\times4\\ &=1+20-4=17 \end{aligned}$

답 ⑤

10 **Act①** $a_{n+1}=a_n+2n+3$ 으로 바꾼 다음 n 대신 1, 2, 3, $\cdots$, $n-1$ 을 차례로 대입하여 변끼리 더한다.

$\begin{aligned} a_2&=a_1+2\times1+3\\ a_3&=a_2+2\times2+3\\ a_4&=a_3+2\times3+3\\ +)\,a_5&=a_4+2\times4+3\\ \hline a_5&=a_1+2(1+2+3+4)+3\times4\\ &=2+20+12=34 \end{aligned}$

답 34

11 **Act①** $a_{n+1}=a_n+2^n$ 으로 바꾼 다음 n 대신 1, 2, 3, $\cdots$, $n-1$ 을 차례로 대입하여 변끼리 더한다.

$\begin{aligned} a_2&=a_1+2\\ a_3&=a_2+2^2\\ a_4&=a_3+2^3\\ +)\,a_5&=a_4+2^4\\ \hline a_5&=a_1+(2+2^2+2^3+2^4)\\ &=3+\dfrac{2(2^4-1)}{2-1}\\ &=3+30=33 \end{aligned}$

답 ③

12 **Act①** 먼저 조건식을 이용하여 a_1 의 값을 구한 다음 n 대신 1, 2, 3, $\cdots$, $n-1$ 을 차례로 대입하여 변끼리 더한다.

$2a_1=a_2+3$ 　　　$\cdots\cdots$㉠

$a_{n+1}=a_n+3n$ 에서 $a_2=a_1+3$ 　　　$\cdots\cdots$㉡

㉠, ㉡에서 $a_1=6$

$\begin{aligned} a_2&=a_1+3\times1\\ a_3&=a_2+3\times2\\ &\;\;\vdots\\ +)\,a_{10}&=a_9+3\times9\\ \hline a_{10}&=a_1+3(1+2+3+\cdots+9)\\ &=6+3\sum_{k=1}^{9}k\\ &=6+3\times\dfrac{9\times10}{2}\\ &=141 \end{aligned}$

답 ③

기출유형 04

Act① $a_{n+1}=a_n f(n)$ 꼴로 정의된 수열은 n 대신 1, 2, 3, $\cdots$, $n-1$ 을 차례로 대입하여 변끼리 곱한다.

$a_{n+1}=2\cdot\dfrac{n}{n+1}a_n$ $(n=1,\ 2,\ 3,\ \cdots)$ 이므로

$\begin{aligned} a_2&=2\times\dfrac{1}{2}a_1\\ a_3&=2\times\dfrac{2}{3}a_2\\ \times)\,a_4&=2\times\dfrac{3}{4}a_3\\ \hline a_4&=2^3\times\dfrac{1}{4}a_1\\ &=2\times1=2 \end{aligned}$

답 ②

[다른 풀이]

n 대신 1, 2, 3을 차례로 대입하여 a_2, a_3, a_4의 값을 구한다.

$a_1=1$, $a_{n+1}=2\cdot\dfrac{n}{n+1}a_n$이므로

$a_2=2\times\dfrac{1}{2}a_1=1$

$a_3=2\times\dfrac{2}{3}a_2=\dfrac{4}{3}$

$a_4=2\times\dfrac{3}{4}a_3=2\times\dfrac{3}{4}\times\dfrac{4}{3}=2$

[다른 풀이]

$a_{n+1}=\dfrac{2n}{n+1}a_n$에서 $(n+1)a_{n+1}=2na_n$이므로

$\{na_n\}$은 공비가 2인 등비수열이다.

$\therefore na_n=(1\times a_1)\times2^{n-1}$

$n=4$일 때, $4a_4=(1\times1)\times2^{4-1}$

$\therefore a_4=2$

13 **Act①** $a_{n+1}=a_nf(n)$ 꼴로 정의된 수열은 n 대신 1, 2, 3, …, $n-1$을 차례로 대입하여 변끼리 곱한다.

$a_2=\dfrac{1}{2}\times a_1$

$a_3=\dfrac{2}{3}\times a_2$

$a_4=\dfrac{3}{4}\times a_3$

$\times\ \Big)\ a_5=\dfrac{4}{5}\times a_4$ ——————————

$a_5=\dfrac{1}{2}\times\dfrac{2}{3}\times\dfrac{3}{4}\times\dfrac{4}{5}\times a_1$

$\qquad=\dfrac{1}{5}\times10=2$

답 2

14 **Act①** $a_{n+1}=a_nf(n)$ 꼴로 정의된 수열은 n 대신 1, 2, 3, …, $n-1$을 차례로 대입하여 변끼리 곱한다.

$a_2=\dfrac{5}{1}\times a_1$

$a_3=\dfrac{6}{3}\times a_2$

$a_4=\dfrac{7}{5}\times a_3$

$\times\ \Big)\ a_5=\dfrac{8}{7}\times a_4$ ——————————

$a_5=5\times2\times\dfrac{7}{5}\times\dfrac{8}{7}\times a_1$

$\qquad=16\times1=16$

답 ①

15 **Act①** $a_{n+1}=\dfrac{n+1}{n}a_n$으로 바꾼 다음 n 대신 1, 2, 3, …, $n-1$을 차례로 대입하여 변끼리 곱한다.

$a_2=\dfrac{2}{1}\times a_1$

$a_3=\dfrac{3}{2}\times a_2$

$a_4=\dfrac{4}{3}\times a_3$

$\times\ \Big)\ a_5=\dfrac{5}{4}\times a_4$ ——————————

$a_5=\dfrac{2}{1}\times\dfrac{3}{2}\times\dfrac{4}{3}\times\dfrac{5}{4}\times a_1$

$\qquad=5\times1=5$

답 ⑤

16 **Act①** $a_{n+1}=\dfrac{n}{n+2}a_n$으로 바꾼 다음 n 대신 1, 2, 3, …, $n-1$을 차례로 대입하여 변끼리 곱한다.

$a_2=\dfrac{1}{3}\times a_1$

$a_3=\dfrac{2}{4}\times a_2$

$a_4=\dfrac{3}{5}\times a_3$

$\times\ \Big)\ a_5=\dfrac{4}{6}\times a_4$ ——————————

$a_5=\dfrac{1}{3}\times\dfrac{2}{4}\times\dfrac{3}{5}\times\dfrac{4}{6}\times a_1$

$\qquad=\dfrac{1}{15}\times3=\dfrac{1}{5}$

답 ①

기출유형 05

Act① n 대신 1, 2, 3, …을 차례로 대입하여 규칙성을 찾는다.

주어진 식에 n 대신 1, 2, 3, …을 차례로 대입하면

$a_1=2$이므로

$a_2=\dfrac{a_1}{2-3a_1}=\dfrac{2}{2-6}=-\dfrac{1}{2}$

$a_3=1+a_2=1-\dfrac{1}{2}=\dfrac{1}{2}$

$a_4=\dfrac{a_3}{2-3a_3}=\dfrac{\dfrac{1}{2}}{2-\dfrac{3}{2}}=1$

$a_5=1+a_4=1+1=2$

$\vdots$

이때

$a_n=a_{n+4}$ (n은 자연수)

이므로

$a_1+a_2+a_3+a_4$

$=a_5+a_6+a_7+a_8$

$\vdots$

$=a_{37}+a_{38}+a_{39}+a_{40}$

$=3$

$\therefore\ \displaystyle\sum_{n=1}^{40}a_n=10\times3=30$

답 ①

17 Act① n 대신 1, 2, 3, $\cdots$을 차례로 대입하여 규칙성을 찾는다.

$a_n a_{n+1}=2n$에 n 대신 1, 2, 3, $\cdots$을 차례로 대입하면

$a_1 a_2=2$

$a_2 a_3=4$

$a_3 a_4=6$

$a_4 a_5=8$

$a_3=1$이므로 $a_2=4$, $a_4=6$이고 $a_1=\dfrac{1}{2}$, $a_5=\dfrac{4}{3}$이다.

$\therefore a_2+a_5=4+\dfrac{4}{3}=\dfrac{16}{3}$　　　　　　답 ②

18 Act① 주어진 식에 n 대신 1, 2, 3, $\cdots$을 차례로 대입하여 a_7의 값을 찾는다.

주어진 식에 n 대신 1, 2, 3, $\cdots$을 차례로 대입하면

$a_1=2$이고 이 수는 짝수이므로

$a_2=a_1-1=1$

a_2는 홀수이므로

$a_3=a_2+2=1+2=3$

a_3은 홀수이므로

$a_4=a_3+3=3+3=6$

a_4는 짝수이므로

$a_5=a_4-1=6-1=5$

a_5는 홀수이므로

$a_6=a_5+5=5+5=10$

a_6은 짝수이므로

$a_7=a_6-1=10-1=9$　　　　　　답 ②

19 Act① n 대신 1, 2, 3, $\cdots$을 차례로 대입하여 a_5의 값을 구한다.

$a_{n+1}=2(a_n+2)$에 n 대신 1, 2, 3, $\cdots$을 차례로 대입하면

$a_2=2(a_1+2)=2\times(2+2)=8$

$a_3=2(a_2+2)=2\times(8+2)=20$

$a_4=2(a_3+2)=2\times(20+2)=44$

$a_5=2(a_4+2)=2\times(44+2)=92$　　　답 92

20 Act① n 대신 1, 2, 3, $\cdots$을 차례로 대입하여 규칙성을 찾는다.

주어진 식에 n 대신 1, 2, 3, $\cdots$을 차례로 대입하면

$a_1=\dfrac{1}{5}$이므로

$a_2=2a_1=\dfrac{2}{5}$

$a_3=2a_2=\dfrac{4}{5}$

$a_4=2a_3=\dfrac{8}{5}$

$a_5=a_4-1=\dfrac{3}{5}$

$a_6=2a_5=\dfrac{6}{5}$

$a_7=a_6-1=\dfrac{1}{5}$

$\vdots$

이므로 $a_n=a_{n+6}$ $(n\geq1)$이 성립한다.

$20=3\times6+2$이므로

$\displaystyle\sum_{n=1}^{20}a_n=3\times\left(\dfrac{1}{5}+\dfrac{2}{5}+\dfrac{4}{5}+\dfrac{8}{5}+\dfrac{3}{5}+\dfrac{6}{5}\right)+\left(\dfrac{1}{5}+\dfrac{2}{5}\right)$

$\qquad\quad=3\times\dfrac{24}{5}+\dfrac{3}{5}$

$\qquad\quad=15$　　　　　　답 ③

기출유형 06

Act① 수학적 귀납법을 이용한 등식의 증명 과정의 원리를 생각하며 빈칸에 알맞은 식을 구한다.

(ⅰ) $n=1$일 때,

(좌변)$=2-1=1$, (우변)$=1^2=1$

따라서 주어진 식이 성립한다.

(ⅱ) $n=k$일 때,

주어진 식이 성립한다고 가정하면

$1+3+5+\cdots+(2k-1)=k^2$

위 식의 양변에 $\boxed{2k+1}$을 더하면

$1+3+5+\cdots+(2k-1)+\boxed{2k+1}$

$=k^2+\boxed{2k+1}=\boxed{(k+1)^2}$

위의 과정에서 (가), (나)에 알맞은 식은 각각

$f(k)=2k+1$, $g(k)=(k+1)^2$이므로

$f(1)=3$, $g(2)=9$

$\therefore f(1)+g(2)=12$　　　　　답 ④

21 Act① 수학적 귀납법을 이용한 등식의 증명 과정의 원리를 생각하며 빈칸에 알맞은 식을 구한다.

$a_k=2^k+\dfrac{1}{k}$이므로

$ka_{k+1}=2ka_k-\dfrac{k+2}{k+1}=2k\left(2^k+\dfrac{1}{k}\right)-\dfrac{k+2}{k+1}$

$\qquad\ =\boxed{k2^{k+1}+2}-\dfrac{k+2}{k+1}$

$\qquad\ =k2^{k+1}+\boxed{\dfrac{k}{k+1}}$

이다.

위의 과정에서 (가), (나)에 알맞은 식은 각각

$f(k)=k2^{k+1}+2$, $g(k)=\dfrac{k}{k+1}$이므로

$f(3)=3\times2^4+2=50$, $g(4)=\dfrac{4}{5}$

$\therefore f(3)\times g(4)=40$　　　　　답 ⑤

기출유형 07

Act① 수학적 귀납법을 이용한 부등식의 증명 과정의 원리를 생각하며 빈칸에 알맞은 식을 구한다.

(ⅰ) $n=2$일 때,

(좌변)$=1+\dfrac{1}{2}=\dfrac{3}{2}$,

(우변)$=\dfrac{2\cdot2}{2+1}=\dfrac{4}{3}$

따라서 주어진 식이 성립한다.

(ii) $n=k$ $(k≥2)$일 때,

주어진 식이 성립한다고 가정하면

$$1+\frac{1}{2}+\frac{1}{3}+\cdots+\frac{1}{k}>\frac{2k}{k+1}$$

위 식의 양변에 $\boxed{\dfrac{1}{k+1}}$을 더하면

$$1+\frac{1}{2}+\frac{1}{3}+\cdots+\frac{1}{k}+\boxed{\frac{1}{k+1}}>\frac{2k}{k+1}+\boxed{\frac{1}{k+1}}$$

이때 $\dfrac{2k}{k+1}+\boxed{\dfrac{1}{k+1}}=\boxed{\dfrac{2k+1}{k+1}}$이므로

$$\frac{\boxed{2k+1}}{k+1}-\frac{2(k+1)}{k+2}=\frac{k}{(k+1)(k+2)}>0$$

위의 과정에서 (가), (나)에 알맞은 식은 각각

$$f(k)=\frac{1}{k+1},\ g(k)=2k+1$$이므로

$$f(2)=\frac{1}{3},\ g(4)=9$$

$$\therefore f(2)\times g(4)=3 \hspace{2cm} \text{답 ①}$$

22 **Act①** 수학적 귀납법을 이용한 부등식의 증명 과정의 원리를 생각하며 빈칸에 알맞은 식을 구한다.

$$\left(1+\frac{1}{n}\right)^{n+1}-\left(1+\frac{1}{n+1}\right)^{n+1}$$

$$=\boxed{\frac{1}{n(n+1)}}\left\{\left(1+\frac{1}{n}\right)^{n}+\left(1+\frac{1}{n}\right)^{n-1}\left(1+\frac{1}{n+1}\right)\right.$$

$$\left.+\left(1+\frac{1}{n}\right)^{n-2}\left(1+\frac{1}{n+1}\right)^{2}+\cdots+\left(1+\frac{1}{n+1}\right)^{n}\right\}$$

$$<\frac{1}{n(n+1)}\left\{\left(1+\frac{1}{n}\right)^{n}+\left(1+\frac{1}{n}\right)^{n}+\cdots+\left(1+\frac{1}{n}\right)^{n}\right\}$$

$$=\frac{n+1}{n(n+1)}\left(1+\frac{1}{n}\right)^{n}=\boxed{\frac{1}{n}}\left(1+\frac{1}{n}\right)^{n}$$

즉 $\left(1+\dfrac{1}{n}\right)^{n+1}-\left(1+\dfrac{1}{n+1}\right)^{n+1}<\boxed{\dfrac{1}{n}}\left(1+\dfrac{1}{n}\right)^{n}$이다.

위의 과정에서 (가), (나)에 알맞은 식은 각각

$$f(n)=\frac{1}{n(n+1)},\ g(n)=\frac{1}{n}$$이므로

$$f(10)=\frac{1}{10\times11},\ g(5)=\frac{1}{5}$$

$$\therefore \frac{g(5)}{f(10)}=\frac{1}{5}\times(10\times11)=22 \hspace{1cm} \text{답 ⑤}$$

VIT Very Important Test

01. ④	**02.** ④	**03.** ②	**04.** 4	**05.** ①
06. ⑤	**07.** ③	**08.** ⑤	**09.** ⑤	**10.** 2
11. ③	**12.** ②			

01

주어진 수열은 첫째항이 5, 공차가 6인 등차수열이므로

$$a_n=5+(n-1)\times6=6n-1$$

$$\therefore a_5=6\times5-1=29 \hspace{2cm} \text{답 ④}$$

02

모든 자연수 n에 대하여

$a_{n+1}=2a_n$, 즉 $\dfrac{a_{n+1}}{a_n}=2$이므로

수열 $\{a_n\}$은 공비가 2인 등비수열이다.

$a_2=6$이므로

$$a_5=a_2\times2^3=6\times8=48 \hspace{1.5cm} \text{답 ④}$$

03

n 대신 1, 2, 3, $\cdots$, $n-1$을 차례로 대입하여 변끼리 더한다.

$$a_2=a_1+2^2$$
$$a_3=a_2+2^3$$
$$a_4=a_3+2^4$$
$$+\underline{)\,a_5=a_4+2^5}$$
$$a_5=a_1+(2^2+2^3+2^4+2^5)$$
$$=3+\frac{4(2^4-1)}{2-1}$$
$$=3+4\times(16-1)$$
$$=63$$

$$\text{답 ②}$$

04

$a_{n+1}=a_nf(n)$ 꼴로 정의된 수열은 n 대신 1, 2, 3, $\cdots$, $n-1$을 차례로 대입하여 변끼리 곱한다.

$$a_2=\frac{1}{3}\times a_1$$
$$a_3=\frac{2}{4}\times a_2$$
$$a_4=\frac{3}{5}\times a_3$$
$$\times\underline{)\,a_5=\frac{4}{6}\times a_4}$$
$$a_5=\frac{1}{3}\times\frac{2}{4}\times\frac{3}{5}\times\frac{4}{6}\times a_1$$
$$=\frac{1}{15}\times60$$
$$=4$$

$$\text{답 4}$$

05

$a_{n+1}=\dfrac{n}{n+3}a_n$으로 바꾼 다음 n 대신 1, 2, 3, $\cdots$, $n-1$을 차례로 대입하여 변끼리 곱한다.

$$a_2=\frac{1}{4}\times a_1$$
$$a_3=\frac{2}{5}\times a_2$$
$$a_4=\frac{3}{6}\times a_3$$
$$\times\underline{)\,a_5=\frac{4}{7}\times a_4}$$
$$a_5=\frac{1}{4}\times\frac{2}{5}\times\frac{3}{6}\times\frac{4}{7}\times a_1$$
$$=\frac{1}{35}\times10=\frac{2}{7}$$

$$\text{답 ①}$$

06

주어진 식에 n 대신 1, 2, 3, 4를 차례로 대입하면

$a_2 = 2a_1 + 1^2 = 2 \cdot 1 + 1 = 3$

$a_3 = 2a_2 + 2^2 = 2 \cdot 3 + 4 = 10$

$a_4 = 2a_3 + 3^2 = 2 \cdot 10 + 9 = 29$

$a_5 = 2a_4 + 4^2 = 2 \cdot 29 + 16 = 74$

답 ⑤

07

$\dfrac{a_{n+1}}{a_n} = 1 - \dfrac{1}{(n+1)^2} = \dfrac{(n+1)^2 - 1}{(n+1)^2} = \dfrac{n}{n+1} \times \dfrac{n+2}{n+1}$ 에 n 대신 1, 2, 3, $\cdots$을 차례로 대입하면

$\dfrac{a_2}{a_1} = \dfrac{1}{2} \times \dfrac{3}{2}$

$\dfrac{a_3}{a_2} = \dfrac{2}{3} \times \dfrac{4}{3}$

$\dfrac{a_4}{a_3} = \dfrac{3}{4} \times \dfrac{5}{4}$

$\vdots$

$\dfrac{a_7}{a_6} = \dfrac{6}{7} \times \dfrac{8}{7}$

이므로 변끼리 곱하면

$\dfrac{a_2}{a_1} \times \dfrac{a_3}{a_2} \times \cdots \times \dfrac{a_7}{a_6}$

$= \dfrac{1}{2} \times \left(\dfrac{3}{2} \times \dfrac{2}{3} \right) \times \left(\dfrac{4}{3} \times \dfrac{3}{4} \right) \times \cdots \times \dfrac{8}{7}$

$\dfrac{a_7}{a_1} = \dfrac{1}{2} \times \dfrac{8}{7}$

$\therefore a_7 = \dfrac{4}{7}$

답 ③

08

주어진 식에 n 대신 1, 2를 차례로 대입하면

$a_2 = \dfrac{k}{a_1 + 2} = \dfrac{k}{3}$

$a_3 = \dfrac{k}{a_2 + 2} = \dfrac{k}{\dfrac{k}{3} + 2}$

$a_3 = \dfrac{9}{4}$ 이므로

$\dfrac{k}{\dfrac{k}{3} + 2} = \dfrac{9}{4}$, $4k = 3k + 18$

$\therefore k = 18$

답 ⑤

09

주어진 식에 n 대신 1, 2, 3을 차례로 대입하면

$a_1 = 2$ 이므로

$a_2 = \dfrac{2}{1 + a_1} + 1 = \dfrac{2}{3} + 1 = \dfrac{5}{3}$

$a_3 = \dfrac{3}{1 + a_2} + 1 = \dfrac{9}{8} + 1 = \dfrac{17}{8}$

$a_4 = \dfrac{4}{1 + a_3} + 1 = \dfrac{32}{25} + 1 = \dfrac{57}{25}$

답 ⑤

10

n 대신 1, 2, 3, $\cdots$을 차례로 대입하여 규칙성을 찾으면

$a_1 = \dfrac{2}{5}$ 이므로

$a_2 = 2 \times \dfrac{2}{5} = \dfrac{4}{5}$

$a_3 = 2 \times \dfrac{4}{5} = \dfrac{8}{5}$

$a_4 = -\dfrac{8}{5} + 2 = \dfrac{2}{5}$

$a_5 = 2 \times \dfrac{2}{5} = \dfrac{4}{5}$

$\vdots$

$k = 0$, 1, 2, $\cdots$에 대하여

$a_{3k+1} = \dfrac{2}{5}$, $a_{3k+2} = \dfrac{4}{5}$, $a_{3(k+1)} = \dfrac{8}{5}$

임을 추론할 수 있다.

$\therefore a_6 + a_{13} = a_{3 \times 2} + a_{3 \times 4 + 1} = \dfrac{8}{5} + \dfrac{2}{5} = 2$

답 2

11

ㄱ. $p(1)$이 참이면 $p(2)$도 참이고, $p(2)$가 참이면 $p(4)$도 참이다. 따라서 $p(4)$가 참이면 $p(8)$도 참이다. (참)

ㄴ. $p(2)$가 참이면 $p(4)$도 참이고, $p(4)$가 참이면 $p(8)$도 참이다. $p(8)$이 참이면 $p(16)$도 참이지만 $p(10)$은 참인지 거짓인지 알 수 없다. (거짓)

ㄷ. $p(3)$이 참이면 $p(6)$도 참이고, $p(6)$이 참이면 $p(12)$도 참이다. (참)

답 ③

12

(i) $n = 1$일 때,

$1 + 5 = 6$이므로 $n^3 + 5n$은 6의 배수이다.

(ii) $n = k$일 때,

$n^3 + 5n$이 6의 배수라고 가정하면

$k^3 + 5k = 6m$ (m은 자연수)이므로

$(k+1)^3 + 5(k+1)$

$= k^3 + 3k^2 + 3k + 1 + 5k + 5$

$= (k^3 + 5k) + 6 + 3k^2 + 3k$

$= \boxed{6(m+1)} + 3k(k+1)$

이때 $3k(k+1)$은 6의 배수이므로

$n = \boxed{k+1}$ 일 때에도 $n^3 + 5n$은 6의 배수이다.

위의 과정에서 (가), (나)에 알맞은 식은 각각

$f(m) = 6(m+1)$, $g(k) = k+1$이므로

$f(1) = 12$, $g(2) = 3$

$\therefore \dfrac{f(1)}{g(2)} = 4$

답 ②

참 쉬운 3정 수학